晓松说
历史上的今天

Today

in History

鱼羊野史

第 **3** 卷 5—6月　　高晓松
作品

民主与建设出版社　　博集天卷 CS·BOOKY

图书在版编目（CIP）数据

鱼羊野史. 第3卷 / 高晓松著. —北京：民主与建设出版社，2015. 3

ISBN 978-7-5139-0581-7

Ⅰ．①鱼… Ⅱ．①高… Ⅲ．①中国历史—野史 Ⅳ．①K204.5

中国版本图书馆CIP数据核字（2015）第038234号

鱼羊野史·第3卷

出 版 人　许久文

责任编辑　刘　芳

监　　制　蔡明菲　潘　良

封面设计　壹诺设计

出版发行　民主与建设出版社有限责任公司

电　　话　（010）59417749　59419770

社　　址　北京市朝阳区阜通东大街融科望京中心B座601室

邮　　编　100102

印　　刷　北京鹏润伟业印刷有限公司

成品尺寸　700mm×1000mm　1/16

印　　张　20

字　　数　302千字

版　　次　2015年4月第1版　2016年8月第2次印刷

书　　号　ISBN 978-7-5139-0581-7

定　　价　39.80元

质量监督电话：010-59096394

团购电话：010-59320018

序

　　这套书是我 2013 年在东方卫视做的一档叫《晓松说——历史上的今天》的节目文字未删减版。因为电视播出的时长限制，也因为大众平台的尺度制约，播出版剪掉了很多。加上形象不够悦目、北京口音浓重，错过了不少观众。故此将文字结集出版，希望能和更多人分享知与识、艺与术、成长与思考。

　　既然叫"历史上的今天"，自然就按"天"索骥，把每天发生过的事件挑挑拣拣，拣出我感兴趣的一两件聊聊。由于我半生不务正业，主要是不知哪种营生堪当正业，就读了若干闲书，跑了许多地方，颇结识了些僧俗怪人，目击了二十年怪现状。也就攒下些心得想法，闲时在饭桌酒局贩售，落下个不埋单的口实。一来二去，就跑到天桥撂地说书，真干起了这门营生。

　　说是历史，又与人家专门考据分析归纳立论的"高大上"历史学问不同，无门无类，凡举政治、军事、科技、文艺、体育甚至天文地理古董迷信，杂七杂八，信马由缰，点到即止。需要读上个大半册，才能看出些观点主义之类。为免读者劳神，干脆在这里开宗明义，把我的不成熟小历史观呈上，以便随时检验。

　　我觉得整个人类历史的展开，就是科学和艺术以平行线的方式交替解释人与自然，交替给我们提供美感，从不同时共襄盛举。你离远些看到整个历史，当文艺昌明的时候，艺术飞速发展的时候，通常都是科学很落后的时候，或者科学停滞不前的时候。最开始出现的图腾、最开始出现的神话、原始的宗教，其实都是艺术的能指。太阳是阿波罗，月亮是嫦娥，东西方最开始都在用艺术解释世界。紧接着科学发展起来，开始急速地追赶，把世界大部分的现象，都赋予科学解释，地球是圆的，季风有规律，月亮是卫星。这个时候艺术就会很长时间停滞不前。文艺复兴的时代，艺术涤荡天下，再到工业革命的时候，艺术又相当程度地退居幕后。当科学迅速发展撞到南墙，比如到了一战，发现科学这么发达，可以这么高效率、短时间、大规模地杀人如草芥，上千万人就这样零落成泥碾作尘时，科学惊呆在那里，科学自己不能解释这是为什么。所以一战以后，又进入一个艺术大发展时代，就是我在后面经常讲的，巴黎流放归来的人中，出现了大批大师，出现了海明威、聂鲁达、菲茨杰拉德，出现了毕加索，哲学方面，萨特、福柯接踵而来，开始解释我们人类出现了什么问题。

　　然后科学再发展，艺术再解释，每当科学飞速发展的时候，人们的精神会停滞，因为科学发展的时候，对生活是有很大改善的，每当生活改善的时候，知识分子就觉得很孤单。比如今天，不光是中国，全世界的知识分子都觉得很孤单、很迷茫，包括英美的大知识分子，这两年都开始严重向左转，写了大量有关马克思主义、有关左派的书，因为他们也找不到出路。我觉得这就是历史发展的必然。因为现在是科学最大发展时期，以互联网为代表的高新科技，以最快的速度改变着人们的生活，这时候艺术通常会靠边站，等科学飞速地再一次撞到南墙。等科学对人们精神世界的又一轮高科技束缚出现的时候，科学又会发现自己无能为力，艺术又会超越科学，再去解释人类的新问题。那个时候才会出现崭新的文学、哲学，崭新的电影，崭新的绘画流派和音乐。我很期待那一天，最好在我有生之年，我猜一定在我有生之年，因为现在发展速度比以前快了百倍，两者交替的频率也应该比以前高很多。有意思的就是它们从来不同时绽放，而是交替，但是它们每一次交替都带给你很多美感跟思考。

　　再有就是大家说屁股决定脑袋，每个人都根据自己的身份、自己的成长，会有不同的看历史的眼光。每个时代都有它的好，有它的不好，只是由于每个人的身份不同，比如我作为一个知识分子家庭出身的孩子，作为一个读书人，我当然是喜欢文化昌明、知识分子自由的时代，我当然是不喜欢要被太监打屁股、被太监侮辱的时代，所以我肯定不喜欢明朝。我自己最喜欢的几个昌明时代，首先是春秋战国时期，尤其是齐国，不光是因为齐国有管仲和青楼，也不光是因为齐国有海鲜吃，那个时候饭做得不太好，只有脍、炙两种手段。那是知识分子最美好的黄金年代，你有上、中、下好几条路可选，上也许能成为诸子百家，那你就太高兴了，也许嘛，大师辈出的年代你被激发了，而不像今天，大家比着秀智商下限；中你可以布衣立谈成卿相，也许你就站在君主的门口聊几句，献个策，就进了中央政治局，苏秦甚至创造了同时佩六国相印的世界纪录，挂身上都背不动；再下，也可以去孟尝君、信陵君、春申君家里头当门客，跟公子聊聊天，替公子看看书，大家喝喝酒。我觉得那是一个美好的知识分子的时代，甚至比同时代的希腊还要好。那是一个轴心时代，这边有诸子百家，那边有希腊璀璨的大师们出现，南边还有释迦牟尼顿悟了。那是一个伟大的思想飞跃的时代。能生活在那个时代，就算吃得差一点儿，也觉得很幸福。或去唐代，当然最好不要经历安史之乱，好事儿都得叫咱赶上，最好是安史之乱之前就已经死了，生前经历了唐初一直到盛唐玄宗时期的开元盛世，与大诗人们一起结交、云游、写诗，甚至可以上殿去脱了鞋，醉草吓蛮书走起。那个美好的时代，是伟大的诗人时代。再不济就去宋朝，最好是在仁宗时期，不要看到后面改革、党争那些事。只跟苏家兄弟一起游于赤壁，杯盘狼藉，不知东方之既白。也可以写文章骂皇帝，破口大骂也没关系，最多就被发配去旅游嘛，到处去看看。所以我喜欢这些美好的时代。西方文艺复兴时期也很美好，大航海时代就算了，因为我吃不了苦，在船上确实苦。

　　我一直都以这样的观点来看待古今中外的人与物，基本上我比较偏中，既不左，也不是很右，你要说中庸也好，叫我自由派也好，我就是这样的一个读书人。以这样的观点来跟大家分享，午夜醒来想一想还算问心无愧。

高晓松

2013 年 12 月

Today

in History

Today

in History

鱼羊野史 ❸

目 录

引 言

　　众所周知，有一帮杞人忧天的家伙臆造了一个叫世界末日的东西，当然了，到那天世界末日没有准时来临。但这件事启发了我们，让我们重新想一想，我们是谁？我们从哪儿来？要去哪儿？也让我们更加珍视这个浩瀚宇宙中间，发生过无数次聚散悲欢的小小星球。历史是什么？很多人说过这样那样的话，胡适先生曾说过历史是个任人打扮的小姑娘，但是在很多时候，历史甚至变成了一个整过容的大妈。我们要说的历史，是尽量不整容、不化妆，素颜的历史。

Today

in History

月

5月1日

《晓松说——历史上的今天》来到了 5 月 1 日。1886 年的这一天，美国芝加哥工人大罢工，由此诞生了"五一"国际劳动节。公元 280 年的今天，吴国灭亡，气吞山河的三国时代正式结束。2010 年的今天，盛大的世博会在上海开幕。今天还是捷克大作曲家德沃夏克的祭日。

| "五一"国际劳动节 |

1886 年的今天，美国芝加哥工人大罢工，芝加哥是美国重要的工业城市。美国的工人是全世界最能战斗的工人，有了全世界最强大的工会，才有了"五一"国际劳动节。

我以前以为全世界都在这一天庆祝劳动节，到了美国才发现，虽然"五一"劳动节是从美国开始的，但是美国的劳动节是每年 9 月的第一个星期一。美国的节日基本上都是在某月的第一个星期一、最后一个星期四之类的，这样正好凑成一个长周末，不用每年由"国家假日办公室"调整节假日。当时工人运动和社会主义运动其实是比较合一的运动，所以"五一"国际劳动节后来变成了社会主义国家的劳动节，包括当年的苏联、东欧各国、中国、朝鲜、古巴等，而大多数资本主义国家不在这一天过劳动节。

| 吴国灭亡 |

三国是中国历史上英雄辈出、风起云涌的时期，这一时期有最多的人物登上戏曲舞台，有最多的故事被写进小说，有最多的传说被说成评书。在公元 280 年的这一天，吴国的皇帝正式向晋投降，至此，魏、蜀、吴三国全部灭亡，三国时代正式落幕，中国终于又迎来了"分久必合，合久必分"的"合"的时代。

三国中最先灭亡的是蜀国，接着是魏国，吴国最后一个灭亡。蜀国从一开始就不具备争雄争霸的大国实力。蜀国由于丢了荆州，国土面积很小，人口也很少。诸葛亮的《出师表》就能体现出当时的蜀国只能靠打仗求生存，因此最先灭亡的就是蜀国。紧接着，魏国也被司马家篡了权。古往今来都有这样的例子。司马懿正是靠着蜀国对魏国的威胁，才使司马家成为不可替代的家族。我一直觉得空城计是诸葛亮和司马懿两人的默契，司马懿肯定一看就知道是空城计，但我抓了你诸葛亮回去后，魏国还要我司马家干吗？正所谓："飞鸟尽，良弓藏；狡兔死，走狗烹！"司马懿想：得，我还是别抓你，我先跑了。然后算算时间，等诸葛亮差不多走了再回去。一定要有蜀国在、有诸葛亮在，司马家才能有这么大的权力，权倾朝野，功高盖主，最后把魏国灭了。

吴国最终向晋投降，北方战胜南方，中国又一次重演了发生过无数次的由北方来统一全国的历史。这是我们国家非常有意思的传统：不管怎么分裂，最后大家都认为我们就是一个大国家。在戏曲舞台上、电影中、小说中、评书中，那么多耳熟能详的三国英雄，最后都"是非成败转头空，青山依旧在，几度夕阳红"。

| 上海召开世博会 |

2010 年的这一天，世博会在上海召开。上海世博会是历届世博会中最盛大的一次，北京奥运会也是奥运会历史上最盛大的一次。我们国家正在强盛的过程中，所以我们一定要把每一件事情都办到最大、最好。就连在北京举办的世界妇女大会，也是有史以来最大的一次。

我曾经在1998年参加过里斯本世博会。那届世博会的主题是"开发海洋"，规模之小，跟上海世博会完全没法比。一个园子里面每个国家有个小馆，最大的是澳门馆，当时澳门还没有回归。为什么最大的馆是澳门馆呢？因为那里有个小赌场，大家排队去赌博。中国馆只有几张海洋钻井平台的照片。旁边有很多人支起柜台卖扇子、玉坠。我觉得奇怪，问这些人："世博会你们在这儿卖扇子、卖玉坠干吗呀？"回答说："浙江外经贸局承包了中国馆，公开招标，很多浙江商人中了标在这里卖东西。"上海世博会情景完全不一样，全世界都看到了强大的中国，这才叫震撼世界的大型世博会。上海世博会办成这样，都不知道以后的国家还怎么办世博会，谁还敢办世博会了。

| 德沃夏克去世 |

今天是捷克大作曲家德沃夏克的祭日。他的代表作《自新大陆》将美国民歌融会到交响乐中，算是一个创举。捷克在音乐方面有两位国宝级的作曲家，一位是德沃夏克，一位就是创作了《伏尔塔瓦》的斯美塔那，伏尔塔瓦河是穿过捷克首都布拉格的那条美丽的大河。捷克是一个非常热爱音乐的民族，到处都有这两位的塑像。不像我们中国，有木匠和孔乙己的塑像，音乐家的倒不多。

5月2日

《晓松说——历史上的今天》来到了 5 月 2 日。1895 年的今天，在北京发生了著名的公车上书。1942 年的这一天，毛主席发表了著名的《在延安文艺座谈会上的讲话》。今天还是达·芬奇、大作曲家施光南，还有民国著名的大才子、僧人苏曼殊的祭日，也是恐怖分子头目本·拉登被击毙的日子。

| 公车上书 |

1895 年的今天，来北京参加科举考试的各省举子出于对国家命运的忧虑，反对清政府签订丧权辱国的《马关条约》而上书朝廷，史称公车上书。1895 年是中华民族历史上最倒霉的一年。1840 年鸦片战争惊醒了沉睡的中国，当时从经济规模的角度来看中国还是最强大的，但从社会经济形态来讲，中国还停滞在传统农业社会，而欧美各国已进入近代工业社会。鸦片战争之后，中国通过半个世纪的努力建成了亚洲最强大的海军和陆军，工业也是蓬勃发展，成为初步近代化的国家。1894 年，中国和邻居日本对赌国运，在甲午战争这场豪赌

中，日本赢了，我们输了。在这场豪赌中我们不光输了钱，输了士气，还输了整个国运，进入最危急的时刻。中国的知识分子士大夫阶层一直都有忧国忧民、以天下为己任的传统，所以来北京赶考的举子就发起了公车上书。

公车上书正式拉开了中国百日维新或者叫戊戌变法的序幕。从历史的角度，公车上书可以从两个方面来看。一方面是中国必须改革，这是肯定的。当时国家已经衰落到如此地步，改革的要求迫在眉睫，所以知识分子要求改革，老百姓要求图强，皇帝也要求改革。另一方面由于大家都没有经验，尤其是皇帝太年轻，轻信了康有为这些人。康有为年轻时在家乡就被称为妄人，满嘴跑火车，不是一个真正负责任的知识分子。他自己没有读过那么多西方书籍，也没出过国，外国的事情全都是道听途说来的，但是光绪皇帝非常信任他。其实改革不应该这样"一刀切"：老臣全都不信，偏听偏信几个新人。在康有为等人的建议下，光绪皇帝百日之内发出七十多道闭门造车的诏书。但像中国这样的大国，改革必须循序渐进。过于激进的改革往往导致非常负面的影响，以失败告终。

1901 年之后慈禧太后在清末新政时期实施的政策，包括袁世凯上台后实施的政策，就是戊戌变法时追求的那些东西，只不过由一些老成持重的人来操作的时候，不像那些对管理国家毫无经验的幼稚的知识分子那样激进。中国后来的改革遵循了维新的道路，只是那时国运已去，而日本早已拿着相当于日本数年政府收入的中国赔款扬长而去，加入世界最富强国家的行列。历史没有给中国的改革留时间，此后中国只能在黑暗中慢慢摸索。今天看来，我们似乎找到了前进的方向，但一百年的时间已经过去了。

| 拉登被击毙 |

2011 年的今天，拉登被美军击毙。这件事现在美国还在闹，因为击毙拉登的人出了一本书，然后以泄露国家机密罪被国防部起诉。拉登的阴影从"9·11"开始一直笼罩着美国和西方人民。后来很多事情都证明拉登并不能操纵所有的基地恐怖组织，但大家觉得所有的恐怖袭击好像都是拉登干的，

只要拉登在，好像就永远不得安宁。所以美国人不管打到哪里，一定要把拉登刨出来。

拉登的名字的翻译有一点儿小问题。他的名字是 Osama bin Laden，穆斯林的名字中 bin 后面是他父亲的名字拉登，他们全家包括他的兄弟姐妹都叫什么什么本·拉登，所以他的名字实际上应该翻译成奥萨马（Osama）。他的名字跟奥巴马（Obama）很像，以至于拉登被击毙的时候，美国媒体由于过于兴奋弄出了笑话，直接在电视上打出来的是 Obama bin Laden 被击毙。

美国人民对"9·11"仇恨非常深，"9·11"时死的美国人比二战日本袭击珍珠港时还要多。美国不管花多少纳税人的钱，甭管是每个月花一百万美元，还是每个月花一百亿美元（实际上就是每月一百亿美元花在伊拉克），也一定要把拉登抓住，最后美国人终于把他击毙了。拉登竟然没有逃到中亚的一个什么地方。那儿的人长得都差不多，他完全可以卖卖羊肉串，收工了弹弹冬不拉，苟活下去。但是拉登没有这样做。

实际上，对于击毙本·拉登这件事，美国政府老谋深算，我猜美国政府早就发现他在哪儿了，只不过不急于击毙他，要等到总统竞选连任的时候再用这招。民主社会有个问题，政客脑子里老绷着一根神经，就是选举，政府出台每个政策、做每件事，都要想着这和选举有什么关系，怎样做才能有利于选举。我猜奥巴马大概还经常会问一句："拉登同志最近怎么样？""最近吃得不错，不出门。""好好好，留着留着。"一直留到总统准备竞选连任，才下令把他干掉。

按穆斯林习俗，死人必须二十四小时内下葬，所以拉登被击毙后，没来得及把尸体拉回美国给大家展览展览就海葬了。到现在美国还有很多阴谋论，说杀的其实不是拉登云云。

| 达·芬奇去世 |

今天是达·芬奇的祭日。很难用一个身份去界定他。他是个画家，但他 1519 年就画出了潜艇，过了好几百年，人类才真的造出了潜艇。他学过生物，学过解剖，设计过各种从建筑到机械的家伙。我在佛罗伦萨还看过他的机械工程图纸原稿展览，比四百年后我在清华学工程制图课时画的还要神奇。他会各种神秘的东西，还当过共济会的政治领袖。只有文艺复兴时期才能诞生这样伟大全才。

|施光南去世|

从新中国成立到今天，被授予"人民音乐家"称号的只有三位，这是中国音乐家的最高荣誉。前两位被授予此殊荣的是国歌的作曲者聂耳，以及《黄河大合唱》的作曲者冼星海。改革开放以后，唯一被授予这个光荣称号的就是施光南先生。

施光南是我们北京四中的杰出校友，北京四中的校歌也是由施光南学长创作的。1996 年，那时候我二十七岁不到，在万人体育馆开我的作品音乐会。音乐会结束后那英跟我讲："晓松，你应该感谢生活。"我说："为什么？"她说："施光南老师一辈子就想开自己的作品音乐会，而且只想在一个剧院里开，但始终都没有开成。"那时候大家对音乐不够重视，也没有钱去办这样的音乐会。我当时听了以后确实挺心酸的，像施光南先生这样影响了一代人的杰出音乐家，应该有音乐会来纪念他。

|苏曼殊去世|

民国时期有两位著名的僧人——李叔同、苏曼殊，都是大才子。可能才子们读书到一定程度，恋爱谈多了就会看破红尘，就有可能遁入空门。苏曼殊用中国非常漂亮的韵文去翻译拜伦的诗，有些地方有点儿像《楚辞》，是我读过的最好的翻译。苏曼殊在国外长大，是一个身世非常复杂的人，三十几岁去世前说了一句话："一切有情。"另一位大师李叔同，也就是弘一法师，圆寂的时候也说过一句话："悲欣交集。"人临终前说的话，其实是一个人对人世最终的看法。每当读到这两句话，我都会情难自已。

5月3日

　　《晓松说——历史上的今天》来到了 5 月 3 日。1875 年的今天，左宗棠奉命收复新疆。最悲怆的是 1901 年的今天，清政府向世界列强赔款四亿五千万两白银。1927 年的这一天，华纳电影公司做出了第一部有声片。

| 左宗棠奉命收复新疆 |

　　1875 年的今天，左宗棠奉命收复新疆。这实际上是在中国图强过程中的一个重要举措。中国图强过程中有很多内部斗争，其中重要的转折点就是朝廷镇压太平天国。在镇压太平天国的过程中因为军功，曾国藩、李鸿章、左宗棠等大批汉人大臣登上了历史舞台。他们比那些清朝贵族要强很多，但汉人重臣相互之间也有很多斗争。当时李鸿章特别想把北洋水师办成强大的世界级海军，希望把所有的钱都集中在海防上，而左宗棠希望把钱花在收复新疆上，于是这两拨就吵起来了，当时叫海防跟塞防之争。最后其实两件事情都做了，李鸿章把北洋水师办成了亚洲第一强的舰队，左宗棠也收复

了新疆。

左宗棠虽然干过很多历史教科书上认为不对的事情，比如镇压太平天国、镇压回民起义，但收复新疆对中国后来的历史起到了很大作用。如果当时新疆被俄国、英国占领，整个中国西北就等于大门洞开，会完全丧失在西北方向的防御能力。因此左宗棠收复新疆成为他一生中最大的闪光点。

| 清政府向列强赔款四亿五千万两白银 |

清政府和八国联军仗打得丢人丢到什么程度？八国联军在大沽口登陆，打开军械库一看自己都傻了，天津的军械库里竟然整整齐齐地放着崭新的德国克虏伯大炮，清军没有用上的这些大炮全部装备了八国联军。当时八国联军中德国军队本来就装备了这种炮，而其他国家军队还没有这种克虏伯大炮。除了大炮，军械库中还有三万支毛瑟枪。于是八国联军用从中国军械库中找到的最先进的毛瑟步枪、最先进的克虏伯大炮，打败了我们。

这次失败比甲午战争还惨，最后慈禧太后都逃到西安去了，路上饿得吃了老农一个窝头。由于她太饿了，觉得窝头特别好吃，回到北京后，还念念不忘让御膳房给她做窝头。厨子们不敢做普通的窝头，才发明了后来北京仿膳的栗子面的小窝头。

最后慈禧太后在诏书中说"量中华之物力，结与国之欢心"。西方列强说怎么"量中华之物力"呢？你们国家有多少人呀？四亿五千万人。四亿五千万人一人赔一两，于是才有了这个赔款数字。这是一个侮辱性的数字，根本就不是在正常赔款的时候计算我们花了多少军费、我们损失了多少人。再加上年息百分之四，分三十九年还清，总共要赔九亿八千万两。当时海关各方面收入因为借债、赔款，都已经被西方控制住了，连关税都被抵押作为赔款。1895年赔日本两亿三千万两时，清政府根本就没钱，最后摊派到全国老百姓身上，百姓都管这叫"洋捐"。

庚子赔款主要赔了九个国家，按赔款数量多少依次为沙俄（13037万两）、德国（9007万两）、法国（7088万两）、英国（5062万两）、日本（3479万两）、美国（3294万两）、意大利（2662万两）、比利时（848万两）、奥匈帝国（400万两）。当时美国和英国率先站出来表态：拿这赔款不太好，但是还回去也不合适，别再让有些人贪污了。那时候中国人留学日本成风，辛亥革命之前，秋瑾、鲁迅、蒋介石、阎锡山等大量中国人都到日本留学。所以美国人把部分庚子赔款拿出来让中国人来美国留学，同时还用这笔赔款建了一个学堂，一开始叫游美肄业馆，后来叫清华学堂留美预备学校，就是我的母校清华大学的前身。当时的清华学堂分配招生指标就是按照各省摊派庚子赔款的比例，这个招生比例一直延续至今。现在大家说高考录取不公的时候，居然能上溯到庚子赔款。

之后英国也像美国一样建了庚款留学，包括卢嘉锡、我外公在内的许多科学家都靠庚款留学英国。后来法国也设立了留法基金。其他几个小国数额都很少，慢慢也就算了。一战的时候我们向德、奥宣战，这两国的钱就不赔了。四亿五千万两里，最大的一笔是给俄国的赔款，因为俄国离我们近，号称损失大，所以要赔一亿三千多万两。俄国革命以后变成社会主义国家，不平等条约全都废除。最终钱没赔，但没还给我们外兴安岭、库页岛共一百五十多万平方千米的土地。

所以到了20世纪20年代以后，其他国家的钱中国就很少再赔了。只有日本一直坚持要这笔钱，直到1937年，中国和日本打起来，这笔钱不再给了，整个庚子赔款才算结束。庚款的使用延续到1949年，当时搬到中国台湾新竹的"清华大学"，仍是用美国的退赔庚款办学。

中国历史上即使是最弱的时候，如北宋向辽国进贡，或者后来南宋向金国进贡，岁币都只占国家总收入的一点点，从来没有倾举国之力都做不到的这么大量的赔款，得把中国的未来都赔进去。像当时中国这么惨的大国在整个世界历史上都找不到。奥斯曼土耳其帝国是逐步被蚕食的，因为它本身不是民族国家，靠军事控制那么多不同民族、语言、文化的区域，那些小国一个一个独立出来是正常的。而我们是一个延续了几千年的国家，最后却由于政府无能而蒙受这样的耻辱和灾难。每次看到这段中国历史，我心里都会非常难受，这个古老的国家真是命途多舛。

|第一部有声片问世|

1927 年的今天，华纳电影公司做出了第一部有声片，世界电影进入了有声电影时代。华纳是犹太人建立的电影公司，今天依然是一个巨大的电影公司。电影虽然在众多的艺术门类中诞生最晚，但是它是所有艺术门类中进展最快的。音乐差不多五百年就进步一点；舞蹈，五百多年进步一点；诗，五百多年退步一点。但电影在一百年的时间里狂飙突进。电影综合其他艺术于一身，是整个娱乐业中最重要的一个产业。

5月4日

《晓松说——历史上的今天》来到了一个大日子，5月4日。今天是青年节，也是北大的校庆日，同时也是铁托的祭日。

| "五四"青年节 |

今天是"五四"青年节，同时也是北大校庆日。北大真正的建校日是1898年7月3日，由于"五四"这件大事是北大领头干的，所以北大将这个日子定为校庆日。

"五四"其实是两个概念，一个是"五四"那天发生的那些事，还有就是"五四"那段时间中国发生的天翻地覆的变化，包括当时发生的新文化运动，统称五四运动。五四运动不光是一场学生爱国运动，而且是包括工人、知识分子等各个阶层在内的大规模爱国运动。近代中国的各种力量蓄积已久，导致这场运动必然会发生。

五四运动最重要的是让大学积蓄了更多力量。大学不只是一个教书的地方，不只是一个培训技能、教你找工作的地方，这样的事情职业高中、技校都能做到。哈佛大学的一个门上写着："你进了这个门，就是为了让国家相信真理。"大学一直都肩负着为国家思考、做国家心灵、民族脊梁的作用。当时北京大学里有那么多教授，留学东洋的、留学西洋的，还有中国自己培养出来的，有梳着辫子的，有穿着洋装的，各种学生在那里变成愤青，变成文艺青年，自然就会碰撞出各种激进思想。

一战参战国都特别惨，美国很晚才参战，却因为贩卖武器、物资以及借钱给英、法，大发战争横财。一战结束以后全世界将近一半的黄金都在纽约的地下搁着，因为之前大家都在你死我活地打仗，根本就顾不上讲价钱，战争取得胜利才是最重要的。一战中没有真正参战的其他国家都跟着发了财，包括中国。一战打得欧洲的生产与金融都混乱不堪，所以大量武器以及各种军需用品都要到其他国家去订购。中国的民族工业因此取得了大发展，当时上海根据美国的订单、图纸与材料于 1918~1921 年间制造出了四艘万吨轮，一直到二战还在大西洋上服役。在当时的历史条件下，连万吨轮都能制造出来的中国已经培养了大量的工人阶级。有大学，有知识分子，有工人阶级，风起云涌的运动当然会随之发生。

尤其当时是 1918 年，一战结束，英、美、法、日、意等帝国主义战胜国之间分赃不均，我们作为战胜国受到不公正的待遇。五四运动的关注点是：德国作为战败国在山东的利益被转让给日本了，中国作为战胜国没有收回山东的权益。当然，在巴黎和会上最后准备签的那份协议里，不光有大家愤怒抨击的山东问题，还有外交官们争回的三项重要权利：

第一项是收回领事裁判权。过去外国领事在中国有司法裁判权，有关外国人的案件，必须由外国领事审判，中国法院不能受理。极其丧权辱国。

第二项是停止庚子赔款。当时在谈判中已经争取到了停止庚子赔款，如果不签这个条约，中国就要继续赔款。

第三项是关税自主。中国从清末开始，由于有大量的外国借款，只能拿关税来担保，得由外国人来做海关的头儿。更气人的是，对进口货物征收多少税，中国政府不能做主，要由外国人说了算。

所以当时在那份协议里，中国尽了最大努力争取回了三项权利，作为代价，中国政府表面上放弃了山东原来属于德国的利益，把它转让给日本。据最近披露的机密史料，其实当时美、英、法三大国已经口头担保日本归还山东，但为了防止日本国内抗议，不写在正式文本里。但在特殊的历史时期，大家觉得战胜国一点儿妥协都不行。民国大才女林徽因的父亲林长民起了关键性的导火索作用。林长民原来是政府的司法总长，当时任国际联盟同志会理事，是中国外交的重要参与者之一。本来这个协议是保密的，林长民也许是觉得把山东的权益让给日本人不好，也许是出于对顾维钧当谈判代表不满意，于是就写了一封信，5月2日在《晨报》的头版头条把这事披露出来。

事情披露之后，举国上下群情激愤。政府当时也处在两难局面，去谈判的外交使团打回国的电报说得非常清楚，如果不签这个协议，那这三项谈好的权利就没有了，全国人民还得继续背上九亿八千万两的债务，领事裁判权和关税自主权也收不回来。结果最后在举国上下的压力下，中国代表团没有签署《凡尔赛合约》。我并不是因为这个就说当时的学生有什么不对，学生当然是对的，一点点丧权辱国都不能接受。学生们的行为当然是爱国，工人阶级也展示了自己的力量，写下辉煌的革命篇章。

| 铁托去世 |

铁托是南斯拉夫社会主义国家的缔造者，是社会主义巨头中非常有意思、有独特影响的一位。铁托是1980年5月4日去世的，北约、华约冷战双方唯一的也是最盛大的一次会面，就发生在铁托的葬礼上。

为了抗议1979年苏联入侵阿富汗，全体西方国家抵制了1980年莫斯科奥运会，冷战双方对峙到极致。奥运会这种最和平的盛会都不参加，但是东西方各国领导人都来到贝尔格莱德出席铁托葬礼，可谓一时之盛。所以在铁托的葬礼上出现了很神奇的情景。这边是苏共中央总书记勃列日涅夫和中共中央主席华国锋坐在一起。中苏当时是最大的对头，互相陈兵百万，在珍宝岛双方已经干起来了，中国这边每天批苏修，苏联那边批中国，这样两个敌对国却坐在一起悼念铁托。那边是英国首相撒切尔夫人、美国副总统和金日成坐在一起，朝鲜战争打了那么多年，金日成和美国副总统能坐一块儿，这是什么情况？正是因为铁托崇高的个人魅力，最后居然在葬礼上出现了这样的大团圆。

铁托为什么能有如此的魅力呢？首先在整个东欧共产党领导的国家里，南斯拉夫是由铁托领导游击队解放的，没有等苏联红军来就自己打败了德军，真正靠自己解放了自己。罗马尼亚、匈牙利、捷克等虽然也有游击队，但在解放过程中起的作用很弱。波兰的游击队很强，但不是共产党领导的，所以波兰游击队起义时，苏军隔岸观火、置之不理，直到游击队被德军镇压，苏军才过河来解放华沙。这些国家都是苏联帮助解放的，苏联恨不得直接指派总书记，各国领导也都唯苏联马首是瞻。

三十岁以上的中国人几乎都看过《瓦尔特保卫萨拉热窝》。瓦尔特在萨拉热窝带领游击队跟德军干，就是南斯拉夫游击队的缩影。其实南斯拉夫那时已经在铁托带领下组成了非常精锐的南斯拉夫人民解放军，所以铁托是南斯拉夫军队和国家的缔造者。苏联常以老大哥的姿态指挥干这干那，而铁托就不听苏联摆布，他说南斯拉夫国家虽小，但是可以说不。

铁托和当时世界上另外两个重要的领袖——印度的总理尼赫鲁、埃及的总统纳赛尔，都是既不追随西方也不追随东方的人物。三个人和印度尼西亚总统苏加诺一起发表了重要的倡议，叫作不结盟运动，说我们不愿意被拖进你们东西方冷战中去，我不要给你们当炮灰，我们既不跟苏联走，也不跟美国走。最后，全世界一百一十多个国家加入了不结盟运动，成为这个世界的第三极。所以铁托在国际上享有崇高的声誉。

南斯拉夫是一个非常复杂的多民族、多宗教国家，光语言就有六七种，如塞尔维亚语、克罗地亚语、斯洛文尼亚语、马其顿语、阿尔巴尼亚语、匈牙利语等。这些民族互相之间还是仇人。克罗地亚是南斯拉夫加盟共和国，虽然克罗地亚人与塞尔维亚人同属南部斯拉夫民族，讲同一种语言，但因克罗地亚人长期受奥匈帝国统治，信奉天主教，使用拉丁字母，所以在文化上早已日耳曼化，与信奉东正教、使用西里尔字母（俗称斯拉夫字母）的塞尔维亚人分道扬镳多时。二战时，南斯拉夫被纳粹德国占领之后，克罗地亚还组织了相当于党卫军的组织来屠杀塞尔维亚人。塞尔维亚人在南斯拉夫是占绝对优势的大民族，在巴尔干地区一直有称霸的愿望。塞尔维亚人信东正教，旁边波黑信伊斯兰教，一直有很多矛盾。

南斯拉夫之所以能存在那么多年，跟铁托的个人魅力和统治手段有很大关系。铁托的爸爸是克罗地亚人，妈妈是斯洛文尼亚人，所以铁托等于是北部人。北部是南斯拉夫最富有、最有文化的地区，足球也踢得很好。正因为铁托不是塞尔维亚人，所以他极大地压制了大塞尔维亚沙文主义：塞尔维亚和其他五个加盟共和国完全平等。六个加盟共和国的头儿轮流当议会的主席，不给塞尔维亚任何特权，铁托甚至修改宪法，让科索沃从塞尔维亚中自治，由于民族不一样，是阿尔巴尼亚人，就让他们处于自治状态。此时祸根就已经埋下。

铁托在的时候有强大的威权，人民信任、爱戴他，再加上铁托把经济搞得很好，那时候南斯拉夫欣欣向荣，还有美好的流行音乐、电影。但铁托去世以后，用威权和强制把民族捆绑在一起形成的国家最终还是分崩离析，而且爆发了战争，爆发了种族灭绝式的大屠杀。

苏联和南斯拉夫一样也是个多民族国家，有十几个加盟共和国。跟铁托很像，斯大林是格鲁吉亚人，所以能压制俄罗斯的大国沙文主义，强制各民族在一起。苏维埃社会主义共和国联盟，国家名字里连俄罗斯一个字儿都没提，就为了避免俄罗斯在里面有一家独大之嫌。最后苏联不是军事崩溃，而是主义崩溃，一下子就分裂成十几个国家。这方面做得最好的就是新加坡。新加坡也是多民族国家，但是以李光耀为首的新加坡政府，是靠经济、法律、教育，而不是靠军事或威权强行融合在一起。每个学校必须按照各民族的比例招生，不同民族的孩子就近在一起上学，每一个政府组屋也必须按一定的比例卖房，所以相处和谐，到今天也没看到什么危机。

5月5日

《晓松说——历史上的今天》来到了 5 月 5 日。1818 年的这一天，马克思出生。1924 年的这一天，黄埔军校开学。1821 年的这一天，拿破仑去世。

| 马克思出生 |

1818 年的这一天，伟大的革命导师马克思出生。大家考试的时候一定要牢记，革命导师的胡子越来越少，从马克思、恩格斯，到列宁、斯大林……

| 黄埔军校开学 |

1924 年 5 月 5 日，黄埔军校正式开学。当时全中国的有志青年、尚武青年、热血青年六百多人齐集广州黄埔，揭开了中国历史的新篇章。

当时的中国长时间军阀割据，有的军阀有先进思想，但有很多军阀非常保守，比如西北军将领冯玉祥打电话给自己下属，军长都要跪着接。而黄埔军校建立的这支革命新军打败或改造了传统的、腐朽的封建军阀。抗战中大部分在前线浴血奋战的国民党军、八路军和新四军将领，都是黄埔军校毕业生。正面战场上牺牲的一百多位国民党将领里，半数以上是黄埔军校毕业生。

黄埔军校贯穿了中国 20 世纪的历史，培养了中国 20 世纪百年历史上最重要的将领。解放军 1955 年授衔有十大元帅、十大将，这二十位我军重要的缔造者中，有四位元帅跟黄埔军校有渊源，两位是黄埔军校毕业生，分别是黄埔一期毕业的徐向前元帅和黄埔四期毕业的林彪元帅；还有两位是黄埔军校教官，叶剑英元帅和聂荣臻元帅，其中叶剑英元帅是黄埔军校的教授部副主任，已经是高级教官了。陈赓大将、罗瑞卿大将、许光达大将、上将排第一的萧克也都是黄埔军校毕业生。还有如果没有牺牲就一定会被评为元帅的陕北红军领导人刘志丹，至少会被评为大将的八路军的副参谋长左权。两位红四方面军的缔造者许继慎、曾中生都曾是徐向前元帅的上级，最后在党内"肃反"中被错杀。如果把这些人都加上，实际上我军能评到元帅、大将级别的有十多位都是黄埔毕业生。

国民革命军北伐的时候，以黄埔军校学生为主组成的第一军（蒋介石担任军长）战功卓著，再加上蒋介石掌控全局，黄埔军校的学生军迅速扩充成了国民革命军的主力。中原大战时期，冯玉祥、阎锡山、李宗仁联合起来跟蒋介石这一大派打，蒋介石彻底打败了地方大派系，所以黄埔系从 20 世纪 30 年代开始就成为整个国民党军最重要的体系。抗战时期，由于装备倾向于黄埔系，战功倾向于黄埔系，远征军也主要由黄埔学生军组成，黄埔系基本一统天下。最后解放战争是黄埔毕业生跟黄埔毕业生的对决。在东北，黄埔四期的林彪率领东北解放军跟黄埔一期的杜聿明和郑洞国打。战争中军人只是尽自己本分，服从命令，谁输谁赢就不光是战场上的问题了。当时林彪和杜聿明都很能打，但是由于双方政治上的此消彼长，由于国民党政府的腐败，由于共产党整个政策与战略的正确，最后胜负分明。战场上的对决其实是政治的延伸。

国民党当时政治上大势已去，所以黄埔时代也就结束了。之后国民党去了台湾，继续办他们的黄埔军校，后来叫作陆军军官学校。台湾曾经任"行政院"院长的郝柏村是黄埔军校毕业生。我军高级将帅和陈明仁等起义将领，杜聿明、宋希濂、郑洞国，以及1975年最后一个被释放的黄维等被俘、投诚的将领，都是黄埔毕业生或者黄埔教官。大陆后来组建了"黄埔军校同学会"，由徐帅、聂帅任首任会长和顾问，在和平年代，为两岸的和解和统一做出了不少贡献。

当时有资料称，黄埔军校和日本陆军士官学校、美国西点军校、英国桑赫斯特皇家军事学院、苏联伏龙芝军事学院，并称为世界最重要的几大军校。但实际上黄埔军校和真正的西点军校、日本士官学校、桑赫斯特军校不甚相同，那几所军校都是本科学制四年的军校，黄埔军校是短期培训学校，当时是战争年代，没办法慢慢培养人才。第一期黄埔学员入学没几个月就开始上战场，前六期在两年之内就办完了。所以黄埔军校实际上是个军官速成学校。战争年代，真正培养军官的，是战火，是意志，是精神。

| 拿破仑去世 |

民国时期，清华有一次考试，考题是"论项羽拿破仑"，有学生不知道拿破仑是谁，只好说项羽最后一战到乌江边，打得乌骓马也没了，最后拿起一破轮子跟大家拼了。当时出这道题也是因为拿破仑是将军出身的帝王，所以不能拿将军比如霍去病、卫青去比，想来想去中国历史上大概只有项羽能和他比。两位的结局也差不多，都是曾经辉煌一时，打遍天下无敌手，最后结局可叹。所以才会有这样的题目。

拿破仑身高不高，因为他不是法国本土人，而是生于地中海的科西嘉岛。欧洲和中国很像，越往南个儿越矮，越往北个儿越高，他的故乡特别靠南，所以是小个子。拿破仑是个军事奇才，法国在他之前和之后，都不是一个尚武善战的民族。跟英国打了无数次，一打一百年，也没什么特别辉煌的战绩。拿破仑之后的法国都能被小小的普鲁士打败。一战中法国也是被打成残废，二战中区区几个星期就被纳粹灭了国。

但就是这样一个民族，在拿破仑手里突然焕发出空前绝后的尚武善战的精神，打遍欧洲无敌手。普鲁士是最能征善战的民族，拿破仑自己都说：普鲁士这个民族是炮弹里孵出来的。而拿破仑率领的法国军队打败普鲁士，打败当时强大的奥地利帝国，打败英国，还打败英、普、奥、俄联军。拿破仑带着法国人从胜利走向胜利，威望越来越高，大家对他的崇拜已经到了无以复加的地步。奥斯特利茨战役结束之后，拿破仑去阅兵，说了一句非常牛的话：当你们垂垂老矣的时候，你们可以非常光荣地跟自己的孙子讲，我参加过奥斯特利茨战役。全军欢呼。

拿破仑在法国大革命后，从将军开始做起，后来几个人一块儿执政，然后他一个人执政，最后当了皇帝，不但军事鼎盛，而且颁布了欧洲的第一部《民法典》，这部《民法典》是欧洲大陆法系最重要的基础之一。

拿破仑打了无数次光辉漂亮的以少胜多的战役，但他最后进攻俄国的时候，俄国使用了一种"大规模杀伤性武器"——严寒。不管是当时的拿破仑还是后来的纳粹德国，无论多么强大的武装力量，一遇到俄国的冬天都会被这大规模杀伤性武器打败。拿破仑当时率领六十万大军进攻俄国，最后活着退出俄国的就剩两万人。当时的俄军统帅库图佐夫将军成为俄国的民族英雄，当然客观来说，主要的民族英雄是严寒。

那次失败之后，拿破仑一蹶不振，先是1812年的大败，坚持到1814年彻底失败。反法联盟把拿破仑关在地中海厄尔巴小岛上，但当时各国都低估了拿破仑的能量和法国人民对他的崇敬和热爱。拿破仑被营救出来，从法国南部登陆。政府派军队来抓他，所有军队一看到拿破仑，立刻开始高呼"皇帝万岁"，瞬间全变成拿破仑的军队，于是拿破仑又翻了身。一直到1815年，滑铁卢战役遗憾失败。非战之罪也，天要灭他。

滑铁卢失败以后，他被关到南大西洋一个非常小的小岛上，叫圣赫勒拿岛，离法国非常远。有资料说有人给拿破仑送去一副国际象棋，一枚棋子里藏着营救计划。估计拿破仑那时已经丧失了壮年时敏锐的判断力，再加上后来考证说他可能是被慢性毒药毒死的，这种慢性毒药可能让他有点儿迟钝，他一直把它当成一副普通的棋在下，始终没有发现有一枚棋子里有营救计划。1821年的这一天，在圣赫勒拿岛上，一代枭雄拿破仑去世。

5月6日

《晓松说——历史上的今天》来到了 5 月 6 日。1882 年的今天，美国国会通过了排华法案。1840 年的今天，世界上的第一批邮票——黑便士在英国诞生。1994 年的今天，英法海底隧道通车。今天还是乔治·克鲁尼的生日。

| 美国国会通过排华法案 |

1882 年的今天，美国国会通过了排华法案。这是这个标榜自由、民主、平等的国家，在其两百多年的历史上，通过的唯一单独针对某个种族的歧视性法案。美国从没有通过有关黑人的全国性歧视法案，南北战争之前黑奴问题主要在南部各州，有些州到了 20 世纪 60 年代民权运动时期才取消对黑人的歧视，但都不是全国性的法案。一战时期，美国对德裔移民也有过一些歧视，但是那是在美国跟德国打仗的时候发生的。二战时期美国对日裔移民及其后代也有歧视，还有日裔被关进了集中营。最后美国做了道歉、赔偿。而排华法案是美国历史上仅有的一次全国性歧视，是美国的耻辱。

最开始美国西部人烟稀少，加利福尼亚州真正发展起来是因为 1848 年在旧金山发现了金矿。San Francisco（三藩市）被华人称为"旧金山"。后来在澳大利亚墨尔本又发现了金矿，所以墨尔本就被称为"新金山"。旧金山发现了黄金之后，大量华人出于对黄金的狂热到美国去淘金。

爱尔兰人有诗云："在美国西部的每一里铁路下面，都埋葬着爱尔兰人的冤魂。"其实当时在美国修铁路这样的艰苦劳动主要由贫困的爱尔兰人和华人来做，以至于后来"苦力"已经和华人画上了等号。英文"苦力"这个词叫 coolie，就是从中文来的；tycoon 也是英文外来词，是从日本来的，但它的意思是"大亨""太君"。

当年华人艰苦地建设着美国，但美国人还是对华人有很多的不满。华人确实有自己的问题，比如不太讲卫生、比较爱钻空子等等。还有一个重要问题就是华人不爱带家属出去，华人的故乡观念特别浓厚，不管是下南洋、下西洋，都是男人一个人去奋斗，很少带着老婆、孩子。美国人觉得不带家人就不是来美国扎根的，只是来淘金的。而且那么多男性聚集在一起当苦力，性生活的问题怎么解决呢？白人特别警惕不同的种族跟自己通婚，也歧视来到当地的中国妓女。总而言之，由于各种现实原因，再加上华人自己的一些小问题，美国国会通过了排华法案。

美国的歧视法案通常都由各州通过，因为每个州情况不一样，比如这个州白人多，就歧视别的人种；有的州由各种族的人组成，就可能不存在种族歧视。由美国国会通过的全国性排华法案不但罕见，而且规定特别严格：只要是华人，不管是否拥有美国国籍，都一样要受到审查，都一样要被遣送，都一样被禁止与白人通婚。这对华人是沉重的打击。这个排华法案主要针对的是底层华人，不包括留学生。留学生学成之后一般会回去建设祖国，如果愿意在美国留下来那一定是人才，就是另外一种人，不属于被歧视的范畴。

一直到了 1943 年，这个排华法案才被废除。中国在反法西斯战争中做出了重大牺牲，由于中国成功拖住了百万日军，在太平洋战争期间给了美国、英国很大的支持。大家要团结起来共同建立反法西斯阵线，1943 年，中、美、英三国在开罗召开会议。这一年，英、美将在中国的租界全部交还给中国，美国庚子赔款等各方面的不平等条约都废除了，最后美国突然想起来还有一个歧视法案，于是在 1943 年，这个排华法案也被废除了。

排华法案在 1943 年废除了，加利福尼亚州禁止华人和白人通婚的法律直到 1948 年才被废除。那是美国民权运动风起云涌的时期，那是马丁·路德·金带领黑人争取民权的时期，黑人要和白人一样去坐公共汽车，要同校上学。正是在这样的民权运动中，禁止华人和白人通婚的法案才被最终废除。这个法案被废除其实还不是因为加利福尼亚州议会有了觉悟。美国采用的英美法系属于判例法，只要有一个判例在那儿，级别比你高，之后的案子就必须遵守这个判例。当时弗吉尼亚州有一个著名的判例，叫爱情（其实是那个原告叫 Loving）对弗吉尼亚法案，一直上诉到联邦最高法院。那个案件跟华人没关系，是关于另外一个种族的。美国联邦最高法院最后判决：所有在美国禁止不同种族通婚的法令法案都是违宪的。正是在这个最高判决下，加利福尼亚州才最终废除了华人不能跟白人结婚的法案，华人才可以合法地跟白人结婚。其实这之前华人和白人结婚的很多，光我认识的就有不少，但那都是留学生，上学期间大家相爱，带回中国结的婚。

最开始华人都觉得自己将来是要回故乡的，要叶落归根。中华民族是个很隐忍的民族，不像有的民族爱闹爱酗酒。华人在美国落地生根以后，也一直都怀着自己是客人的心态，告诫自己在人家地盘上别那么嚣张。墨西哥人觉得加利福尼亚州、新墨西哥州、得克萨斯州、亚利桑那州等本来就是我的土地，我愿意多生就多生，谁也管不着，于是生一大堆孩子。而华人觉得自己要有做客之道，少生一点儿，客气一点儿。战后美国，华人和犹太人并列美国受教育程度最高，华人中受过本科以上高等教育的比例是美国平均水平的两倍。华人犯罪率最低，出生率最低，受教育程度最高，最后靠着自己的努力慢慢地改变了在美国的形象。最后成为美国的 model minority，就是榜样少数民族。

直到 2011 年和 2012 年，美国参议院和众议院才分别通过了对华人道歉的决议。此时美国政府里已经有三个华裔部长，还有华裔州长、参议员等。美国不但向日裔多次道歉，而且向每个日裔家庭赔偿了两万五千美金。而对华人只是道了个歉，并没有向华人赔偿过一分钱。

美国现在已经变成：一个白人知识分子一定要有一个华人朋友，当然还得有一个黑人朋友和一个犹太人朋友，这样才能表明自己是一个知识分子。底层的白人还是只跟白人在一起。华人在美国电影中的形象也已经从最开始的鬼鬼祟祟变成了现在很正面的形象。美国所谓的平等、自由都是通过每一个种族自己的奋斗争取来的，不是赏给大家的。黑人的平等和自由是黑人用鲜血斗争得来的，华人的平等和自由也是靠这么多代华人在美国的奋斗争取来的。

| 英法海底隧道通车 |

1994 年的今天，英法海底隧道通车。我对这件事情有兴趣并不是因为这条隧道是目前世界上最长的隧道，它的纪录可能很快就会被打破；也不是因为它的科技，因为当时已经是 1994 年，建这种长隧道已经不是大问题了。有意思的是英法这两个民族。

说起近代史，英法老在一起：英法一块儿打中国，英法一块儿打德国，英法一块儿被德国打，等等。其实两国人民是极不对付的。英法从百年战争之前就积累了很多宿怨，一会儿英国的国王跑到法国那边占领了一块土地，一会儿法国的国王又跑到英国这边占领了一块土地。最重要的是这两个民族的性格很不一样，法国人性格浪漫，追求时尚、美食、爱情；而英国人吃也不在乎，穿也不在乎，但是特在乎面子，很爱挤对人。我个人不太喜欢和英国人聊天，英国人老觉得自己来自大英帝国多么荣光。

法国人经常挤对英国人，说英国人不会干这件事就像他们不会做饭一样，或者说，英国人干事的能力就跟他们的厨子一样差。法国是全世界的美食中心，正餐起码得有七道菜，我甚至吃过十三道菜的法餐。而英国人只会吃 fish and chip（鱼和薯条）。在伦敦街上每隔十五二十步就有一家店，卖的都是油炸的鱼和薯条，极难吃，也极其不符合现代人的健康饮食标准。到苏格兰也没什么好吃的，就是把肥羊肉末和土豆泥弄成一个大丸子，油炸了吃。油炸实际上是最不会做饭的人才用的烹饪技术。法国人不但吃得精美，还穿得时尚，从路易十四时代开始就引领着欧洲的时尚。当时整个欧洲宫廷一直远到俄罗斯宫廷都讲法语，英文中大量的稍微高级一点儿的词都来自法语。所以法国人觉得英国人没文化，还老跟我平起平坐。

法国人极其不爱说英文，在法国如果你问人家会不会说英文，一般人都不搭理你。最近几年，巴黎年轻人因为受美国文化影响，稍微改善一些，但是南部、西部这些地方，法国人还是觉得你不会说法文，你这么土，我凭什么要跟你说英文？我教大家一招，咱们中国人到了法国，你就问他："你会不会说中文？"嗯？他一想，中文，我好像不会，他会跟你说："实在不好意思，我不会说中文，但是我会说英文。"于是他就可以跟你说英文了。

英国不光讨厌法国，还讨厌整个欧洲大陆所有的东西，看不起美国，看不起全世界，就觉得自己特好，虽然自己穷得已经天天拿一张报纸吃点儿炸鱼薯条，那么大一胖子钻进那么小一汽车开。英法两国还有交通规则、度量衡等许多不同，比如法国靠右行，英国靠左行；法国用公里，英国用英里；法国用公斤，英国用磅……这两个国家拧巴成这样，以至于这个海底隧道也是拧巴的，隧道进去的时候车靠左边开，因为英国车在左边开，然后在隧道里边拧了一下，等车开出来的时候就跑右边来了。

5月7日

《晓松说——历史上的今天》来到了 5 月 7 日。1942 年的这一天，爆发了人类历史上第一次航母对航母的海战——珊瑚海海战。在 1954 年的这一天，奠边府大捷。今天还是翁美玲小姐的生日，祝翁美玲小姐在天之灵生日快乐，她离开我们的时候还很年轻、很美丽，希望像她那样的悲剧不再发生。

| 珊瑚海海战 |

按参战的吨位来讲，世界海战史上最大的一次是二战末期的莱特湾海战，以及一战时期著名的日德兰海战。珊瑚海海战双方的舰队规模都不大，之所以能载入人类世界战争史册，是因为这是世界海战史上第一次双方舰队互不见面的战争。人类的科技发展到了航空母舰时代，珊瑚海海战预示着航空母舰将成为海上霸王。

在这次海战之前，航空母舰在世界海战史上也曾大显神威。珊瑚海海战爆发的日期是 1942 年 5 月 7 日，正好就在六个月前，1941 年的 12 月 7 日，爆发了人类历史上最大的一次舰队对要塞的战役——珍珠港战役，舰队完胜要塞。过去所有海军经典理论都认为舰队是不可能打赢要塞的，但是偷袭珍珠港实际上就是典型的舰队对要塞的战役，日本海军全歼美国太平洋舰队除航空母舰以外的所有主力舰包括八艘战列舰。在这之前，大家都认为海战的最终决战就是两军的战列舰、大炮巨舰形成队列，两边对射，航母、潜艇什么的都只能用来侦察，或者骚扰一下。恰巧当时美国太平洋舰队的航空母舰没在港内，所以日本航母在珍珠港大破美国太平洋舰队。后来有很多关于珍珠港战役阴谋论的书籍说，其实罗斯福总统知道日本要来偷袭珍珠港，罗斯福当时想让美国参战，把航母先撤出来，那些老式战列舰都留在那儿，结果都被日本击沉了。

大家开始认识到航母的重要性，于是有了次年5月7日的珊瑚海海战。当时日军派出两艘大型航母，叫"翔鹤"号和"瑞鹤"号，还有一艘仅重一万余吨的小航母，是由潜艇母舰改装而成的"祥凤"号；美国派出"约克城"号与"列克星敦"号两艘大型航母。这次战役的结果是日本的两艘大型航母被击伤，一艘小型航母被击沉；美国的两艘大型航母一艘被击沉、一艘被击伤。仅从战术角度看，珊瑚海海战日本稍胜一筹，因为日本只有一艘小型航母被击沉，那艘航母实际上没什么战斗力，而美国被击沉了一艘大型航母"列克星敦"号。

珊瑚海海战之后，美、日紧接着面临中途岛海战的决战。决战之前，日本两艘航母要回国去修，而美国的那艘受伤的航母"约克城"号也要回去修。结果美国的船厂以最快的速度把这艘航母修好了，参加了中途岛海战。而日本的那两艘航母由于日本工业能力不行，没修好。日本本来有六艘大型航母，最后剩下四艘参加中途岛海战。所以到中途岛海战的时候，日本和美国两边是四艘对三艘。结果日军大败，四艘航母全部被击沉，而美军只被击沉了一艘。

实际上，当时日、美两国的工业差距已经很明显了，美国的工业比日本要强大得多，所有的船厂都开始大规模生产，最高峰时期每天都有一艘驱逐舰下水。当时美国有那种战争中用于鼓舞士气的海报，其中有一张海报就是两个造船厂工人在往厂门外走，其中一个工人看了一下表，和另一个人说："还有一个小时，再造一艘！"仅仅三年多一点儿的时间，美国就建造和改建了一百五十多艘航母，其中重型航母就有二十多艘，还有很多轻型航母、护航航母，而日本在这期间只生产了三艘航母，被美国远远甩在身后。

| 奠边府战役 |

奠边府战役实际上是越南战争第一阶段的最后一战。越战实际上可以分为三个阶段。第一个阶段先是越南打法国，把法国打跑了。美国人一看这个小弟不行就自己上，最后越南把美国也打跑了，这是第二个阶段。越战最后两年已经没什么可打的了，就剩下美国扶持的南越和北越打，最后北越打败了南越，占领西贡，改名为胡志明市，这是第三个阶段。其中第一阶段的决战就是奠边府战役，两边正规军全上阵，双方面对面决战。第二阶段从 1965 年美军正式登陆开始，八年中没有一次像奠边府战役这样的决战。当然越南也做过大胆的尝试。1968 年 1 月，越南人民军两万人越过 17 度线，猛烈围攻在溪山的六千名美国海军陆战队，准备打出另一个奠边府战役。在长达七十八天的围攻战中，美军出动空前强大的空中力量，共投下十万吨炸弹与一万两千吨补给物资，这是当年法军所望尘莫及的，围攻者遭受重大伤亡，不得不撤退。但总体上讲，双方进行的战斗几乎都是游击战。越南全民皆兵，把美国拖到泥潭中。美国国内随即发生革命，大家都不去参军了，连拳王阿里、克林顿等那时候都烧了兵役证。人们天天骂战争，最后美国只好灰头土脸地收场。

奠边府战役表面上是越南和法国在打，实际上背后有中国军队的大力支持。奠边府战役的总指挥是越南民族英雄武元甲，但真正的总指挥是由我军陈赓大将率领的中国顾问团。奠边府战役爆发的时间是 1954 年，前一年中国军队刚刚结束了朝鲜战争，身经百战。朝鲜战争至少跟美国打成了平手。双方都说自己赢了，都有道理。美国参战的时候，韩国被打得只剩下了一个城市——釜山，美国帮它打回了三八线。虽然一开始还曾打到鸭绿江，后来又退回到三八线，但至少从一个釜山恢复到韩国整个面积。中国说赢了是因为中国参战的时候，美国已经打到鸭绿江边，朝鲜已无一寸土地，又帮朝鲜把美国一直打回到三八线，其间还占领了汉城（今首尔），最后稳定在了三八线。与当时最强大的美军都能打成平手的中国军队，有多少身经百战的将领、士兵！再加上在朝鲜战争的最后两年，中国军队全部换成了苏式装备。所以 1954 年我们去援助越南的时候，军队实力非常强。

　　奠边府战役是一场包围战，当时将法军包围在了奠边府，这个地方有个机场，所以法国一开始觉得根本没问题，还有空降兵不停地来支援，用飞机运输弹药。法国本来觉得自己可以中心开花，像所有的强势军队被弱势军队包围一样，用从外围来的军队打破包围，再顺势围歼。结果，越南军队火力之猛、重炮之多，远远超出法军的想象。在中国军队强大的支持下，越军最后全歼了奠边府的法军，而且歼灭的是法国最精锐的部队，从而一举结束了越南战争的第一阶段。

5月8日

《晓松说——历史上的今天》来到了 5 月 8 日，1945 年的今天，第二次世界大战欧洲战场战役结束。1999 年的今天，北约轰炸了我国驻南联盟大使馆。今天还是法国印象派大画家高更的祭日，也是中国著名的皇帝宋太宗的祭日。

| 第二次世界大战欧洲战场结束 |

每年到了 5 月 7 日或 5 月 8 日的时候，很多欧洲国家都会庆祝这个胜利日。但是有的国家庆祝 5 月 7 日，而苏联是庆祝 5 月 8 日，这是为什么呢？实际上，第二次世界大战欧洲战场打到最后的时候，德国败局已定。当时苏军从东边、盟军从西边攻进德国，德国已经没有任何还手之力。困兽犹斗是因为希特勒不能容忍德国军队投降，他说宁可牺牲七千万德国人民，也要把战争打到底，所以德国是唯一打到在首都柏林进行巷战才结束战争的国家，日本和意大利都没有打到这个程度。战争接近结束的时候，苏联和美、英、法等国开始相互竞争，都在算计着战后到底谁来管德国，跑到波茨坦去开会，瓜分战后的利益。

当时苏联和美国的目的有点不太一样。实际上苏联是被德国打得最惨的，二战期间苏联死了2880万军民（最新揭密的数据已增至4430万，其中军人阵亡2640万，被俘后死亡400万，平民死亡1690万），就是年轻人中每三个人死一个、残一个、活一个。总之当时苏联被打得最惨，所以苏联要求攻克柏林、抓住希特勒报仇。盟军跟德国之间并没有那么大的仇恨，盟军大多数军队都是美国的，美国正式参加二战是因为日本袭击珍珠港；德国也没有招惹美国，美国对德国一直也没有那么大仇恨。美国是一个非常推崇实用主义的国家，在这种情况下美国一想，你苏联愿意去打柏林那就去吧，我还可以少死人，因为最后德军还剩百万大军在死守柏林。苏联在攻打柏林的时候又伤亡了三十万人。

之后美国就和苏联开始了对德国的争夺，我要这个工业区，你要那个农业区，我去抢占鲁尔工业区，你去抢占南部那些富庶的地方。最后苏联和美国开始抢德国的高科技。德国在无路可走时爆发了巨大的科技能量。在战争快结束时差不多研制出了所有门类的导弹，V1是巡航导弹，V2是弹道导弹。当时德军轰炸伦敦时就用了很多导弹，后来又轰炸了盟军在欧洲的许多据点，还差一点用潜艇运到美国西岸去轰炸，最后由于海洋都被美国控制了，没有炸成。德国当时还生产出了空对舰导弹。意大利海军实际上比德国海军强大很多，有很多战列舰。当时意大利海军开赴盟军港口去投降的时候，最精锐的战列舰"罗马"号在地中海居然被德国的空对舰导弹击沉了。德国还生产出了防空导弹和反坦克导弹，如果不是军事迷的话，恐怕很多人会以为反坦克导弹是在中东战争的时候才使用的。

于是苏联到处去抢这些导弹的图纸，美国则到处去抢制造这些导弹的科学家。后来美国的登月计划、土星计划的总设计师，就是从德国抢回去的V1、V2导弹的总设计师冯·布劳恩。英国怀着各种阴暗心理，在中间挑拨是非。苏军和美军在德国的易北河会师时，两军还一起喝伏特加酒庆祝。但是因为后来的各种争抢，双方关系开始变得越来越紧张。

5月7日德国投降。德国想，反正我已经死了，我要把你们也拖下水，挑拨一下你们的关系，所以德国就向英美盟军投降，而不向苏联红军投降。当时大批德国军人都拼命往西边跑，想向英美盟军投降，德国人很清楚他们在苏联、波兰的土地上犯下了多少罪行。但是德军对英美战俘和法国战俘相对比较友好，如果看过电影《胜利大逃亡》就会知道，德军还让这些战俘踢球。最后德国统帅向盟军投降，盟军当然也高兴，谁不愿意把这战功抢到自己手里？于是盟军就在5月7日搞了一次受降仪式，还有一个特别傻的苏联将领，区区一个中将代表苏联去参加了这个受降仪式。受降者中有盟军总司令艾森豪威尔，有英军、法军将领，还有苏军将领，各国都全了，于是签了个受降书。

德国投降的消息很快就在欧洲报纸登出来了。消息传到莫斯科，斯大林大为震怒："这个代表苏联去签字受降的中将是何许人也？他凭什么代表苏联去受降？"所以说大家一定要懂政治，他竟跑去干这么一件事，后来这人就没了。斯大林说不行，这不能算德国投降，谁打败了德国？苏联红军。谁消灭了最多的德军？苏联红军。在法国投降、美国没参战的情况下，谁拖住了最多的东线的德军？苏联红军。谁做出了最大的牺牲？苏联红军。斯大林坚决不承认5月7日的受降仪式。于是5月8日又搞了一次受降仪式，由苏联攻克柏林的总指挥、苏军的最高司令官朱可夫元帅亲自主持，这回是德国向苏军投降，同时美国、英国、法国、荷兰等国的将领也都来了。盟军有点儿小气，只是派了几个不太重要的将领参加了一下这个仪式。但总的来说，这也是在各国都参加的情况下举行的受降仪式。

中国没有参加欧洲战场的战争，但还是要公正地评价历史。我们承认苏联是打败德国最重要的力量，所以我们的历史认可5月8日是德国投降日。在这一天，第二次世界大战期间最残酷的，也是人类历史上最残酷的一场战争——欧洲战场的战争结束了。

|北约轰炸中国驻南联盟大使馆|

1999年，北约在这一天轰炸了我国驻南联盟大使馆。我在中国、美国都生活了很多年，还算比较客观。基于我对美国政府、美国军方、美国鹰派、美国科技等各方面的了解，我觉得那不是一次误炸，那是一次挑衅，那是要试探底线。美国是那种尚武的民族，没事儿老想找个敌人去挑衅一下。随着中国的不断强大，美国在不断地试探中国，这也算是博弈的一部分吧。

当时美国军事频道演示美国炸南联盟大使馆的导弹的性能是这么说的：这个导弹可以从两千公里以外发射，如果你拿着一把枪正要冲一个人开枪，这个导弹可以打掉你手里的枪。实际可能没这么玄乎，但整个半径误差最多就是几米，准确到这种地步，绝不可能出现几公里的误差。美国人后来又说什么是地图弄错了，这更不可能。

这件事之后，中国爆发了大规模抗议，我和我的好朋友郑钧当时在北京，我们去了美国大使馆门口，看到青年学生们往大使馆里扔了很多砖头。最后美国赔偿了我们的驻南联盟大使馆并道歉，我们赔偿了美国驻北京大使馆被砸的那些东西。中美都是大国，群情激愤是一方面，试探是一方面，最后还是要回到外交轨道上来解决问题。

传统上认为共和党是鹰派的，通常好战而且保守；民主党是鸽派的，总的来说比较开明温和。这两个党在对待中国的问题上态度不一样。中国越来越强大，越来越多的美国工厂搬到中国来，导致美国工会对中国的态度越来越强硬，因为它觉得工作往中国流失。共和党是资本家支持的党，资本家喜欢中国，因为中国能提供廉价劳动力，能提供各种方便。民主党从传统上来说是工会支持的党，得听工会的意见，所以民主党对中国的态度变得越来越负面。"五八"事件发生在克林顿总统时期，也就是民主党执政期间。

| 高更去世 |

后印象派的三大画家是塞尚、凡·高、高更。高更在1903年的这一天去世。高更的后半生都在塔希提岛（Tahiti）度过，不再回到巴黎的名利场。塔希提岛离法国不到两万里，是位于南太平洋的一个小岛，是法国殖民地，所以讲法语。这个地名的正式翻译叫"塔希提岛"，但是所有旅行社都用了港台的翻译"大溪地"，非常好听。那里确实很美，却是一个以胖为美的地方。高更为了坚定自己在那里生活下去的信心，还娶了当地的一个胖姑娘。高更后期的画都是画那个地方的风土人情。就我个人的审美来说，我觉得高更的画跟凡高完全不在一个级别上，高更给凡高提鞋都不配。

5月9日

《晓松说——历史上的今天》来到了 5 月 9 日。1994 年的今天，曼德拉当选南非首位黑人总统。1986 年的这一天，我至今记忆犹新，崔健首演《一无所有》。1915 年的今天，是中国的国耻日，袁世凯北洋政府接受了日本的《二十一条》。在 5 月 9 日，莫斯科会举行卫国战争胜利日大阅兵。

|崔健首演《一无所有》|

1986 年的这一天，那一代年轻人的热血第一次被崔健点燃。崔健那时刚刚二十五岁，从那么单薄的身体里喊出了让年轻人热血沸腾的《一无所有》。对于听着革命歌曲、晚会歌曲、边疆民族歌曲长大的那一代人来说，这首歌可以说是振聋发聩。从这首歌中我们第一次听到这样激昂的声音，第一次歌唱自己、歌唱时代，第一次感觉到了摇滚乐的魅力。

摇滚乐兴起于 20 世纪 50 年代中期的美国，后传到欧洲。20 世纪 60 年代，英国甲壳虫乐队将其推向高峰，七八十年代风靡世界。在当时西方达到摇滚乐最高潮的时候，我们那一代人永远都不会忘记我们自己发出的这样的声音。2012年崔健在北京举办演唱会，去听演唱会的很多都是我的同龄人甚至比我年长的人，都是那些发了福、谢了顶、夹着公文包忙忙碌碌、已经被生活淹没的中年人，但其实每一个这样大腹便便的中年人心里都还住着那样的一个少年。每当听到崔健唱起这些歌的时候，大家就能迅速忘记生活中的一切，回到那个年代。

崔健那时候永远穿着军装，卷起一只袖子，每唱到一个特别的地方还要拿一块红布遮住脸，当时给我带来了极大的震撼。后来我和崔健成了好朋友，有时候我们会在一起吃吃饭、聊聊天，有一年春节我们还一起去看望了谷建芬老师。但是我和崔健从来没有谈过音乐，就因为他是我少年时最大的偶像之一。崔健还有对岸的罗大佑，在同一个时代将流行音乐做到了最高峰。在崔健和罗大佑的演绎下，流行音乐可以歌唱时代，可以为时代预先写好挽歌，可以和电影、文学、戏剧以及所有艺术门类比肩。那个时代的流行音乐不仅仅是娱乐，不仅仅是小情小调。正是由于他们，流行音乐才能达到这样的高度。

崔健的横空出世在各个方面突破了中国流行音乐原有的东西。过去流行歌曲讲究的是字正腔圆，演唱者要训练如何用气、如何发声，大家从来没有听到过从这样瘦小的身体里发出这样的呐喊。崔健不光引进了摇滚，还引进了电声乐器，而且用了很多国家的乐手去演奏。今天回过头去再听这些音乐，依然觉得非常优美、非常精致、非常震撼。

崔健写词的方法也很独特，我在教人写歌词的时候经常拿崔健做例子，"你说我世上最坚强，我说你世上最善良"，这就是最简单的白话，但是当它在整个歌曲中被唱出来的时候，蕴含了很多意义。"那天是你用一块红布蒙住我双眼也蒙住了天，你问我看到了什么，我说我看到了幸福。"这些歌词都堪称经典。正是因为这些突出的成就，崔健的歌词后来还被北大收入20世纪诗歌的选集中。

崔健的唱腔也很独特。过去中国流行音乐的歌词多是秉承宋词、元曲那些东西，如果不字正腔圆念的话就不押韵，崔健用一种半念白式的独特的唱腔对这些歌词进行演绎。在音乐、歌词、唱腔等各个方面，崔健都突破了原来流行音乐的那种繁文缛节，给中国的流行音乐带来了革命性的变化，掀起了那个时期光芒万丈的摇滚乐高潮。

20世纪90年代，校园民谣风靡一时，很多人以为当时在大学里也是如此小情小调。其实那时真实的大学校园是崔健带领下的摇滚乐的天下，包括我们当时自己组织的乐队——青铜器乐队，老狼是主唱，演唱的也是崔健的摇滚歌曲。老狼的嗓音可不像现在这么温柔，那时候特别高亢。1990年暑假，我曾和老狼一起去海南，我弹吉他他唱歌，我们到歌厅去面试，人家问："你们唱什么？"我说："摇滚。"于是他们说："哦，那就唱个《一无所有》吧。"《一无所有》开始的和弦是那种很怪的和弦，不容易唱进去。我记得当时我和伴奏乐队弹的是G调的《一无所有》，刚弹了一个和弦，老狼一激动就唱成了B调的，一下子比老崔还高三度。当时我都惊了，心里想："完了，这工作没了，肯定挣不着钱了。"结果老狼同志居然用比老崔还高三度的调把这首《一无所有》唱完了，于是我们才获得了这个唱摇滚的工作，每天晚上挣十块钱。

当时崔健带起的摇滚乐风潮席卷了整个大学校园，实际上对整个20世纪80年代的大学文化都起到了非常重要的推动作用。当时我们经常聚在大学草地上唱歌，崔健一开始曾经有几张翻唱专辑，还有一张黄小茂作词的《浪子归》，这些专辑都被当时的崔健迷们刨了出来。然后说："哥们儿，来，我唱一首大家没听过的崔健的歌。"这时全场一下子就安静下来："老崔的歌还有我们没听过的？那就赶紧唱，我们听一听。"演唱者能享受当天晚上不用花钱就可以吃饭、喝酒的待遇。崔健当时在我们心中的地位可以说就是神吧。后来像《同桌的你》等等，都是我们在乐队排练之余偷偷写的，写完以后还不好意思唱，等到大家都特别累的时候说："各位，我给大家唱一首骚柔的歌曲。"

那时候我们都会觉得必须喜欢摇滚乐才叫年轻人，必须留长发才是搞摇滚的，崔健带给那个时代的就是那样一种振聋发聩的效果。到今天再也没有人能发出那么强的声音，一下子能唤醒千百万人。那个时候的社会是多么安静，可以同时听到好几个学校的下课铃声，那个时代的一声怒吼是能惊醒大家的，而那个时代已经过去了。今天不要说崔健，任何一个人也不可能再发出那样振聋发聩的声音，因为大家的耳朵里充斥着各种各样的噪声，连下课铃声都听不见了，更不要说那样的歌声了。

袁世凯北洋政府接受日本《二十一条》

《二十一条》签订的这一天是国耻日。袁世凯的后人对这种说法并不完全认同，一直在不遗余力地企图翻案。

中国当时实际上一直企图利用东洋和西洋的平衡来进行外交。所有小国或弱国的外交一直以来也都是这样。比如新加坡的外交就是在平衡中美，美国太强就把中国拉到东南亚来，中国太强就把美国拉进来重返亚太。中国当时这么弱，多年以来就靠东西洋互相制衡，在夹缝中求生存。1915年，第一次世界大战已经打了一年，英、法、德、俄完全没有余力东顾。原来中国可以靠英、法、德、俄平衡一下日本，中国甲午战败的时候本来要割让辽东半岛，最后俄、法、德三国交涉，逼日本把辽东半岛还给中国，中国再付三千万两白银。1915年的这个时候，中国只剩下来自日本的压力。在整个平衡外交被打破的情况下，中国能怎么选择呢？日本军队本来就驻扎在山东，已经向德国宣战并在山东打败了德国军队，占领了德国原来的殖民地青岛和胶济铁路沿线这些地方，而且日本几万几万地往山东增兵，不停地给中国下最后通牒，如果《二十一条》不签字就开战。

到最后袁世凯偷偷摸摸地把这事透露给报界，把消息登出来，让全国人民起来抗议。《二十一条》被披露以后，当时全中国人民确实都被动员了起来，全体上海人包括普通车夫都捐钱支持和日本开战。北京二十万人到中山公园举行抗议活动，还当场捐了一百万元建国基金。但是这些钱对和日本开战的花费而言简直是杯水车薪。

袁世凯又不停地把这事捅给美国大使、英国大使，希望他们来制约日本，但到最后英国大使也逼着中国签字："我们没办法了，你签字吧，要不然你会亡国。"西方不希望出现一个完全由日本占领的中国，但是当时都没有办法。最后在美国、英国的强大压力下，中国还是签了《二十一条》。

《二十一条》一共有五号，第一号是中国要承认日本继承德国在山东的一切权益，山东省不得让与或租借他国；第二号是讲日本在东北的权利，包括关东州（即大连市与旅顺港）的租借期延长至九十九年（原来的租借期为二十五年，到1923年就要交还），东北的铁路、矿产等给日本；第三号是汉冶萍公司改为中日合办，附近矿山不准公司以外的人开采；第四号是所有中国沿海港湾、岛屿概不能租借或让给他国，日本当时还美其名曰是为了保全中国的领土；第五号是有关日本在中国的大特权，中国所有重要部门的顾问都要请日本人，警察得日本人培训，军队的装备必须从日本购买，等等。当时尚未参加一战的美国人对最后这一项实在是看不下去了。美国对日本说，你必须把这一条取消，因为我们还要和中国做生意，还要往中国派顾问等。最后日本在强大的压力下取消了这一条，所以实际上签的不是二十一条，而是十几条。

日本给了中国两天的时限，不签就开战。当时日本那么强大，刚赢了德国，所以袁世凯的北洋政府最后还是签订了这个丧权辱国的条约。这个条约中实际上光第一号里的四条，就已经相当于甲午战争时的损失。当年日本占领朝鲜的时候，逼朝鲜政府签的也是这样丧权辱国的条约，朝鲜政府签了那个条约之后没几年就正式并入日本，成为日本的一个行政区。

《二十一条》是我们有史以来签过的最耻辱的条约之一，也是日本对中国人民犯下的最严重的罪行之一。这个条约使日本在那个时候攫取了太多在中国的特权，后患无穷，后遗症一直延续到"九一八"事变以及抗日战争。比如说，北伐时期的济南惨案就是因为日本在山东有驻军，"九一八"也是因为日本在东北有特权，关东州是日本租借地，有关东军驻扎在那里，都是《二十一条》导致的遗留问题。无论如何我觉得《二十一条》这件事在历史上是不能翻案的。

| 曼德拉当选为南非首位黑人总统 |

1994年的这一天，曼德拉当选为南非首位黑人总统。曼德拉在漫长的岁月里，坚持了自己崇高的信仰，他虽然被关进监狱很多年，但最后终于带领南非人民，不光是黑人，也包括南非那些向往自由、平等的白人，完成了对世界上

最后一个种族歧视的国家的改造，使南非成为一个平等、自由的国家。曼德拉个人的品行，以及他对待这个世界、对待人生的态度，足以赢得全世界的尊重。

| 莫斯科卫国战争胜利大阅兵 |

苏联主要的阅兵仪式曾在两个重要的日子举行，除 5 月 9 日是真正的胜利日大阅兵以外，通常会在十月革命节的那一天举行阅兵。十月革命发生在俄历的十月，是公历的 11 月 7 日，也是苏联的建国日。

11 月 7 日最著名的一次大阅兵发生在二战期间德军兵临莫斯科城下的时候，当时德军已经看见克里姆林宫的塔尖了。此时此刻，残存的苏军和从远东调来的苏军精锐部队，冒着大雪在莫斯科红场举行大阅兵。在阅兵仪式上，斯大林发表了慷慨激昂的演讲，这时他谈到的不再是主义，不再是党，而是俄罗斯民族，当一个国家面临生死存亡的时候，大家谈到最多的就是民族。斯大林说，这些形同禽兽的侵略者"竟狂妄到号称消灭伟大的俄罗斯民族的地步，就是这个民族造就了伟大的革命家普列汉诺夫和列宁！造就了伟大的思想家别林斯基和车尔尼雪夫斯基！造就了伟大的诗人与文学家普希金和托尔斯泰！造就了伟大的音乐家格林卡和柴可夫斯基！造就了伟大的文学家高尔基和契诃夫！造就了伟大的科学家罗蒙诺索夫和巴甫洛夫！造就了伟大的画家列宾和苏里科夫！造就了伟大的军事家苏沃洛夫和库图佐夫"！在演讲中，斯大林强调的是伟大的俄罗斯民族，而不是苏维埃政权，强调的是拥有如此之多杰出人物的伟大民族是决不会灭亡的。胜利必定属于我们！当时，整个民族的情绪都被调动起来，苏军红场阅兵仪式结束后就直接高呼万岁上了前线，那是红场一次特别动人的大阅兵。

1945 年 5 月 9 日是胜利日，莫斯科也在红场举行了大阅兵。每年十月革命节这天，苏联都会举行大阅兵。苏联解体以后，俄罗斯政府又重新将历史追溯到很久以前俄国建立的时候，建国时间不从 1991 年开始计算，不再拿十月革命节当国庆，于是把阅兵日移到了每年的 5 月 9 日这个胜利日。在整十周年的时候举行阅兵仪式，如 2005 年是胜利六十周年，举行了大阅兵，2015 年还会举行大阅兵。

从前苏联举行阅兵仪式的主要目的就是展示先进武器，在苏联解体的这二十年中，这个曾经是全世界最强大的军事国家退步了很多，很多先进武器都卖给了别国，比如俄罗斯的 T-90 坦克就大量地卖给了印度，苏 -30 战机大量地卖给了中国、印度、越南，自己还装备着老式的苏 -27。后来俄罗斯又研制出苏 -34、苏 -35 等等，自己装备得却极少，仅够在红场阅兵用的。

5月10日

《晓松说——历史上的今天》来到了 5 月 10 日。1940 年的这一天，德军开始进攻法国，第二次世界大战西线正式开战。1988 年的今天，一代文学巨匠沈从文先生逝世。1953 年的今天，上海青帮大亨黄金荣病死。

|一代文学巨匠沈从文逝世 |

1988 年的今天，一代文学巨匠沈从文先生逝世。我个人对沈先生有很多感情和感触，我自己也是拿笔写东西的人，沈先生的作品我从小就读，可以说是高山仰止。有些作家你要首先知道这是他的作品，读的时候才知道这是他写的；而有些作家你根本不需要知道这是他的作品，随便拿出一页看看，就能断定是他写的，沈从文先生就有这样的魅力。

沈先生擅长描写家乡以及那些有很多水的地方，作品里到处都是水：河流、码头以及那些跑船的人，气质极为罕见。民国时期大量文人都是海归，大多毕业于名校，因此作品大都充满书卷气，大量运用各种典故掉书袋（注：卖弄才学），包括钱锺书先生写的东西，一眼就能看出来，因为那里面卖弄才学的地方太多了。而沈从文先生的作品有一种非常清澈的乡土气，而且那种乡土气还不是北方的乡土气，那是一种让人感觉到虽然阴着天，但是河水清澈，所有的砖都是青苔颜色的那样的一种气质，给人留下的印象极为深刻。

沈先生是民国文人中学历最低的一位，在民国大家、名士辈出的时代，像沈从文先生这样的作家非常难得。民国时期，人们疯狂地留东洋、留西洋、下南洋，各种各样的大名士从海外回来在大学里做大教授，就连自称为"小文人"讽刺那些大教授的鲁迅先生也曾留学东洋，受过高等教育。而沈从文先生只受过小学教育，后来完全靠自学——我个人认为那都不能叫自学，靠的就是天赋。自学的人有很多，除了沈先生以外，到北大旁听的著名人士也有很多，但沈先生笔下的这种气质，和这些其实都没关系。那是一种天赋，就像有人唱歌，有人演戏，有人画画，那是一种你觉得根本学不来、教不会的东西，沈从文先生的文笔就是那样与生俱来的。

沈先生是新中国成立后第一个被错误批判的文人，其他人都是1957年、1966年才受到迫害，而沈先生1950年就被打入冷宫，去故宫博物院当讲解员。他利用在故宫工作的机会研究了很多东西，但他再也没有发表过文学作品，也不被允许发表作品。

沈先生在新中国成立后就再也没有动笔写过一本小说。以前沈先生家里珍藏着很多善本，包括明朝出版的小说等，结果都在"文革"中被红卫兵烧毁了。但是在1969年冬，沈先生在被下放的牛棚中，硬是凭着惊人的毅力和超人的记忆力，在手边没有任何参考资料的情况下，写成了他的最后一本书，叫《中国古代服饰研究》。这本书听起来像一本学术著作，但是如果看了就会知道，这是一本荡气回肠的中国历史大小说。它不是一个设计师或者一个研究服饰美术的人在讲衣服怎么设计、怎么好看，而是把我们整个中华民族用服饰做线索串联了起来：南方人、北方人、战斗的人、欢乐的人，他们从哪里来，他们要到哪里去……大家看这本书的时候，要看沈从文先生的文笔以及他对整个历史和人性的透彻洞悉。

沈先生一生命途多舛。但从另外一个角度来看，只有小学文化的沈先生来自湘西凤凰小城，最后能取得这么大的成就，也说明了民国时代不拘一格降人才。今天一个从乡下来的没有任何学历的小学毕业生，可能成为大学教授吗？沈先生也经常受海归大学者、各种大名士的排挤。沈先生做西南联大教授的时候，西南联大有一位教授叫刘文典，如果熟悉民国文坛就会知道，刘文典特别狂，但是学问也特别大。在西南联大教授开会的时候，刘文典曾公开说："陈寅恪才是真正的教授，陈寅恪值四百大洋，我只能拿四十大洋，朱自清也就拿四块大洋，至于沈从文，连四毛钱都不值。"当时教授的待遇高得惊人，抗战时期军人是最重要的资源，但一个上尉军官才挣十块钱，士兵三块钱，而教授那时候能挣四百大洋。他说沈从文四毛钱都不值，说明有些人看不起沈从文的小学学历。但是就在这种情况下，沈从文先生依然被各个大学校长聘去做教授。他做过青岛大学教授，所以徐志摩的飞机在济南失事的时候，第一个赶到现场的就是沈从文。后来沈先生一直在西南联大做教授，最后还做了北大教授。可见民国时期，沈从文先生虽然被各种人挤对，但依然成就卓著。话又说回来，那个时候谁都被挤对过，连胡适、徐志摩以及梁实秋都要被骂成"丧家的""资本家的乏走狗"。

沈从文先生一生取得了辉煌的文学成就。马跃然——诺贝尔文学奖最重要的评审之一——曾说："虽然沈从文从1949年以后没有写过任何小说，但是我认为，如果评中国作家谁有资格得诺贝尔奖，沈从文是应该排第一的。"沈先生是民国时活得最久的文人之一，因为他本来年纪也小，二十几岁就做了教授，比其他人都年轻，一直到1988年5月9日去世，终于看到中国走上了新的道路。沈先生临终前还说："我对这个世界没什么好说的。"我对沈先生这句话也没什么要说的了，纪念沈先生！

|上海青帮大亨黄金荣病死|

上海当年这些大亨，究竟大到何种地步？美国所谓的"教父"顶多能控制一个地方，比如说纽约一个区；香港所谓的黑帮老大，最多也就能控制几条街，不可能像当年这些上海大亨黄金荣、杜月笙、张啸林一样呼风唤雨。

黄金荣跟杜月笙不一样，杜月笙是青帮大佬，民间黑道出身。黄金荣本身就是上海法租界巡捕房督察长即华探长，等于是租界当局的人，又跟上海华界的政府要员关系甚笃。黄金荣是黑白两道的大佬。当时上海情况混乱，租界局势复杂，华界也鱼龙混杂，能管住整个上海滩的，必须是黑白两道通吃的人。

黑帮大佬通常性格复杂。大家看电影《教父》就知道，如果你只是一个坏人，那必然做不到大佬的位置；大佬一定是干坏事的时候心狠手辣，但是大节凛然，也让人服气，不然人家为什么尊重你，为什么请你做大佬呢？黄金荣干的坏事就是黑帮常干的黄赌毒：开夜店、开澡堂子、开戏院、洗钱等等。但是他也保护过许多革命者，包括孙中山，还有革命时期的汪精卫、胡汉民这些人。在日本出兵攻打上海的时候，他又和杜月笙一起坚决支持国民党军抵抗，支持淞沪抗战。

淞沪抗战失败以后，黄金荣没有选择离开，而是继续留在上海，还跟军统配合锄杀日本人。黄金荣很有意思，他一生不曾离开上海，不管谁来都不走。日本人曾经想把他请出来，因为他如果能出来上海就能安定一半，于是他装疯卖傻，以老迈多病为由不和日本人合作。新中国成立后，杜月笙带一堆姨太太跑到香港去了，但黄金荣坚决不离开。我觉得这个人挺有意思，就是"这是我的城市，我在这儿生在这儿长，就要死在这儿，谁来我也要跟这儿待着"。上海解放前夕，黄金荣首先向共产党做了绝不捣乱的保证，还交出了四百多名帮会头目的名单，以实际行动支持共产党接管上海。所以上海刚解放时，他仍可安居家中。不久在镇压反革命运动中，人民政府对他进行宽大处理，只要他公开悔过，不再做其他处分。1951 年 5 月 20 日，上海《文汇报》《新闻报》刊登了《黄金荣自白书》，他承认自己在历史上曾做过各种坏事，对人民犯下重大罪行，今坦白自首，以求政府与人民饶恕。

另外，上海各大报纸还刊登了一张黄金荣在大世界门口手持扫把扫地的照片。当时大世界游乐场还属于黄金荣所有，在此扫地是表示他悔过认罪的态度。据说杜月笙在香港也看到了黄金荣的自白书、扫地的照片以及相关报道，当他发现字里行间没有一句涉及自己的负面之词时，心中感到一丝宽慰。不久，杜月笙便因久病不治而去世，终年六十四岁。

写了自白书之后，黄金荣便闭门不出，于两年之后去世。回想旧上海的所谓"三大亨"，最早死去的是张啸林，因当汉奸而被人暗杀，可谓横死不得善终；比黄金荣整整小二十岁的杜月笙竟也死在他的前头；只有他八十六岁高龄老死于家中，从这点看尚可聊以自慰。这位上海一代青帮大亨毁誉参半，自有后人评价。此人的一生，可以说是起伏跌宕、历经风雨，拍成电影肯定值得一看。

|第二次世界大战西线正式开战|

1940年5月10日，第二次世界大战西线正式开战，真正的第二次世界大战从这一天开始。

1939年9月1日，德国、苏联两头强大的怪兽开始一起撕扯波兰。强大的德军从西边进攻波兰，苏联红军从东边进攻波兰，德军和苏军的装甲铁流进入波兰如入无人之境，波兰士兵只能骑着马、拿着刀去砍坦克，并无招架之力。所以波兰战争根本就不能叫大战。其实德国如果不进攻法国，就变成列强瓜分波兰了，就像这之前列强对奥地利、捷克那样，无非就是占领之后瓜分。但是因为当时英、法有保卫波兰的协议，所以一个星期之内英、法就向德国宣战了，但宣战以后英、法又不敢出兵，所以叫"静默战争"。结果德国就踏踏实实地占领了波兰，之后又布置好各种事情。这段时间，英、法两军都在那里安安静静看着，寄希望于停战和谈，但是第二年的5月10日，德国依然向法国发动了进攻，第二次世界大战西线正式开战。

德国从来不从德法边界进攻法国，每次都走北线：穿过比利时的阿登森林，绕到法国北部，再到巴黎即可长驱直入。我曾经开车走过那段路，从布鲁塞尔到巴黎是一马平川。德国和法国这俩国家有世仇，交战无数，但法国依然在两国边境修马其诺防线，并用重兵守住马其诺防线，而德军依然如法炮制，从北部进攻。

德军这次进攻法国的速度比一战的时候快很多，有三个原因。第一个原因是一战时毛奇制定的战略是德军从比利时进攻法国，只留一小部分部队在东线防备俄国。但是由于当时俄国动员早，德国只好把相当一部分德军留在东线防御俄国，没有那么多德军去进攻法国，导致德军虽然穿过了比利时，但最后在巴黎北边被法军挡住，形成了一条双方相持不下的战线。在这条战线上，德、法两军鏖战了好几年，变成了阵地战。但是二战时情况不同：东边的波兰已经被消灭了，德国跟苏联之间还有互不侵犯条约，所以东线根本不需要德军再留任何军队。第二个原因就是二战时德军有了重兵装甲集团，采用了崭新的战术——闪电战。最先提出闪电战的古德里安亲自在前线指挥，德军那些优秀的装甲军将领，包括当时还是师长的隆美尔，都集中在这支部队里，所以法国很快就土崩瓦解，打了一个多月就投降了。第三个原因就是德军将领曼施坦因制订了一个出奇制胜的进攻方案，被希特勒采用。德法对峙的战线北面是一马平川的比利时，南面是法军重兵把守的马其诺防线，中点则是阿登山区，被公认为一个森林密布、山路崎岖、坦克根本无法通行的地区。5月10日西线战役打响后，德军如一战时那样马上进攻比利时，英法联军便全力以赴开往比利时以堵住德军。谁知德军主力出人意料地穿过阿登山区冲了出来，猛攻法国北部平原，直抵海边，打得英、法军队措手不及，并很快抄了已深入比利时的英法联军的后路，将其包围在敦刻尔克。这样法国战败已无可挽回。

法国在一战中在巴黎北边这条战线上抵抗了德军将近四年，最后还能发起向德国的反攻。但在二战德国的闪电战面前迅速崩溃，法国几百万号称欧洲最强的陆军一个多月就分崩离析，二战的形势由此急转直下。

5月11日

　　《晓松说——历史上的今天》来到了 5 月 11 日。1927 年的今天，美国电影艺术与科学学院正式成立。1949 年的今天，一个叫"暹罗"的国家改名"泰国"。今天还是杨钰莹的生日，祝大美女杨钰莹生日快乐！就不说哪年生的了，我跟杨钰莹是多年的老朋友，我已经老成这样了，你依然美丽如昨，依然像当年一样，祝你永远美丽！

| 美国电影艺术与科学学院正式成立 |

　　1927 年的 5 月 11 日，美国电影艺术与科学学院（以下简称"学院"）正式成立，其颁发的奖项叫 Academy Award（学院奖）。学院奖这个名字大家听到的比较少，它的绰号大家比较熟悉，就是奥斯卡奖。现在电影圈里依然说一个人得了多少个学院奖，而不会说得了多少个奥斯卡奖，因为电影圈里认为奥斯卡奖是圈外人的说法。

　　虽然名为美国电影艺术与科学学院，但它其实不是一个学校，没有校址，没有学生，没有教授，也不教课。实际上它只是一个协会，是一个比较松散的组织。如果认为你的资历够的话，它就会邀请你加入，成为它的成员。这个组织实际上每年只干半年活，差不多从 10 月开始，被称为 Award Season（颁奖季），这期间要做的事情就是颁奥斯卡奖，剩下的就是偶尔弄个研讨会之类的活动。我们国家还没有这样一个协会，目前只有导演协会，也叫电影工作者协会，包括导演、制片人、编剧等等。

1927 年学院刚刚成立的时候只有三十六个人，全是被大家认可的电影大腕儿，所以当时这个组织实际上就是电影大腕儿的组织。现在这个组织的成员稳定在六千人左右。如果你是学院被邀请的成员，它会发给你一张跟信用卡差不多大小的塑料卡片，拥有这张卡片的人，偶尔会非常高兴地掏出来跟你显摆一下说："我要去投票了。"我曾经跟学院的两位成员有过合作，就是我的电影《大武生》的制片人和剪接，两个老头儿到投票的时候特别高兴。因为这是所有人看来都无上光荣的事情，所以大家也很愿意炫耀这个事儿。

奥斯卡奖的评奖是一个非常有意思的体制，这种体制大概只有美国这种反对精英的国家才能实现。美国是一个非常反贵族、反精英的国家，像欧洲电影节，都是请几个大腕儿，一个当主席，剩下几个人投个票就完了。美国人坚决不相信这种方式，为什么七个人就能决定一部电影的好坏？所以奥斯卡奖就是由这六千位成员来投票选出的，尤其是奥斯卡最大的奖——最佳影片奖，必须由这六千位成员共同投票选出，这应该算是全世界所有奖项里面评委最多的一个奖了。奥斯卡奖中的其他技术奖是由工会投票选出的，如摄影奖、美术奖等。

以前奥斯卡成员可以自己拉票，茱莉亚·罗伯茨作为学院成员之一，几年前曾在自己家里做了一个 Private Screening（私人影展），邀请其他成员看某男演员出演的电影，希望大家给这个男演员投票，最后这位男演员当选了最佳男配角。美国电影艺术与科学学院也在不断制定和修改学院奖的章程、规定，成员自己不许拉票之后，就变成了大家秘密投票。投票前，学院会给你寄一封信，并寄给你一张光盘，上面会有一个水印，写着 Academy Award（学院奖），如果这张光盘被泄露出去的话，一看水印就知道是从哪个成员那儿流出去的。每个成员都要去看光盘上的电影。学院自己也有一个电影院，有一千来个座位，如果这六千成员都来了还真坐不下。但每次放那些提名电影的时候，那六千大腕儿成员都在世界各地拍戏，不可能来齐，最多也就能凑几百人在现场看电影。所以学院就采取了寄电影光盘的办法。

美国的《游说法》原来只针对国会跟政府，在克林顿时期，《游说法》开始可以针对国会和政府之外的非营利组织。美国电影艺术与科学学院就是一个标准的非营利组织，当然它必须注册成一个非营利组织才可以颁奖。奥斯卡奖后来有了游说活动，电影的制作方可以雇一个游说公司像游说国会议员一样，挑出那些中间摇摆的成员进行游说。美国的《游说法》规定每次只能游说两个人，所以这些游说公司很累，每两个人一组，每组每天放两遍电影，上午一场，陪两个成员看，然后给这两个成员讲这个电影好在哪儿，导演的追求在哪里，争取获得这两个成员的投票。下午又给另外两个人演一场，然后又讲一遍。一个游说公司十几个人的队伍干这事儿，从 10 月颁奖季开始，到最后颁奖结束，这部电影每个人都已经看了几百遍。我在洛杉矶时就认识这样的游说公司，他们曾经代表电影《老无所依》（*No Country for Old Man*）去游说学院成员，这部电影最后也确实得了几个奖。游说公司举行盛大的庆祝活动，大家一起把电影又看了一遍，因为每个人都已经看了无数遍，以至于大家每句台词都能背下来。相信有一天我也会获得这个学院奖，期待这一天！

| 暹罗与泰国 |

1949 年的这一天，一个叫"暹罗"的国家改名叫"泰国"。改革开放以后，绝大多数中国人第一次出去旅游都是先去泰国。

古书里有"暹罗"这个国家，但是这个民族叫"泰"，经过多次战乱以后，民族主义情感空前高涨，这时人们通常会抛弃从前别人起的国名。就像中国周边的国家，大部分国名都是中国给起的，战争后很多国家都会改名。还有一些国家是殖民时期由殖民者起的名字，像印度的孟买，原来叫 Bombay，独立之后就改名叫 Mumbai。泰国人觉得我们民族叫"泰"，为什么要叫"暹罗"这么怪一名字呢？我们就叫 Thailand（泰国）吧。Thai（泰）就是自由的意思，Thailand（泰国）在泰语中的含义就是自由的土地。我国的少数民族傣族跟他们是同一个民族，"傣"和"泰"的发音差不多，有着共同的祖先，据说语言也相通。从历史上看，傣族早在公元 1 世纪就已出现在我国扬子江流域（今长江流域）。到公元 10 世纪时，傣族人才从中国迁入到现在的泰国一带定居下来，所以中泰之间的关系可谓源远流长。

新中国成立前有很多中国人离开家乡远走海外，当时他们有三个选择：去西洋，上东洋，下南洋。能去西洋接受新思想的必须是那些去得起的读书人，这是为数不多的一群人，所以这么多年来在美国的华人大概也就六百多万。当时能够上东洋也就是去日本的也是少数，大部分华人还是下了南洋。南洋现在有上千万华人，新加坡百分之七十五是华人，百分之十四是马来人。泰国百分之七十五是泰族人，百分之十四是华人，但是泰国人口是新加坡的十几倍，泰国有六千多万人口，百分之十四的华人就是八百多万。可见当时下南洋的华人有多少。

东南亚各国经常会出现排华潮，就像过去欧洲排犹一样，因为华人又聪明又勤奋，太能挣钱，所以经常会遭到当地人的排斥。为了融进当地的主流民族，有些华人改成当地名字，生活久了慢慢地融进了这个民族。但有些华人是被迫改名，像印度尼西亚要求华人必须改成印度尼西亚名字，否则就会遭到驱逐。泰国算得上是对华人最友善的国家，许多拥有泰国名字的人其实是华人，比如泰国前总理他信，他信到中国访问时曾承认自己的祖先就是华人。

泰国是一个很神奇的国家，如果拿出当年的世界地图，在整个南亚次大陆，包括东南亚所有国家，一直延伸到澳大利亚，全部都是法国、荷兰、葡萄牙等国的殖民地，连澳大利亚都曾是英国殖民地。只有泰国一直独立，没有成为殖民地。像泰国这样的南方国家，地处热带，不尚武不善战又信佛，本来很容易成为殖民地，但它却没有。并不是泰国人骁勇善战，主要原因是泰国的统治阶层擅长在大国之间斡旋外交。实际上泰国平衡了英、法等国。因为泰国东边是法国殖民地，包括越南、老挝、柬埔寨；西边是英国殖民地，包括缅甸、印度等。泰国通过自己的智慧，在英、法之间达成一个协议，保留了一个独立的国家充当缓冲国。

泰国在二战中也加入了轴心国，由于它既不骁勇也不善战，虽然加入了轴心国，但也没作什么恶，没犯下什么反人类的罪行，所以大家也没把它怎么样。

二战之后它又恢复了"暹罗"这个名字，但是到了 1949 年的这一天，民族主义战争爆发了，又改名叫"泰国"。

| 世界上的第一张交通罚单发出 |

1901 年的这一天，世界上第一张交通罚单发出。这件事情发生在美国，当然估计也只有美国这种国家才能第一个想到这种事情。现在欧洲很多国家都没有限速，德国不限高速，只限低速，就是不能低于 80 公里 / 小时，想开多快就开多快。1901 年，美国新泽西州规定限速 13 公里 / 小时，可见那时候车速有多慢。在龟速限速的公路上，某汽车俱乐部的同志们拼命飙车，开到了当时的最高速度 48 公里 / 小时，其实今天看来这个速度也不算多快。这群人停下车准备在一个餐馆吃东西的时候，被当地的警察开了罚单，每人罚了十美元，这也成为人类历史上的第一张交通罚单。

十美元的罚款在当时算是很多了，因为当时一辆汽车才值几百美元。如果按比例核算到今天几十万一辆车的话，那十美元罚款就相当于一万块钱左右。现在交通罚单已经成了美国人民和世界各国人民司空见惯的事情。我在美国收到过一张罚单，因为当时我急着开车从洛杉矶去休斯敦看 NBA（美国职业篮球联赛）的全明星赛，结果超速了。警察上来拦住我说："你去干什么？着什么急？"我说我去休斯敦看全明星赛。美国警察特别幽默，永远会跟你开句玩笑，他说："那你这张票买得比较贵，因为还要加上我这张。"于是给我开了一张罚单。

5月12日

《晓松说——历史上的今天》来到了5月12日。今天是"5·12"汶川地震五周年纪念日，每个中国人都会把这个日子深深记在心里，让我们对逝去的同胞表示哀悼！1949年的今天，第一次柏林危机结束。今天还是凯瑟琳·赫本的生日。

| "5·12"大地震 |

今天是"5·12"大地震周年纪念日，让我们一起向在大地震中失去生命的所有同胞致以最深切的哀思。"5·12"大地震发生的时候我在洛杉矶，当时是通过电视看到的新闻。由于地震空前惨烈，美国媒体一开始是零星的报道，后来美国的主流电视台，包括CNN（美国有线电视新闻网）都是全天播报。包括我在内的广大的美国西海岸华侨和国内同胞一样，心情非常沉痛，当时我们在洛杉矶举行了多次捐款、义演，为国内灾区募捐。

我有个大学同学叫余志勇，他就是阿坝藏族羌族自治州汶川县漩口镇人。我一直记得他，因为他是我们班唯一没有花家里一分钱读完大学的学生，他的生活费靠的就是学校每月十五块钱的助学金以及每人十七块五的副食补助。我记得他当时到学校的时候只带了一双凉鞋和两双袜子，我还很担心地问他："你冬天怎么办？"他说："我冬天穿两双袜子，夏天不穿袜子，春天和秋天穿一双袜子。"后来大学几年他穿的衣服全是我送给他的，因为他的体型跟我差不多。他应该是新中国成立以来汶川第一个考上清华大学的孩子，他母亲因瘫痪不能劳动，家里非常贫困，后来我还帮他母亲联系北京的医院看病。汶川地震发生以后，我第一个反应就是打电话给余志勇，知道他的爸爸妈妈还好，但是哥哥、嫂子都失去了联系。

"5·12"大地震刚过，我就飞到戛纳去参加当年的戛纳电影节，很多中国电影人都在那里举行了募捐活动。当时吴宇森导演带的《赤壁》剧组做了一次募捐，王家卫导演做了一次募捐，贾樟柯导演做了一次募捐，章子怡也做了一次募捐。子怡举办募捐活动时，我就在现场。其实子怡举办这场募捐时，前面几位导演都已经举办过了募捐活动，在戛纳的各国电影人已经慷慨解囊过好几次了。我记得当时还有不知道是哪国人在我旁边小声嘀咕："中国的电影人为什么不合起来办一场？我们一起捐了就好了，我们好不容易参加一次电影节，结果每天都要参加一场这个活动，每天都要穿着黑衣服出来。"当时人们大概是这种反应。子怡募捐时给每个人发了一张卡，卡上可以写上认捐的钱数，把卡投到募款箱里就行了。所以募款箱里收到的不是支票，也不是现金，就是一张认捐卡。参加电影节的电影人、艺术家来自世界各地，电影节一散又回到四面八方。所以子怡再拿着这张卡去追大家要认捐的这个钱，就很不容易。我当时从头到尾在现场目击了整个过程，我必须说子怡是真心的，当时在戛纳募捐的所有中国电影人都是真心的，每一个中国人在那个时候都是真心的，后来有一些不尽如人意的结果，也是由于当时的环境所致，所以在这里替子怡解释一下。

| 第一次柏林危机结束 |

1949 年的今天，第一次"柏林危机"或者叫"柏林封锁"结束，这是一件非常值得讲的事情。

1945 年二战结束以后，用丘吉尔的话说："一道铁幕在欧洲中间落了下来。"德国投降的时候被各个国家分成了多个占领区，整个德国最后被分成两大块，当时的西德由英、美、法占领区组成，东德是苏联占领区。东德面积并不大，但首都柏林在东德境内，也被一分为二，同时被苏、美、英、法各国共管，由苏军占领的部分是东柏林，划归西方英、美、法的部分叫西柏林。当时的柏林还没有柏林墙，东西柏林只隔着一条街，由西方管辖的这半个柏林就是资本主义的西柏林，由苏联管的半个柏林是社会主义的东柏林。所以当时等于是两道铁幕，一道大铁幕将欧洲一分为二，在大铁幕东边的柏林又有一道小铁幕将柏林一分为二。当时在东德境内还划定了三条铁路、两条公路、一条水路与三条空中航线，允许美、英、法的火车、汽车与飞机从西德出发一直开到东德境内的西柏林，给它提供所有的物资。

苏联在 1948 年 6 月 24 日宣布彻底封锁柏林，切断西柏林与西德之间的所有水陆交通。切断水陆交通就等于封锁了西柏林，也就相当于切断了西柏林的全部给养。冷战的时候就是这样，经常搞点摩擦，捅捅对方，看看你到底几斤几两，敢跟我怎么样。其实国际政治很像小孩儿打架，越大的国家越像小孩儿，小孩儿就经常这样："你看我干吗？""我就看你怎么样？""我们来比画比画？"基本上就是这点小事儿。苏联切断水陆交通以后想看西方怎么办，但是西方坚决不向苏联低头，水陆交通被切断了，西方各国就向西柏林空运物资，因为西柏林有自己的机场。

有人管这件事情叫"柏林危机"，但是更多的人叫"柏林空运"。当时西方国家动员了所有能动员起来的运输机，那时候活塞式运输机的载重量还没有今天的喷气式飞机大，主要是道格拉斯公司生产的 DC-3、DC-4 那样的飞机，一架飞机顶多也就能装上几吨的货物。西柏林的两百万人口全靠空中补给，二战期间最大的斯大林格勒战役包围圈里三十多万德军的补给，靠德国最强大的空运也接济不过来，更别说当时西柏林有两百万人被困其中。柏林在很靠北的纬度，冬天非常寒冷。现在柏林电影节每年 2 月举办，到处都是大雪。而到了最困难的冬天，西方仍然坚决不低头，不但空运食品，还空运煤到西柏林去。每天空运的数量从原计划的四千吨增加到五千多吨，最多时竟达到八千吨，已经达到了封锁前从铁路和水路运到柏林的数量。

当时的西柏林一切都实行配给制，每个人只配给很少的面包，煤的配给也很少。那时东西柏林之间还没有后来的柏林墙，只隔着一条街，在这条街的东边就是东柏林。东柏林挂出了各种招牌，只要西柏林人民过街到东柏林来，改变自己的信仰，就可以吃饱饭。德国人是全世界最硬气的民族，整个冬天又冻又饿，两百万西柏林人只有数千人最后过了这条街，到东柏林去领吃的，其他人宁可挨饿受冻也不向东柏林低头。

有一件特别感人的小事情。有一天，一个美国飞行员在往西柏林空运物资降落的时候，看到机场铁丝网旁边有些小孩儿在那儿趴着看飞机。他觉得这些小孩儿挺可怜，第二天就拿了一块手绢，做了一个小降落伞，底下吊了几颗糖。当时飞机不像现在的大飞机都是密闭的，那时可以直接从飞机的窗户往外面扔东西，于是他在降落的时候向下扔了两块手绢，里面吊着糖。孩子们捡到糖以后特别高兴。第二天飞机再飞过这个机场的时候，飞行员都傻了，成千上万的西柏林儿童围满了整个机场，就因为这儿有糖吃。于是从那天开始，所有的飞行员都在驾驶舱里拿手绢做降落伞，底下吊着糖，飞机降落的时候像天女散花一样向下扔糖。紧接着，美国从西海岸到东海岸，所有的报纸跟电台都开始呼吁大家捐手帕、捐糖果，空降给西柏林的孩子们。

还有一件有意思的事。因为西柏林配给的煤炭根本不够用，人们也没有东西可以用来烧火。一个美女记者实在冻得不行了，就把一生收到的所有情书都给烧了，最后她说了一句话："这些信里蕴藏的所有热情和爱情，全部点燃以后都炒不熟一盆土豆。"西方人在这么艰难的时候还有这种幽默感。

作为"回报"，西方也开始封锁东方，就是你封锁我西柏林，我就封锁你整个东欧。苏联陆军虽然强大，但海军和空军跟美国是不能比的，所以西方就从空中、海上封锁整个东欧。这是东西方冷战时期的第一次摩擦，后来还有很多次摩擦，古巴危机的时候还出现过军舰对潜艇的摩擦。这个时候就是我封锁你，你封锁我，看谁坚持到最后，最后是东方国家苏联先坚持不住了，因为苏联二战时已经打成那样了，时间长了它也扛不住，所以苏联先解除了封锁。1949 年5 月 12 日，当西德的第一队大卡车沿着国际公路开进西柏林的时候，西柏林人民全体欢呼庆祝。从这一天起，西柏林人民终于熬过了漫长的冬天，坚持没有过街去投降，最终迎来了自己的胜利。第一次柏林危机就这样结束了。据统计，在整个封锁期间，通过"空中走廊"共飞行二十七万多架次，空运物资两百余万吨，创造了大规模空运的一个奇迹。

|凯瑟琳·赫本的生日|

今天是凯瑟琳·赫本的生日，凯瑟琳·赫本是演技派明星，多次获得奥斯卡奖，晚年的时候还和亨利·方达一起出演了电影《金色池塘》，一部著名的获奖电影。今天是她的生日，祝她在天堂里生日快乐！

5月13日

《晓松说——历史上的今天》来到了 5 月 13 日。1846 年的这一天，美国正式向墨西哥宣战。1972 年的这一天，人类历史上第一次用"灵巧炸弹"炸毁大桥。

| 美墨战争 |

今天再提起美墨战争，第一感觉就是战争双方的实力差距太大了，墨西哥那么弱小，美国那么强大，双方实力不在一条水平线上。实际上在 1846 年美墨战争爆发前，墨西哥和美国的实力相差不多，并不像现在这么悬殊。美国当时军事算不上强大，还没打南北战争，从独立战争结束到美墨战争爆发前已经有五十多年没打过仗。实际上独立战争也不能算是一场多么精彩的战争，只不过是对美国来说意义重大。1846 年，墨西哥还算比较强大，美国那时已经有了西点军校，墨西哥当时也有军校，完全不像现在，墨西哥人天天在边境挖地道，想跑到美国去拿绿卡。

美墨战争爆发前，美国还没有共和党，只有民主党跟辉格党。当时辉格党有一部分人支持美墨战争，另外一部分人不支持，于是辉格党发生了分裂，那些反对美墨战争的议员、政治势力，后来成立了共和党。当时的民主党野心勃勃，特别想开疆拓土，看看别人哪儿都觉得好。墨西哥当时正好荒无人烟，就像当年的澳大利亚，所以美国总想把西南这么大一块地方给弄过来。后来美国就先把墨西哥的一个大州——得克萨斯州策动独立了，这么大的一个州独立，墨西哥政府当然不同意。但是美国策动得克萨斯州独立的时候，已经做好了相应准备，警告墨西哥不要干涉得克萨斯州人民加入美国。墨西哥方面则不停警告美国不要挑动得克萨斯州独立，否则就诉诸武力。美国的回应则是："是否愿意加入美国取决于得克萨斯州人民自己。"民主投票之后，得克萨斯州于1845年正式加入美国，成为在阿拉斯加州加入美国之前面积最大的一个州。这样的结果惹恼了墨西哥，1846年5月13日，美国国会通过了向墨西哥宣战的决议。

美国人民自古就是尚武的民族，一闻到战争的味道就群情激愤，于是向墨西哥大举出兵。当时美国和墨西哥都没怎么打过仗，但美国是一个尚武的民族，而墨西哥当时是大量的西班牙移民，西班牙人本身就不尚武，更别说西班牙移民跑到墨西哥去打仗。结果几乎是一边倒，墨西哥几乎一仗也没打赢过。墨西哥人声称曾经俘虏了一个爱尔兰人组成的军团，军团名叫圣帕特里克（爱尔兰传统名字，美国东部现在还有圣帕特里克节）。爱尔兰人说，我们其实是因为宗教起义，因为我们信天主教，墨西哥也信天主教，而美国信基督教。最后美军一直打到墨西哥首都墨西哥城，墨西哥人虽然进行了激烈的抵抗，但终究抵挡不住美国的进攻。最后连墨西哥军校十几岁的学生都出来和美国侵略军进行巷战，全体牺牲。现在大家到墨西哥去，还能看到纪念他们的雕像。

在这次美墨战争中美国一共死了一千七百人，墨西哥大概死了两万五千多人，极为屈辱地被打败。中国在历次战争中被打败时，一般都是割地、赔款，而墨西哥是割地得款。美国不像英、法帝国主义那样，在表面上做得还比较好，不会让战败者又割地又赔款。在美墨战争胜利后双方签订协议，美国给了墨西哥一千五百多万美元，还免了三百多万美元的债，相当于买了墨西哥的地。美国最开始的殖民地是在东北部州，面积特别小，有的州甚至在地图上都看不见，只能标一个箭头在那里。新英格兰地区的十几个州加在一起也没得克萨斯州或加利福尼亚州一个州大。现在美国本土最大的州就是从墨西哥"买"来的这个得克萨斯州，其他面积比较大的州，包括美国第一强大的加利福尼亚州，原来也是墨西哥的一个大州，后来美国从墨西哥割来了加利福尼亚州的一大半，现在墨西哥还有一个 Baja California（下加利福尼亚），就是加利福尼亚州割让给美国以后剩下的那一块。现在加利福尼亚州的经济收入占美国 GDP 的六分之一左右，比德国 GDP 还要高。

所以美国领土有很大一部分是从墨西哥割让来的，美国本土除阿拉斯加州以外，面积最大的得克萨斯州，还有中部的亚利桑那州、新墨西哥州（跟墨西哥接壤）、拉斯韦加斯所在地内华达州、犹他州（摩门教所在地），以及科罗拉多州的三分之二，原来全都是墨西哥的领土。这六个半州的加入使得美国从此变成一个大国，国土面积几乎和中国相当。美国从美墨战争结束后国土面积基本上就固定了，后来只是多了阿拉斯加、夏威夷这些州。之后的美西战争只是使美国获得了一些海外殖民地，比如菲律宾、关岛等。美国本土的版图就是1846 年到 1848 年的美墨战争之后奠定的，所以对于美国来说，美墨战争是一场掠夺领土的战争。

在战争结束以后仅十多年，美国历史上最惨烈的内战——南北战争就开始了。美墨战争当时给后来的内战埋下了两个祸根，一个是美国抢了这么大面积的六个半州，这六个半州到底是蓄奴州还是废奴州，在参议院和众议院爆发了激烈的争吵。因为原来的南北各州之间在参议院有一个协议，在北纬 36°30'往南都是蓄奴州，往北都是禁止蓄奴的，都是废奴州。但是 36°30' 线穿过了这些新加入的州，而且都是特大的州。后来众议院通过了一个法案，新加入美国的州一律都是废奴州，可是南方的所有议员都不干，认为应该让各州人民自己投票决定要做蓄奴州还是废奴州。在新加入美国的那些州里，反对奴隶制的人和支持奴隶制的人到处爆发冲突，各种政治势力闹得不可开交。参议院又否决了众议院的法案，造成国会分裂，最后导致南北战争爆发。南北战争双方几乎所有的将领都参加过美墨战争，这是美墨战争埋下的另外一个伏笔，南北战争之所以打得那么残酷，是因为这些将领全都经历过战争的洗礼，包括南方军统帅罗伯特·李以及北方军统帅格兰特，最后在南北战争中开战，双方打得一塌糊涂。

美墨战争的统帅泰勒将军战后当选了总统。美国每一场战争之后都会从统帅当中诞生一位总统，一直到越战之前都是如此。独立战争中的统帅华盛顿后来当选了总统，南北战争的北方军统帅格兰特战后当了总统，二战中的统帅艾森豪威尔将军也在战后当了总统，美国尚武的民族精神就这么一直传承下来。

|用"灵巧炸弹"炸毁大桥|

1972 年的这一天，在越战中，14 架美国的 F-4"鬼怪"战斗机执行轰炸任务，共携带了 24 枚"灵巧炸弹"。美国就用这 24 枚炸弹，把之前用了上千架次飞机，投了无数炸弹也没能炸毁的清化大桥给炸毁了。这次轰炸被载入了世界战争史册，标志着空中对地面的目标可以进行非常准确的轰炸。

二战时的飞机轰炸采用的都是地毯式轰炸，每次轰炸都会造成大量的平民伤亡。到了越战的时候，美军把各种先进武器全部运用到战场上，其中最重要的并且影响了后来历次战争的一种重要武器，就是所谓的"灵巧炸弹"，即自己能瞄准的制导炸弹。当时的炸弹用的制导技术是激光制导，激光制导有两种制导方式，一种是驾束制导，就是飞机自己发出一个激光束，导弹沿着这个激光束飞向目标；还有一种是用旁边的另外一架飞机或者从陆地上向目标发射激光，然后这个激光束会反射回来，激光制导炸弹或者激光制导导弹会捕捉到这个反射激光的信号，然后飞向目标。发射出的每束激光都有编码，收到的激光束也是有编码的，因此可以同时向一个目标发射好几个激光束，用不同的编码反射回来，不同的激光制导炸弹或者激光制导导弹接收不同的编码，飞向同一个目标实施轰炸，越战中美军轰炸清化大桥采用的就是这种激光制导方式。

用"灵巧炸弹"炸毁大桥的重要意义主要有两个：一、精确制导武器避免了像二战时那样大规模的平民伤亡；二、整个战争的后勤补给被完全改变。激光制导炸弹和普通炸弹制造成本都非常高，刚有这个激光制导技术的时候，一枚激光制导炸弹相当于五百枚普通炸弹的成本。但制造成本只是一方面，还得包括把这些炸弹从美国运到越南的运输成本。五百枚普通炸弹需要两百五十架飞机携带去执行任务，两百五十架飞机的油耗和各种损耗，以及飞行员、基地设施、配套供应等各方面的费用都要算进去，如果飞机被击落，那损失就更大了。而一枚激光制导炸弹虽然制造成本很高，但只要一架飞机运输就够了，运输成本大大降低，最后一算总账，大家都觉得这个激光制导炸弹最好、最经济。

二战以前德国的军事技术一直是世界领先，实际上"灵巧炸弹"在二战末期的德国就已经出现了。德国使用的是无线电遥控技术，飞行员看准目标，拿遥控器操纵，一直到炸弹打中目标。二战末期的时候，德国就使用这样的炸弹炸沉了向盟军投降的意大利最先进的一艘大型战列舰。由于德国后来很快就战败了，这个技术就没有继续发展下去，而且无线电遥控技术实在是太原始了。

激光制导技术现在已经用得不多了。因为激光制导有一个大问题，就是激光光束在晴空万里的时候没有问题，但如果在战场上硝烟弥漫的情况下，激光穿过硝烟或是雾霾会衰减得特别快，导致激光制导炸弹根本瞄不准目标。所以后来采用了很多新技术，最准确的是红外成像技术，用红外技术把目标变成一张图片，从而使定位的准确度大大提高。后来GPS（全球定位系统）技术出现之后，成本又降低了很多，就是直接在炸弹头部引线的地方，安装一个GPS制导装置。这样虽然炸弹定位的误差还是有几米到十米，但是比起1972年的这一天美国在越战中使用的激光制导炸弹已经是准多了。

由于GPS技术的推广，今天的激光制导炸弹已经远远没有越战时那么贵了，大部分国家都能装备得起。我们国家已经开发出好几个系列的激光制导炸弹，可以用GPS技术制导。但GPS毕竟是美国的技术，为了避免受制于人，我们开发了自己的北斗全球定位系统，据说我们的北斗系统军用精度比GPS系统还要好。

激光制导炸弹改变了整个人类战争的面貌，再也不会出现二战时那种大规模的平民伤亡了。但是，武器的发明以及技术的进步到底是人类之福还是人类之祸，这个问题值得我们去思考。

5月14日

《晓松说——历史上的今天》来到了 5 月 14 日。在 1955 年的今天，华沙条约组织（简称华约）成立。1984 年的今天，马克·扎克伯格出生。1992 年的这一天，聂荣臻元帅去世。

|华沙条约组织成立|

在 20 世纪后期长达五十年的时间里，华约都是笼罩在全世界上空的一枚巨大炸弹，因为它是一个空前强大的军事集团。在 1955 年的这一天，除了南斯拉夫以外，东欧的所有社会主义国家，包括苏联、波兰、东德、罗马尼亚、保加利亚、匈牙利、捷克、阿尔巴尼亚八个国家，成立了华沙条约组织。南斯拉夫虽然也是社会主义国家，但是由于铁托发起不结盟运动，所以没有加入华约。之前以美国为首的西方十几个国家为了对付东方的社会主义阵营，组成了北大西洋公约组织。于是作为应对，东方的国家团结起来，成立了华约。

十多年之后，阿尔巴尼亚由于和苏联的关系破裂，于 1968 年宣布退出华约组织。那时，阿尔巴尼亚成了中国人民的老朋友。我记得我小时候，我爸爸妈妈的单位经常会有叔叔阿姨去阿尔巴尼亚。那时候我还觉得很奇怪，心想："他们干吗老去阿尔巴尼亚？"当时，我国援助了阿尔巴尼亚大量的工厂设备，所以经常有叔叔阿姨出差去阿尔巴尼亚。

除了阿尔巴尼亚以外，华约剩下的七个国家跟西方对抗多年，一直到东欧剧变，苏联解体，整个华约才自行解散。我曾将北约称为人类历史上最强大的军事集团，包括美国、英国、德国、法国（法国后来退出了北约军事一体化的组织，但是还留在北约的整个框架里）在内的十几个北约国家，如果单纯从军事潜力来讲，生产能力、兵员素质、人口素质等各个方面的确都是世界上最强大的。实际上，在常规军备以及核武器的数量上，华约超出北约。当时光苏联一个国家就有七万辆坦克，而美国军备最强大的时候也就一万四千辆坦克，只有苏联的五分之一，常备军也就几十个师而已。当时所有的华约国家全部统一使用苏式武器，只有罗马尼亚跟南斯拉夫一起研制了一些小飞机，基本可以忽略不计。所以华约的军事实力也非常惊人。

华约不光是一个军事同盟组织，也是一个以苏联为核心的卫星国组织，各成员国的总书记实际上都由苏联任命，如果不听话，苏联就敢把他抓走，所以华约在经济上也完全一体化，完全听苏联指挥。苏联让这个国家负责干这个，它就生产这个，让你负责那个，你就生产那个。大家都是社会主义，全是计划经济，苏联想利用这些东欧国家的农业、工业为华约服务，但又不想让每个国家都有自己完整的工业和农业体系，所以华约完全是以苏联为首的一体化组织。

而北约跟华约不一样，北约首先只是在军事上一体化，只要打其中一国，全体北约国家就会一起宣战。但在其他方面的关系并没有华约这么紧密，经济上也没有那么一体化，北约的成员国都是所谓的民主国家，各自的独立性都比较强。法国研制法国的武器，英国有英国自己的军舰、坦克等，并没有要求大家都必须用美国武器，只是因为美国提供了最多的军队、最多的军备和最多的钱，由美国人来出任北约的司令官。各国都采用自己的传统编制，但是他们会组织联合演习。

华约和北约并没有真正打起来，因为双方都太强大了，所以就一直这么互相威慑着，拿着成千上万的各种武器相互对峙。如果双方打起来的话，只有德国最悲惨，这边的前线是东德，那边的前线是西德，沿着东西德的边境线，双方陈兵数百万。那种状态与当时中国和苏联的对峙还不同。中苏边境远比中欧边境长，而中苏双方陈兵也就百万。而且苏联在对付中国边境时使用的都不是最先进的武器，那里的部队也都不是一类部队，有些师就是架子师，如果打起来再补充兵力。而当时在整个中欧，沿着德国一直到瑞士的这条线上，北约和华约双方都陈兵数百万，而且使用的全是最先进的武器。苏联的先进武器运出来，都是先装备驻东德的集团军、装甲师，最精锐的部队全都随时准备开战。

华约当时所有的装甲师都经过"三防"训练：训练时穿过核武器爆炸的污染区、穿过化学武器污染区、穿过生物武器污染区，防核、防化、防生物即为"三防"。北约跟华约的战略思想完全不一样。北约的战略思想可以叫"逐步升级战略"：你骂我，我就骂你；你冲我吐口水，我就冲你吐口水；你冲我扔蛋糕，我就冲你扔蛋糕；你拿叉子捅我屁股，我就拿叉子捅你大腿；你拔出枪来，我也拔出枪来。华约解体后，西方国家吓了一身冷汗，原来华约根本就没打算跟你先吐口水、扔蛋糕什么的，直接就是准备好作战计划。只要开战，第一天就以密集的原子弹轰炸，把整个西欧炸成一片火海，一星期打到荷兰海岸、大西洋边。

最后的结局大家都知道了。北约是一个基本上以价值观集合起来的军事集团，当然也有像土耳其这样不太一样的国家，但绝大部分都是具有同一种西方的价值观，他们叫普世价值观，所以结合的持久力比较强。而华约组织的东方国家基本上是以强权跟军事控制成立起来的组织，内部不停地出现问题。刚成立第二年，波兰就开始闹事，后来匈牙利又开始闹事，之后捷克又弄出个"布拉格之春"，最后由于计划经济以及国家体制的问题，导致华约分崩离析。这就是历史上、纸面上最强大的军事组织的成败。

|马克·扎克伯格出生|

1984 年的这一天，马克·扎克伯格出生，如此年轻，却位列世界大富豪前列。马克·扎克伯格是犹太人，姓结尾是"伯格"的，百分百都是犹太人。犹太人再度证明了自己在每一个时代都不落后，再度证明了自己在今天的互联网

时代，依然能够引领这个世界的经济、思想、创新的潮流。

2012 年 4 月 Facebook（脸书）上市的时候，电视、电台、报纸全都在报道，所有的人都在欢呼，因为它具有里程碑式的意义。美国的股票市场有上百年的历史，开始是制造业公司上市，后来是科技公司上市，像 IBM、苹果等，后来有互联网公司上市，像雅虎等，这些互联网公司主要是内容提供商。而 Facebook 则代表了 Web2.0 时代最大的互联网公司，Facebook 作为媒介自身并不给用户提供很多内容，而是为用户提供一个平台，由所有的用户提供并分享内容，相当于第二代超大型互联网公司上市。

Facebook 上市后市值达到 160 亿美元，位列美国有史以来第三大 IPO（上市后的市值列第三位），可见当代科技公司有多么厉害。过去的上市公司有土地、有机器、有工厂等这些资产，而 Facebook 的资产除了一些电脑和桌子，以及租来或买来的房子，好像什么也没有，但是它有用户，这个是最厉害的。不光是美国的用户，除了中国大陆、朝鲜、古巴以外，全世界有七八亿用户通过各种各样的语言使用 Facebook。

互联网技术的问世就像电的发明一样，大幅提高了普通人的生活质量，使普通人与精英的生活质量差距大大缩小。所谓的精英阶层，没有电视机也生活得挺好，但是普通人就没办法生活得那么好。电的使用让大家平等了很多，有了电，所有人都一样可以看电视，一样可以用刮胡刀，一样可以用洗衣机。所以每一次技术进步，都是首先提高普通人的生活质量，都是社会更加平等的体现，也是一次精英文化再度衰落的体现。互联网来了也一样，所谓的精英原来并不太需要互联网，因为他们通过报纸、电视台等各种渠道本来就有话语权。但是普通人的话语权在哪里？ Facebook 出来以后，全世界的人都可以畅所欲言，只要你说得好、说得漂亮、说得精彩，很快就被传播到全世界。

精英文化有正面的地方，比如哲学、艺术等人类精神层面的产物，基本上都由精英阶层来引领。许多保守的"精英"认为互联网技术进步把我们的文化破坏得一塌糊涂，过去的忠、孝、仁、爱、礼、义、廉、耻全都被打破，人们疏远亲人，跟陌生人交好，天天跟陌生人聊天，开始搞一夜情。每一次技术进步，这些知识分子都会跳出来，以保护传统文化、精英伦理为借口螳臂当车，最后这些借口都会被碾碎在历史的车轮下。历史的车轮永远滚滚向前，每次技术进步以后都会有新的文化、新的伦理诞生，也一定会有新的精英文化诞生。即使有一天没有精英文化，人类也没有问题，因为互联网可以把亿万人的思想和智慧都集合起来。咱这儿虽然上不了 Facebook，但是大家可以玩中国版的社交网络，也都已经感受到互联网带来的集合性智慧。社交网络也确实消耗了人们很多时间，每天上网，占用了看书、学习的时间。至于 Facebook 到底是推动了人类的发展还是破坏了很多东西，暂且不讨论。

未来的互联网一定在移动终端上，现在大家已经看出端倪：有多少人每天还打开电脑，大部分人就拿一个手机、一个 Pad（平板电脑），只有干点儿什么大事的时候才偶尔用一下电脑。在向移动互联网转移的时候，Facebook 这一步没有跟上，所以它的市值开始下跌。高科技时代突飞猛进，淘汰一个巨型公司也许是很容易的，只是因为它某一步没跟上。这样的事情我们已经见识过好几次了，百年老店柯达没了，雅虎没落了，连雅虎邮箱都保不住了，原来美国用的全是雅虎邮箱，现在邮箱全都是 Gmail。希望扎克伯格好好努力，让 Facebook 这个大家伙继续生存下去。

| 聂荣臻元帅去世 |

1992 年 5 月 14 日，十大元帅之一的聂荣臻元帅去世。当时去法国勤工俭学的主要是一些左派的、激进的青年学生，其中包括我们的总设计师邓小平先生、陈毅元帅等。其他人主要以革命活动为主，以勤工俭学为辅，"俭学"只是学了一点点，只有聂帅在比利时的一个工学院获得了真正的学士学位。这样的学历在十大元帅里首屈一指，无人能比，所以新中国成立后，周总理委派聂帅做国防科工委主任，负责整个国防科技工业。后来中国的两弹一星、核潜艇，以及我军所有武器的开发、设计以及建造，都是在聂帅主持国防科工委期间开始规划实施的。聂帅曾经参与领导了八一南昌起义，是我军当之无愧的缔造者之一，也是我国国防科技工业最重要的开创者。

5月15日

《晓松说——历史上的今天》来到了 5 月 15 日。1905 年的今天，著名的赌城拉斯韦加斯建成；1972 年的这一天，美国将冲绳正式交给日本管理。

| 赌城拉斯韦加斯建成 |

1905 年的今天，赌城拉斯韦加斯建成。在所有爱玩的、爱赌的、爱看秀的人的心目中，拉斯韦加斯都是一个非常独特的地方，是这个世界无可替代的一个地方，是一个豪华欢乐的消费城市。美国人也把它叫作 Sin City，就是罪恶之城。像那种美女如云、挥金如土的地方，肯定有很多坏人盯着。拉斯韦加斯还是一个结婚很容易的地方，经常大家脑子一热就去登个记，包括当年小甜甜布兰妮也是在拉斯韦加斯喝大了，就跟自己童年时代的一个朋友突然跑去登记结婚了。很多人醒过来以后一看不对，再去离婚。

拉斯韦加斯是一个很有意思的地方。从赌场的豪华程度来说，应该是全世界第一，但拉斯韦加斯已经不再是世界上最大的赌城了，世界最大的赌城已经被澳门取代了。拉斯韦加斯整个赌博收入大概只有澳门的四分之一。澳门能成为世界最大的赌城，主要是靠VIP厅里的客人一掷千金。澳门和拉斯韦加斯不一样，澳门是一个比较纯粹的赌城，就是赌博，而拉斯韦加斯是一个将吃、喝、玩、乐、赌、秀集于一体的独一无二的城市。全世界的赌场有很多，马来西亚有云顶、欧洲有蒙特卡洛，但是这些跟拉斯韦加斯都不能比。拉斯韦加斯从开始规划设计的时候就不光是个赌场，拉斯韦加斯是一个孤悬在内华达沙漠中的城市，它不像澳门，到澳门赌博，可以顺便到香港购购物，到珠海去吃吃喝喝。蒙特卡洛就更不用说，背靠法国，法国南部有那么多美丽的地方。而拉斯韦加斯因为独处沙漠，所以它最开始的规划者、建设者，就没有把它单独设计成一个赌场。

有个根据真实的故事改编而成的美国著名电影叫《一代情枭毕斯》（*Bugsy*），讲的就是美国东岸的一个杀人不眨眼的黑道大哥来到了西岸，先是在洛杉矶发展，然后爱上了一个女明星，两人开始恋爱。最后他看中了拉斯韦加斯这块地方，就想把这儿建成一个豪华的娱乐场所。1992年正好赶上美国电影最辉煌的时期，*Bugsy*在奥斯卡奖的激烈争夺中败给了《沉默的羔羊》，仅有两项斩获。但这是一部非常好看的电影。

拉斯韦加斯有好多家米其林餐厅，上海才有一家米其林餐厅，香港作为世界美食之都也只有一家，而拉斯韦加斯很多个赌场里都有米其林餐厅。拉斯韦加斯用赌博的收入养活了大量的其他地方无法匹敌的东西，拉斯韦加斯用大量赌博收入来补贴酒店收入，所以酒店可以有很便宜的价格，这是其他地方做不到的。只有它能建起世界上最宏大的酒店群，大概两百美元就可以住上特别好的五星级房间。这样宏大的酒店放到其他城市，入住的价格得是拉斯韦加斯的好几倍。全世界最大的十个酒店，有九个在拉斯韦加斯。一个Block是由四条街、四个红绿灯围起来的这么一片区域。一个酒店有一个Block的规模都不算最大的，还有的两个Block都属于同一个酒店，中间还有条街穿过去，大得一塌糊涂。威尼斯人酒店里边还有河，河上还有贡多拉，就是威尼斯水城的缩影。

拉斯韦加斯还用赌博收入补贴了全世界最辉煌的大秀，"秀"这个东西美国其他地方很少，只有一点儿流动演出，其规模和拉斯韦加斯不可同日而语。Ka

Show、O Show、Le Rêve 等大规模的秀，光靠卖票绝对收不回成本，因为两千个座位也就只能卖那点儿钱。席琳·迪翁的个人演唱会在凯撒宫大酒店举办，酒店剧场大概也就是四千个座位，像席琳·迪翁这么大牌的歌手，出场费就得两百万美元这个级别，如果真的要办个人演唱会，至少得八万人的体育场才能把出场费收回来。她的演唱会居然就在一个四千人的剧场里，而且一年演八十场。四千人的剧场还算大的了，很多秀都只在两千人的剧场中演出。你说拉斯韦加斯得倒贴多少钱在这上面？但它就贴得起。威尼斯人酒店的 Ka Show、O Show 等秀场都耗资上亿美元，舞台完全是为了这一个秀而改造，舞台甚至能进行360 度的旋转。拉斯韦加斯所呈现的是骇人听闻的大规模、高投入的秀。这种秀除了拉斯韦加斯，在世界任何地方都没有。澳门只有一个规模小得多的小秀叫水舞间，跟拉斯韦加斯的大秀简直不是一个级别的。如果在拉斯韦加斯看过秀，再去纽约百老汇看音乐剧，就会觉得是小打小闹。百老汇有史以来最大的音乐剧《蜘蛛侠》（*Spider Man*），投资七千五百万美元，请 U2 做的音乐，但跟拉斯韦加斯随便一个秀比起来仍是天壤之别。

拉斯韦加斯还造就了举世闻名的做舞台演出的大剧团——太阳马戏团，听起来像马戏团，其实早已超出了马戏的意义。Ka Show、O Show 等都是太阳马戏团做的，赌场大量补贴太阳马戏团，他才敢赔着本卖票，一张票才一百二十五美元，这票价十年二十年也挣不回成本来。但是赌场补贴酒店、补贴餐厅，尤其补贴这些秀，使拉斯韦加斯成为美国最大的三个舞台之一。所以在拉斯韦加斯产生了一种崭新的舞台娱乐，结合了马戏、杂技、舞蹈、武功，采用了大规模的高科技，养活了全世界众多的杂技演员、马戏演员、魔术演员。太阳马戏团里有中国最好的杂技演员，Ka Show 第一幕几十个人上来一看全是华人，武功、杂技各方面的水平高极了。拉斯韦加斯还有一个著名的秀叫《天海秀》（Le Rêve），水池之深，从水底下能升出一棵几十米高的大树来。所有演员都是既能像马戏里的空中飞人一样在空中飞，也能潜水并且在水中跳舞，而且全都一样高，男的一样帅，女的一样漂亮、身材一样好。人们看得都惊呆了：这是从哪儿找来的这么多一模一样的演员？

全世界的演员现在最向往的舞台有三个。如果要演戏，最好是去美国西岸的好莱坞；想要唱歌、跳舞、演音乐剧，那就去东岸的百老汇，在纽约；如果是杂技演员、擅长武功、魔术、气功等，那就去拉斯韦加斯。光是在美国一个地方，绝对找不出这么多身经百战、受过这么好训练的演员。全世界费了半天劲儿培养的各种人才，因为美国提供最大的舞台，提供绿卡，于是大家全到美国来了。

会唱歌、会演戏的美女们云集百老汇和好莱坞，那些只是长得好看的物质女到哪儿去？去拉斯韦加斯，争取傍上挥金如土的有钱人。我在拉斯韦加斯曾经碰见过一个来自威斯康星州的出租车司机，我问他干吗跑这儿来开出租车，他说就是想来看看各种好看的姑娘，反正大学毕业没事干，就在这儿混两年。我问他收获如何，他说："我每天都会遇见各种漂亮姑娘，要么是喝醉的，要么就是赌得一分钱也不剩的。"宋柯老师就曾遇见过赌得一分钱也不剩的好看姑娘，对宋柯说："你能给我买张机票，回南部某州，我就陪你玩一天。"

拉斯韦加斯今天已经不是世界第一大赌城，但依然是世界第一大娱乐城。我从不赌博，但是我特别喜欢去拉斯韦加斯看秀。不爱看秀的人我觉得是没有的，因为那种秀简直是太震撼了。我还在韦恩酒店（Wynn）里看过刘谦的魔术，可见刘谦多么厉害，能在韦恩这么大的舞台表演，而且是表演一个在国内从来没表演过的魔术。也可以去购物，拉斯韦加斯的每个酒店都是一个完整的小王国，每个酒店都有赌场，有大秀，有购物街，有好的饭馆，什么都有。所以每个酒店都企图让你住在里面，不用出去，吃喝玩乐一切问题都可以解决。当然现在这些酒店都开到澳门去了，Wynn、MGM、金沙酒店、威尼斯人酒店在澳门都有，只是都比拉斯韦加斯小了一点儿。但是澳门的赌博收入比拉斯韦加斯高，因为华人非常爱赌博，不爱看秀，所以澳门不用花那么多钱去补贴那些大秀，人们到那儿直接赌博就行。

如果没去过拉斯韦加斯，无论如何都要去一次。拉斯韦加斯最令人震撼的地方就是人类用自己的双手，在贫瘠的沙漠里，建起了全世界最金碧辉煌、最声色犬马的都市。走在大街上，一会儿看到这儿喷出一大片烟火，一会儿那边有各种巨型屏幕。走到赌场门口，就会看到一块大牌子，那数字如风一样在转，现在收入多少钱，有多少钱砸进去，都看不到千、百、十、个位，只看到万位数在那儿"哗哗"地往上疯涨，一会儿"啪"又掉下来好多，这就可能是有一个人角子机一下子中了几百万，或者有一个人从哪儿赢了一个大的，于是钱数就往下掉一块。每当看到它掉下一块的时候，人们就会坚定要进这个赌场的信心，总有人在那儿发了财。

墨西哥、缅甸的赌场里有好多老千。拉斯韦加斯的赌场还是比较公平的，它把赌博做到了这么大的产业以后，已经不再用那种小打小闹来骗人了。但是我个人完全不赌，所以有关赌博没有什么能跟大家分享的。

| 美国将冲绳交给日本管理 |

1971 年 6 月 17 日，美日签署"归还冲绳协定"，将琉球群岛和钓鱼岛的"施政权""归还"给日本。次年 5 月 15 日，美国将冲绳正式交给日本管理。

1951 年 9 月 8 日，美国等一些国家在排除中国的情况下，与日本缔结了"旧金山对日和平条约"（简称"旧金山和约"），规定北纬 29 度以南的西南诸岛等交由联合国托管，而美国为唯一施政当局。但该条约所确定的交由美国托管的西南诸岛并不包括钓鱼。1952 年、1953 年，琉球列岛美国民政府先后发出布告，擅自扩大托管范围，将中国领土钓鱼岛划入其中，引起中国的强烈坚决反对。后来美国自己也说得很清楚，不是把主权交给了日本，而是把"施政权"交给了日本。到今天为止，日本只是对整个琉球群岛进行管理，包括琉球最大的岛冲绳。而日本口中的尖阁列岛，实际上是我国领土的钓鱼岛，美日对钓鱼岛进行私相授受是非法的、无效的，日本对其依然没有主权。

琉球群岛这块地方原来是琉球国，是我们的朝贡体系里的一个附庸国，地位跟当时的朝鲜很像，每年向我们进贡，如果有事，中国就去帮它、保护它。甲午战争之前，1879 年的时候，明治维新才刚刚开始没几年，日本野心膨胀，大清帝国还很强大，日本没敢动大清，就先把琉球国给灭了。清朝当时对琉球国也不当亲生儿子看，琉球国太子带了一群大臣跑到北京来，在午门外跪了十五天，求中国发兵复国，清廷一直不予理睬。后来到 1894 年，中国自己都被日本打败了，朝鲜也丢了，琉球国自然就再也谈不到回归中国的问题了。

琉球国、朝鲜，以及 1895 年《马关条约》以后我们割让的台湾，就这样一股脑儿全归了日本。所以日本相当于成了一个半包围中国的弧形，从朝鲜一直到台湾，钓鱼岛当然在这个中间。钓鱼岛是台湾的附属岛屿，连台湾和琉球都归了日本，所以当时钓鱼岛也就归日本管辖了。

二战后期，中、美、英三国在开罗会议上以及对二战后来的整个国际格局做最后决定的时候，都多次声明，日本必须放弃它军事占领的那些地方，包括朝鲜、琉球、台湾，这些都非常明确地写在了《波茨坦公告》当中。战后台湾回归了中国；朝鲜分裂成了两个国家，各自独立；琉球像美国太平洋上的其他岛一样，由美国来托管。

1972 年美国将琉球群岛"施政权""归还"给日本，美国人觉得这地方我老管着也不是个事儿，说干脆就交给你日本来管吧，于是将这些岛屿交给了日本。当然美国在冲绳还一直保留着军事基地和驻军。日本认为管理琉球群岛包括钓鱼岛，我们认为钓鱼岛根本就不属于琉球群岛。但是钓鱼岛无论从历史上看，还是从大陆架来看，它都属于台湾、属于中国，这是毋庸置疑的。相信有一天这个问题一定会解决。

5月16日

　　《晓松说——历史上的今天》来到了 5 月 16 日。今天是爱国将领张自忠将军的忌日，也是国民党名将张灵甫阵亡的日子。今天还是大帅哥皮尔斯·布鲁斯南的生日，生日快乐！

| 张自忠将军牺牲 |

　　1940 年 5 月 16 日，张自忠将军壮烈牺牲。广大民众最熟悉的抗战时期的国民党军将领就是张自忠将军，北京有张自忠路，上海也有自忠路，大家为什么这样纪念张自忠将军呢？

　　抗日战争是一场全民参与的中华民族存亡之战，当时国共双方以及各地方派系都团结在一起保家卫国。张自忠将军是抗战中牺牲的军阶最高的将领，也是职务最高的将领。在抗战中牺牲的中将级别的将领除张自忠外还有其他几位，但那几位都是军长，而张自忠当时是集团军总司令，牺牲后被追授二级上将。中、日两军以及全中国人民都对张自忠将军怀有极高的敬意。他牺牲以后，日军将其掩埋，并在墓碑上刻下"支那大将张自忠之墓"。灵柩运回重庆时，蒋介石亲率整个国民政府的高官及将领，在朝天门码头迎接并举行公祭。

张自忠将军不是中央军的将领，而是西北军的嫡系，也就是传统所说的杂牌军。当时中国有几个大的军阀系列，蒋介石下面的中央军主要都是黄埔（军校）学生。其他比较强的就是冯玉祥下面的西北军，西北军又分为嫡系部队以及杂牌军。西北军的杂牌军包括杨虎城、庞炳勋、孙殿英等的部队。西北军的嫡系部队包括五虎上将、十三太保，韩复榘、石友三、孙良诚、吉鸿昌、冯治安、刘汝明、张自忠等，都是冯玉祥当营长的时候，从河北霸县以及周围几个县招来的兵。西北军是历史的称谓，他们自称为"冯家军"或者"冯军"。冯玉祥就是他们的老板，就是他们的一切。我听说，这些兵从进冯家军开始见到冯就要下跪，到后来他们当了师长、军长，冯打电话过来还都要跪着接电话，完全是一支旧中国的家族军队、封建军队。

1924年爆发第二次直奉战争。冯玉祥发动北京政变成功后，将部队改组为国民军，开始倾向革命，结果遭到直奉两大军阀势力的联合进攻。四面受敌的国民军不得不放弃京津退守南口。值此危急时刻，冯玉祥自己跑去苏联。在群龙无首的情况下，国民军凭着对冯的忠诚，在南口与吴佩孚主力展开激战。南口大战失利后，国民军不得不撤往地处西北的绥远五原。国民军因此被人称作西北军。后来参加誓师北伐的部队有两个，一个是在广州誓师的北伐军，另外一个就是在绥远五原誓师的北伐军，其实就是西北军。南口战役失利后，十三太保中的头两位，也是西北军当时最主要的将领——韩复榘和石友三在撤往五原的路上叛变。当时韩复榘、石友三率部队经过大同时，阎锡山对他们说："五原那么一个小县城，哪能养得活你们十几个师的西北军，在五原你们肯定都得饿死、冻死，还不如留到这儿跟我干，我不会亏待了你们。"于是这两位叛变了。后来西北军其他各师过大同的时候，韩复榘和石友三还替阎锡山去游说西北军，劝说他们也留在大同，归顺阎锡山。但是这些人都铁骨铮铮地说："我们生是冯家人，死是冯家鬼，绝不投降。"张自忠也是这些铁骨将领中的一位，坚决不投降。后来西北军全军退到五原，一直等到冯玉祥回来，开始了五原誓师北伐，先进兵西安，最后一直打到北京。

后来在1930年的中原大战中，冯玉祥的西北军彻底分崩离析。中原大战的双方当时其实可以说是势均力敌，冯玉祥、阎锡山、李宗仁那边差不多一百万大军，蒋介石这边六十万大军，但是比较精锐。而在中原大战中，张学良拥兵东北，最开始是坐山观虎斗，后来两边都去游说张学良争取获得他的支持，因为当时张学良支持谁，谁基本上就能赢。最后张学良决定支持中央，也就是支持蒋介石，一个电话就导致西北军彻底分崩离析，西北军中孙连仲等人率领全军投降了蒋介石，吉鸿昌等人自己离开西北军投降了蒋介石。当时西北军中最忠于冯玉祥的，或者说最不愿意投降蒋介石的，是宋哲元。宋哲元是五虎上将之一，带领部队一直退到黄河以北，后来他发表通电，说我们只接受张学良改编，绝不向蒋介石投降。意思是如果张学良愿意改编我们，那我们就接受改编，变成东北军下面的被改编的部队，否则我们就战斗到底。这群退到黄河以北不愿向蒋介石投降的西北军人中除了宋哲元，还有佟麟阁、赵登禹、张自忠、刘汝明、冯治安等西北军将领，最后都跟着宋哲元归了张学良。张学良当时很抠门，十万西北军被改编成一个军，只给三个师的军饷。这也成了中国有史以来最大的一个军，有十万人之多，超过正常军的好几倍。这个军就是后来的二十九军，驻防在北平，在"七七卢沟桥事变"中，佟麟阁、赵登禹牺牲。

虽然当时张学良给西北军的军饷很低，但当时西北军将领为了留下这个血脉，全体军官主动降低自己的工资，就靠一万人的军饷养活十万人的大军。就是在这样艰苦的条件下，二十九军在漫长的抗战期间创造了辉煌战绩。著名的《大刀向鬼子们的头上砍去》唱的就是二十九军参加著名的长城抗战的故事。长城抗战时二十九军的军长是宋哲元，实际上二十九军这个番号在抗日刚一开始就不存在了，因为这个军太大了，平时就被缩编成三个师。三位师长分别是冯治安、刘汝明和张自忠，长城抗战的时候二十九军的大刀队已经名扬天下。到后来"七七卢沟桥事变"的时候开始抗战，二十九军这支十万人的大军又被改编成三个军，就是张自忠的五十九军，冯治安的七十七军，以及刘汝明的六十八军。

张自忠的五十九军是西北军中最骁勇善战、最铁骨铮铮的一支部队，在台儿庄战役中创造了辉煌的战绩。台儿庄战役的第一阶段，张自忠将军因战胜日军而名扬天下，但在这之前张自忠将军也确实受了很多委屈。抗日战争时期的平津一带非常混乱，有要打的、有要降的、有要和的、有要谈的，张自忠当时作为北平市市长也只能周旋其中，曾被国人误解为汉奸、卖国贼。张自忠是个铁骨铮铮的将领，这些误解导致他日后采用半自杀式的牺牲来证明自己的忠诚。在台儿庄战役中，张自忠一战名扬天下，洗刷了自己的耻辱，全国人民奉他为抗战英雄，张自忠将军晋升为集团军总司令。

在后来和日军的随枣战役中，其实张自忠将军完全不必牺牲自己的生命。我觉得他当时就已经抱着必死的决心要和日军决斗，他觉得一个军人曾经被侮辱过，被全国人民误解过，这永远是他内心最深的痛，所以一直就想用死，也就是用成仁来证明自己对国家的忠诚。当时他只率领了一支两个团的小部队，过河去阻击日军，他身边所有人都劝他不要亲自指挥，其实到最后他还有机会撤退。可张自忠不但亲自参战，而且一步不退，坚决跟日军拼了。最后张自忠率领的这支小部队和日军一直打到白刃战，他身边的参谋都被打死了，张自忠自己也中了枪，但他还是继续高呼战斗口号，直到牺牲在日军的枪下。张自忠将军用壮烈牺牲成全了自己，用成仁洗刷了自己曾经遭受的耻辱和误解，临终前他说："我对国家、对长官问心无愧。"张自忠是中国军人的杰出代表，纪念张将军！

国民党名将张灵甫阵亡

国民党名将张灵甫当年的名声很大，曾频频出现在各种有关解放战争的作品中，当年有个著名的电影叫《红日》，讲的就是击毙张灵甫。张灵甫统率的部队叫七十四军，当时叫七十四师。那是国民党为了蒙蔽全国人民，也是给全世界看：抗战之后我们裁军了，我们要让军队更精锐化，于是打着裁军的旗号，取消了军的番号，所有的军都叫整编师。所以当时的国民党部队没有军的番号，都叫整编师。七十四师是个整编师，其实就是七十四军。后来国民党撕下伪善面具，在国共内战的时候又叫军了。当时所谓的七十四师就是这样一个情况，这里就直接称它为七十四军。

国民党军当时有五大主力，包括新一军、新六军、七十四军、十八军和第五军，七十四军号称五大主力中最精锐的一支，又称为御林军。这五大主力是国民党军中最精锐的。解放战争初期，七十四军一直战斗在华东战场，跟华东野战军（后来改为三野）打过多场硬仗。华野在和七十四军的较量中吃过两次大亏，所以对七十四军怀着极大的仇恨。

张灵甫是蒋介石最重要的悍将之一，他原来是北大历史系学生，当时国共两军中除了孙立人之外，应该就数张灵甫学历最高了。张灵甫从北大历史系毕业后，投笔从戎上了黄埔军校。张灵甫骨子里是非常暴烈的军人性格，当年他曾因怀疑自己的老婆有外遇而枪杀了她，因此他受到了军事法庭审判，被关进监狱。但由于正值抗战时期，国民党也急于用人，他又是一员悍将，所以就从监狱中把他放了出来。当时他的同学们都已经当上师长了，而他只能从团长开始干起。团长和师长就不一样了，师长可以电话指挥，而团长得亲自扛着枪冲锋陷阵，张灵甫就曾在抗战前线负过重伤。

解放战争时期，张灵甫指挥的是国民党五大主力中最精锐的七十四军，也就是整编七十四师，有三万两千多人，全副美械装备，号称国民党最精锐的五大主力部队之首。这支部队在孟良崮战役中再次遭遇华东野战军，结果被我英勇的华东野战军彻底歼灭。这场战役中，华野采用的战术叫"集中兵力打歼灭战"，集中五倍于敌的兵力围而歼之；而国民党采用的战术叫"中心开花"，就是因为他们非常相信七十四军的战斗力，坚信七十四军能守住，采用了由周围的大批国民党军反包围华野的战术。

孟良崮战役并不像后来的三大战役，这是一场非常紧张、激烈的战役，如果当时华东野战军不能在最短时间内歼灭七十四军，整个国民党外线部队就会包围过来。那时我们还没有像后来三大战役那样，有跟大批的国民党军队进行战略决战的能力，所以当时华野采用的策略是"黑虎掏心"，要"百万军中取上将首级"，歼灭七十四军后华野就要全面撤退。在那种情况下，华野上下爆发出最强大的战斗力，居然在两天内歼灭了国民党军五大主力中最精锐的七十四军。

这次战斗中，七十四军全军覆灭，张灵甫也阵亡了。蒋介石因为张灵甫的阵亡也曾痛哭流涕，因为张灵甫的确是国民党的一员悍将。对于张灵甫的阵亡，国民党方面说是张灵甫向蒋介石发出诀别电报后，砸烂电台，让卫兵向他以及副师长、参谋长开枪，声称他坐着中了一枪。我方说张灵甫是在山洞中顽抗被击毙；还有一种说法是张灵甫被俘后，由于我军牺牲了很多战士，对七十四军怀有刻骨仇恨，因此我军战士将他击毙了。究竟哪个是事实，现在都不重要了，重要的是七十四军的覆灭、张灵甫的阵亡是整个华东战场上的重大转折点，也是解放战争中我军第一次歼灭国民党最精锐的主力。

┃布鲁斯南生日┃

今天是大帅哥布鲁斯南的生日，生日快乐！他因出演007而成名，在先后那么多007的扮演者中，我个人认为布鲁斯南是最奶油小生的一个，没有那种大老爷们儿的样子。现在的007样子已经很凶悍了。

布鲁斯南饰演的差不多是最后一个老派007。老派007跟新派007的风格完全不一样。老派007还是敢作敢当、花花公子的形象，那也是007最重要的看点之一，那个时期好莱坞电影的风格也不一样。现在的好莱坞电影风格越来越保守，种族歧视不行，由于妇女团体的抗议，花花公子也不行了。在最新的这几集《007》里，硬汉形象的007都开始忠于爱情，已经不再是花花公子、Casanova、Playboy式的老派007形象。

布鲁斯南跟梅丽尔·斯特里普曾出演《妈妈咪呀》，那里面他的歌唱得相当不错，当然，没有梅丽尔·斯特里普好。布鲁斯南，生日快乐！

5月17日

《晓松说——历史上的今天》来到了 5 月 17 日。在 1949 年的这一天，蒋介石将存在上海中央银行的黄金全部运往台湾。今天是国际不再恐同日。今天还是大帅哥王力宏的生日。

|蒋介石将黄金运往台湾|

蒋介石将黄金运往台湾发生在 1949 年 5 月 17 日。1949 年 4 月 23 日，解放军已经渡江占领南京，三野大军包围上海。到 5 月 17 日，上海战役已经快结束了，蒋介石实际上是在这一天将上海中央银行储备的最后一批黄金运往台湾。早在 1948 年 12 月 1 日国民党军队在淮海战役中频频失利、不得不放弃徐州重镇时，蒋介石就已经感觉到大势已去，这时他开始下令将存在上海的大量黄金偷偷地运往台湾。蒋介石前后一共运了多少黄金呢？加起来差不多有四百万两，另外还有比黄金重得多的白银，大概又能折合将近四百万两黄金，所以总共约有八百万两黄金。这些黄金当时主要储存在上海的各大银行，尤其是外滩的中央银行、交通银行等四大银行，还有一部分黄金储存在内地的各个银行，最后都被蒋介石运到了台湾，有关运往台湾的黄金数量有不同的统计口径。若把从大陆移存到台湾的所有黄金、白银以及各种外币全部加在一起，总额则多达五亿美元左右，折合黄金高达1430万两之多。

我后来看过一些被俘的国民党将领的回忆录，包括宋希濂的回忆录《鹰犬将军》，还有成都战役被俘的国民党将领李文的回忆录，其中都讲到了一些很有意思的细节。宋希濂在大渡河畔被俘的时候，背上就背着一袋金豆子。李文在成都战役被俘时也是背了一袋金豆子，被俘以后找机会跑到了台湾。被俘后两人都把金豆子交给了解放军，说这是国家财产，内战结束后用这些钱来建设国家。说明当时蒋介石最后离开大陆的时候除了把绝大部分黄金运往台湾以外，还把一部分黄金分给了当时国民党的一些兵团司令。成都战役的时候，大陆还残存着国民党的六七十万军队。那时国民政府的银行已经都搬到台湾去了，银行里的黄金也都运走了，财政部也没有了。大厦将倾，大势已去，蒋介石离开成都到台湾的时候，给仅存的几个兵团司令每人发了一袋金豆子，说："每人给你们一袋金豆子，你们能坚持到什么时候算什么时候吧！"尤其宋希濂、李文都是黄埔军校学生，是蒋介石的嫡系。所以他们最后被俘的时候，背上都背着一袋金豆子。

八百万两黄金大概能折合成两亿几千万两白银，正好相当于《马关条约》赔给日本的数目，相当于我们中国当时几乎所有的钱，这里面不光是政府的钱，还有老百姓的血汗钱。蒋介石的国民政府最后所做的就是各种末世亡国的举动，其中之一就是洗劫老百姓的钱。很多国家的政府快要不行、快撑不住的时候，选择铤而走险、竭泽而渔。当时国民政府就以金融改革的名义，发行所谓的金圆券来回收民间的黄金。金圆券其实就是一张纸，而用金圆券换到的黄金都被蒋介石运到了台湾，没有了背后黄金硬通货的支持，老百姓手中的金圆券全都变成了废纸。大家可能在电影里看到过后来金圆券贬值到什么程度，当时人们买东西得挑着大捆的钱，第一天这捆钱能买二斤米，第二天就只能买两盒火柴。那时的通货膨胀已经相当严重，政府用这种方法洗劫人民的钱，实在是罪不容诛，这样的政府当然是要被人民抛弃的，所以国民党政府在大陆灭亡绝对是罪有应得。当年有个电影叫《乌鸦与麻雀》，赵丹演的，赵丹在那儿大喊："轧金子、顶房子，顶房子、轧金子，老子发财了……"讲的就是这次所谓的金圆券制度，国民政府当时打着金融改革的幌子洗劫民间的黄金。

这些钱保证了国民党政权在台湾初期的生存。当时国民党几十万军队到了台湾，再加上随行人员，总共得有上百万人。国民党政府要稳定初期在台湾的统治，这些黄金起了维持基本统治的重要作用。几十万军队的军饷，几十万公务员，以及那么多教授，国民党政府不能让这些人都饿死。虽然有这么多黄金支撑着，其实那时国民党在经济上还是非常紧张的。到了台湾后，很多国民政府的公务员都被解雇了，本来在大陆是当局长的，到了台湾有的去当小学老师，有的将领根本就是赋闲。胡宗南到了那儿，全家也只能住一间小屋，台湾那么热，连台电扇都没有。一直到1950年朝鲜战争爆发，美国开始保卫台湾，国民党政府在台湾的统治才开始稳固。

这些黄金除了稳定了国民党初期在台湾的统治，对于台湾的复苏以及经济建设等方面也起到了重要作用。亚洲"四小龙"——韩国、中国台湾、中国香港、新加坡当中，我最佩服的是新加坡。当时上百万大陆的精英人才跟着蒋介石到了台湾，北大的教授去了办起了台大，清华的教授去了办起了"清华"，再加上这八百万两黄金的基础，才把台湾建设起来。韩国是在美国的保护下才强大起来的，而香港是背靠整个中国内地。"四小龙"中只有新加坡孤悬海外，既没有几百万两黄金的基础，也没有大量人才，全靠自身的努力。

现在每到台湾竞选的时候，民进党就会指责国民党：你国民党怎么会有这么多党产？你怎么能拿人民的钱当党产？所以多年来党产一直是国民党的一个大包袱，直到前几年马英九竞选的时候，国民党才说清楚，他们的党产是蒋介石当时从大陆带到台湾的钱。这些党产终于在前几年，也就是马英九做国民党主席的时候交了出来，变成了信托基金，这几百万两黄金最后才变成了台湾人民的福祉。

再回过来想想新中国刚刚成立的时候有多么艰苦，黄金全都被蒋介石运到了台湾，我们不但没有钱，那时战争刚结束，还有大量的特务、间谍、反革命分子等等。我们只能从零开始，一穷二白地建设一个新中国。新中国成立初期的那一代领导人就是在这样的艰苦环境下做出了巨大的努力，才使国家的政治、经济渐渐地稳定下来，然后才慢慢发展起来。当时我们一边倒地跟苏联的外交政策也和这个有很大关系，因为国家当时的中央银行、所有银行的黄金都已经被运走了，我们需要有强大的经济支持，需要各方面的援助来稳定这个国家。

| 国际不再恐同日确立 |

今天是国际不再恐惧同性恋日。同性恋是个人生活的选择，并没有伤害到别人，也没有伤害到社会，所以大家没有必要恐惧。2003 年的这一天，国际不再恐同日确立，我觉得这是人类进步、文明的象征。

2004 年的这一天，也就是国际不再恐同日的第二年，美国的马萨诸塞州成为全美第一个同性恋婚姻合法化的州。美国的民主党与共和党在大的政策方向上没什么区别，但是在一些小政策上是有严重分歧的。相比之下共和党是一个保守的党，民主党是一个比较开明的党。民主党支持同性恋，支持合法堕胎权；而共和党反对同性恋，反对堕胎。马萨诸塞州是美国东岸的左派大本营，左派主要诞生在大学多的地方，尤其是名校多的地方，这些地方思想一般比较激进。马萨诸塞州是美国名校最多的一个州，美国的哈佛大学、麻省理工学院都在这个州，所以这里是美国的左派重镇，也是民主党的票仓，是民主党的基地。

同性恋最开始在马萨诸塞州合法化，然后在美国西岸的旧金山合法化。旧金山有斯坦福、伯克利这些名校，这些地方也比较激进。加州大学伯克利分校也是左派最坚定的堡垒，是每次美国学生运动、革命的发起者。旧金山是西岸的左派大本营，旧金山所在的加利福尼亚州也是民主党的票仓。同性恋合法化首先在民主党的重镇打开了缺口，当时电视上一说同性恋婚姻合法化了，同性恋们都喜气洋洋，都去登记结婚、接吻庆祝等。很多宗教人士在旁边抗议，大声喊着："Shame！ Shame！（羞耻）"

当时有记者采访一个牧师，牧师说："上帝说的是亚当跟夏娃，不是亚当和亚当，上帝从来没有说过亚当和亚当、夏娃和夏娃。"诚然，在言论自由的国家，每个人都可以发出自己的声音。但美国既然是一个标榜民主、平等、自由的国家，那每一个人都有选择自己生活方式的自由，一个人可以选择自己所爱的人，这是最根本的个人自由。

在 2012 年奥巴马连任的这次大选中，北加利福尼亚州还连带着举行过一次关于同性恋婚姻合法化的公投。因为在美国，总统大选一般投票率会比较高，所以连带着就会有很多公投。美国是一个很有意思的国家，什么事情都可以搞公投。现在，美国越来越多的州开始将同性恋婚姻合法化，这是一个进步的表现。我曾在马萨诸塞州参加过一次同性恋大游行。这次游行的起因是在哈佛大学的一片小树林里，有人向一对同性恋者投掷石子，于是引发了同性恋大抗议，那天的游行就叫"抗议在小树林里向同性恋投掷石头子"。当时我正好在哈佛大学，就一起参加了游行，每人都戴上一条粉丝带，支持同性恋。

其实中国古代对同性恋是非常开明的。中国古代的文学作品，从《诗经》开始就有同性恋，还有一些历史学家说屈原本人就是同性恋，包括《红楼梦》中也有很多有关同性恋的描述。古人对同性恋始终都持宽容的态度，但是文明越来越发展，中国人对同性恋反而越来越歧视，变得不能接受。而西方正相反，西方长时间在宗教特别强大的统治下，同性恋是宗教所不允许的，就像牧师所说的，上帝说的是亚当和夏娃，同性恋始终是被压制的。甚至在纳粹时期，同性恋还和犹太人一样被迫害，那时同性恋必须得系上粉丝带，标明自己是同性恋，就像犹太人要戴上"大卫之星"一样。但现在事情反过来了，过去西方人对同性恋那么禁止，现在反而越来越开放，而我们以前那么开放，现在反而越来越……这是什么原因呢？值得深思。

| 王力宏生日 |

今天是大帅哥王力宏的生日，力宏生日快乐！王力宏非常有才华，而且非常努力，非常热爱音乐。每一次聚会，大家都在那儿聊天、喝酒，他永远在那儿弹琴，一会儿弹吉他，一会儿弹钢琴，特别高兴地给大家伴奏，他就是那么热爱音乐的一个人。力宏毕业于美国最好的流行音乐学院——伯克利现代音乐学院，这个学校在马萨诸塞州。现在红遍美国、红遍天下的鸟叔也是这个学校毕业的。鸟叔应该是王力宏的师弟，别看鸟叔长得那个样子，其实他比王力宏还小一岁。祝力宏永葆青春！

5月18日

《晓松说——历史上的今天》来到了 5 月 18 日。1927 年的这一天，好莱坞的中国剧院开张。2001 年的这一天，法国的核动力航母"戴高乐"号服役。今天还是周润发的生日，发哥生日快乐！

|好莱坞中国剧院开张|

1927 年的这一天，好莱坞著名的大剧院——中国剧院开张。剧院就建在好莱坞最中心的好莱坞大道上。建剧院的美国人是个中国文化迷，之前参加了 1915 年举办的巴拿马万国博览会，当时参展的就包括中国的茅台酒。这个美国人在巴拿马博览会上看到中国馆，觉得很有意思，于是照着这个中国馆的样子在好莱坞建了一个剧院，取名为"中国剧院"。中国剧院和后来的柯达剧院，是好莱坞最重要的两个剧院，每年的奥斯卡颁奖礼就分别在这两个剧院举行，这是最辉煌的剧院才有的荣誉。

中国剧院门前有一个广场，一直延伸到好莱坞的星光大道。每个走在星光大道上的游客都低着头，不是在捡钱包，因为这条大道上有一颗颗的星星，可谓是星光熠熠。所有那些进入了名人堂的娱乐大明星，包括演员、导演、歌手、DJ、脱口秀主持人等，都在地上印有手印。这个剧院终于和中国有了实质性的关系，就是吴宇森导演的手印、脚印都印在了中国剧院门口。

现在中国剧院和中国有了更大的关系，2012 年发生了两件事，结合来看很有意思。第一件事是柯达本来和好莱坞签了很长时间的协议，把好莱坞的另一个著名的剧院冠名为"柯达剧院"。柯达如此伟大的企业，它生产的胶片曾经记录过人类的百年悲欢，最先发明了数码摄影，却没能跟上科技日新月异的脚步。柯达破产倒闭，再也无力支付剧院冠名费用。因此人们已经叫习惯了的"柯达剧院"改名为"好莱坞高地中心"，这个名字并不是说好莱坞认为自己是高地，而是因为这个剧院正好处在两条街的交叉口，一条街叫好莱坞大道，另一条街叫高地街，于是这个剧院把这两条街放在一起，叫"好莱坞高地中心"。这个剧院之后又被冠名为"杜比中心"。另一件事就是著名的好莱坞中国剧院被中国的大企业 TCL 冠名为"TCL 剧院"。过去任谁也想象不到，首先不会想到柯达的倒闭，也不会想到竟然能有中国企业来为好莱坞剧院冠名，但这些令人意想不到的事情都发生了。当时负责 TCL 冠名谈判的是我在洛杉矶的一个特别好的朋友，那几天经常看见他在社交媒体上发各种消息，说今天又超时谈判四小时，好难谈，等等。我问他："在谈什么事呢？"他说："我现在不告诉你，过几天你会看到一个大新闻。"直到有一天，他给我发消息说："我告诉你什么事，就是 TCL 冠名中国剧院。"我当时都傻了，天哪，太厉害了！这两件事结合起来看，正是此消彼长。

| 周润发生日 |

今天是发哥的生日，发哥依然年轻，永远英俊。祝发哥生日快乐！在香港大家都管周润发叫发哥，但当时他到内地来，大家都叫他许文强，因为他在内地最火的就是电视剧《上海滩》。当年放《上海滩》，上海街上一个人都没有，大家都在家看《上海滩》，看得那是荡气回肠。北京一开始还没有放这个电视

剧，当时我们大家都排大队，在工人俱乐部的录像厅里一集一集地看录像。周润发在《英雄本色》里塑造的角色小马哥公映时风靡整个台湾，每个人都管他叫小马哥。后来，"小马哥"的称呼从周润发变成了马英九。

说起"大哥"的时候，大家首先会想到成龙，但成龙大哥是动作片明星，而演技派演员中，周润发就是大哥。周润发得影帝的次数估计他自己都数不过来，整个屋子里摆满各种影帝奖杯。周润发塑造过无数深入人心的角色，我最喜欢他出演的《秋天的童话》。在这部电影中，他塑造了一个特别土的底层人物，爱上了钟楚红饰演的留学生。那是香港电影的黄金年代，有那么多好演员，有那么多好导演。今天有了那么大的电影市场，香港电影反而没有当时那么辉煌了。

周润发也是非动作片演员中在好莱坞发展得最好的演员，华人在好莱坞发展得最好的就是成龙、李连杰两位动作明星，而周润发作为演技派演员，在好莱坞发展很不容易。无论什么人种做导演都没关系，像著名的华人导演吴宇森、李安等等，在好莱坞都取得了很高的成就，但是演员不行，长了一张华人的脸，就只能演亚洲人，戏路非常窄。好莱坞大部分电影的主角还是白人，近来开始有黑人做主角了。但是华人做主角的电影，除了动作片以外还是很少的。所以周润发当年在好莱坞奋斗也非常艰难。我在洛杉矶经常去两家米粉馆，其中有一家是周润发最爱去的米粉馆，每次我去那儿吃饭，老板都会特别高兴地说："发哥刚来过，发哥最喜欢我们这里的米粉。"发哥通过多年的奋斗，最后片酬达到了四百万美金，虽然和好莱坞一线明星三四千万美金的片酬尚不能相比，但在华人演员和少数族裔演员中，这个片酬已经非常高了，是华人非动作明星演员里片酬最高的一位。

今天发哥依然在为我们塑造新的角色，非常感谢发哥这么多年来通过电影展现给我们的欢乐和忧愁！发哥生日快乐！

|法国核动力航母"戴高乐"号服役|

2001 年的这一天，法国的核动力航母"戴高乐"号服役。世界上除了美国有十多艘核动力航母，只有法国有核动力航母。苏联鼎盛时期也没有核动力航母，只是设计了图纸，但最后没有造出来。英国皇家海军那么强大也没有核动力航母，所以法国从那个年代直到今天，都是世界上最强大的军工国家之一。除了有核动力航母，法国现在也有自己的核动力潜艇。联合国的五大常任理事国中、美、俄、英、法都有核动力潜艇，俄罗斯数量最多，美国最先进；所有的核动力潜艇里，法国的核潜艇是最小的，但它也毕竟造出来了袖珍的核潜艇。

最适合采用核动力的两种军舰是潜艇和航母。潜艇如果不用核动力，不管采用哪种发动机，柴油机也好，汽油机也好，都需要氧气，只要用到氧气就需要将气管伸到海面上，这样就会立刻被敌方发现，只有核动力不需要氧气。现在有 AIP 技术（不依赖空气推进装置），但也只能在短时间内慢速地提供一点儿不依赖氧气的动力，在长时间的高速航行中，AIP 技术满足不了要求。使用核动力以后，潜艇可以彻底隐藏在大洋深处，再也不需要伸出通气管或者浮出水面，所以核动力最适合潜艇使用。

再有就是航母适合采用核动力，核动力的发动机本身非常庞大，装在普通军舰上不如装在航母上有效率，一个是因为航母大，采用核动力有高效率。如果航母用普通的柴油和汽油发动机，那航母自身运行就要装载很多油，从而挤占了航母上的飞机航空油料的舱位和吨位，导致持续战斗能力大大下降。再加上航母上的飞机每次起飞时，都需要航母全速航行。这是因为飞机在地面起飞的时候需要很长的跑道，而航母上的起飞距离非常短，要想正常起飞，首先需要弹射器，第二需要迎风起飞，第三需要航母本身以最大的速度航行，也就是三十节，相当于五十多公里的时速。当航母以五十多公里的时速全速航行的时候，等于已经给飞机提供了五十公里每小时的初始速度。如果航母逆风航行，再加上风速，飞机起飞时就已经有了七八十公里的初速度，加上飞机本身的速度，就达到了起飞的要求。所以每次飞机起飞，航母都要全速航行，这时油耗极高，因而采用核动力航母是最有效率以及最有战斗力的。

到目前为止，除了美国有十多艘大型核动力航母以外，只有法国有一艘核动力航母。美国的大型核动力航母是十万吨的，法国这艘航母是四万多吨，属于中型核动力航母。麻雀虽小五脏俱全，法国的这艘航母有核动力，也有弹射器。我们的辽宁舰现在已经入列了，但是还没有服役，还需要很多训练。我们目前还没有弹射器，也没有核动力，当然我们将来会造出来的。

　　航母的造价非常高，装备一艘核动力航母的钱可以装备陆军的好几个师，可以为空军添置很多飞机。再加上航母还要配置飞机，这也要花上百亿美金。航母上的飞机一般采用的都是最先进的舰载机，在F–35战斗机上舰之前，法国航母上装载了自己的阵风战斗机。这种战斗机是目前世界上最先进的，超过了美国航母装载的F–18战斗机，也超过了俄罗斯航母上装载的飞机的水平。我们的航母装备的是以苏–33飞机为基础研制的歼–15。阵风在现役的舰载战斗机中是最先进的，所以法国的国防能力还是很强的。前段时间法国卖给印度126架这种战斗机，我们要警惕印度会拿它做什么。

5月19日

《晓松说——历史上的今天》来到了 5 月 19 日。"5·19"是全中国球迷永记在心的耻辱日。1946 年的这一天，第一次四平战役结束。2001 年的这一天，喜剧大师梁左逝世。

|中国足球"5·19之耻"|

这个日子在很多"历史上的今天"的版本里，被称作"5·19 惨案"。我觉得这个日子虽然确实是耻辱日，但毕竟还没到国仇家恨的"惨案"地步。咱们就称这个日子为"5·19 之耻"吧。

只要是真正的足球迷，都会记得 1985 年 5 月 19 日这一天。当时随着中国改革开放，各方面都在发展，中国足球也是昂扬向上，大家当时情绪高涨，根本就没想到中国会输球。当年那支球队应该是中国有史以来最强的一支队伍，集中了众多的球星，古广明、贾秀全、李华筠、柳海光……老一辈球迷都记忆犹新。那个时期也是辽宁足球、广东足球最强的时候，当时的各种比赛经常是这两个队对决，国家队主要由这两个队的队员组成，南北风格正好能融合到一起，各个位置的球员配得非常齐。

当时不光我们的球队很强大，而且世界杯预选赛抽的签也特别好，好到什么程度？我们是在北京工体主场，只要打平香港队，就可以小组出线。而且那个时候如果出线，我们球队的实力一点儿也不弱于日本和韩国，前途一片光明。任何事情都是如此，如果进入良性循环，一切就会越来越好，而如果进入了恶性循环，就会越来越差。中国足球后来就进入了恶性循环，士气越来越低落，各方面也越来越腐败。当时全国人民士气高昂，工人体育场坐满了观众，助威声山呼海啸，在打平就可以出线的情况下，中国队居然以一比二输给了香港队。

那天我记得特清楚，北京大街上一个人都没有，所有人都在家看电视。我当时是先在同学家和同学一起看球，看着看着，"咚"，中国队被香港队进了一个球。我当时就急了，我说："不行不行，我得赶回家去，我要回家去看。"于是，我就从白石桥开始骑车回清华的家，拼命骑，当时满大街一个人都没有，人们都在家看球。骑到半路上我突然听见全城爆发出欢呼，我说："太好了！追平了就能出线了！"于是就拼命往家赶，结果刚一进家门就看到中国队又被香港队进了一个球。后来我说："就是因为我，我如果当时不进门、不看，没准儿就赢了或者是平了。"所以在那场惨痛的中国一比二输给香港的球赛中，中国唯一进香港队的那个球我没看见，前后被香港队进的那两个球我全看见了。

当时球迷实在是太愤怒了，竟然开始在工体周围砸车，围住工体不让国家队走。当时的国家队主教练曾雪麟一夜白头。

中国足球从那一夜开始一蹶不振，到今天为止再也没翻过身来，再也没进入我们期待的良性循环。后来不管是换哪儿的教练，世界杯预选赛中国队就只有一次出了线，结果在世界杯上一个球没进，就被人打回来了。之前在车上听广播，说中国队当年世界排名是第一百零九位，亚洲排名也在十几位。世界人口最多的国家，而且号称球迷最多的国家，在亚洲排到十几位以后，真是不可想象。

第一次四平战役结束

　　1946 年的今天，第一次四平战役结束。这次战役是我军在整个解放战争时期遭遇的最大的一次失利，损失惨重。这次战役失败的原因主要有两个：第一，当时抗战刚刚结束，国民党觉得美国人肯定会把日本打败，后来就一直保存实力准备打内战，国民党用全副美械装备了数十个师。而我军当时只能靠缴获的伪军和日军的武器来打仗，完全靠自己在敌后的根据地一点一点发展，所以我军当时的实力不管是从人数上还是质量上，以及武器等各方面都不如国民党军，这是一个大前提，也是当时我军在四平战役中失败的最主要原因。第二个原因是当时东北刚由苏联红军解放，苏联红军在日本投降前不到一个星期才向日本宣战，一百五十万苏联红军进入东北，打败了日本军队，日本关东军投降，整个东北被苏联红军占领。苏联共产党和我们的共产党是兄弟党，就让我党赶紧派部队过去，因为按照协议，苏共打完仗以后要撤军回国。当时离东北最近的是热河军区，热河军区并不是我军最重要的根据地，热河军区领导人都是一些级别比较低的将领。由于时间紧急，他们率领热河军区的部队到了东北，非常不成熟地向中央发电说，请主力部队到东北时徒手前往即可，因为百万关东军的武器都留在了东北，主力部队来了可以装备日本关东军的武器。当时关东军应该是日本最精锐的部队之一，装备也非常精良。由于战斗经验不足，留守中央的几位领导人非常轻易地相信了热河军队领导的报告，下令去东北的部队全部徒手前往。当时我党大的战略是首先进入东北，从苏联红军手中把东北接收过来，因为东北背靠苏联这样一个共产党的国家，背靠社会主义国家朝鲜，可以有很大的进退余地。

　　这十万大军中就包括山东的八路军，山东当时是八路军最强大的根据地之一，山东部队最精锐的一师、二师通过海路、陆路全都去了东北，把武器全都留给了山东地方部队，山东地方部队拿了这些武器以后升级成野战军。当时新四军奉调去东北的几个师也都比较精锐，新四军三师由黄克诚大将率领。黄克诚是一个有独立思考能力的儒将，他当时就给中央发电报，说我不相信东北遍地都是关东军的武器。于是黄克诚的部队带齐了全部武器装备开赴东北，大概也只有黄克诚这支部队是全副武装。

第一次四平战役的时候，虽然当时林彪号称手下有十万大军，实际上真正能打仗的只有新四军三师，加上山东的八路军一师、二师是主力部队。新四军的一个师差不多相当于八路军的一个军，新四军三师是当时最大的主力。而其他参战的全都是一些地方部队，以及当时临时收编的伪军，还有东北的各种胡子，即土匪。当时东北遍地都是土匪，经常一路收编，就成了那种乌合之众式的部队。用这些临时凑起来的部队，再加上新四军和八路军的几支精锐部队，共产党准备在四平跟国民党决战。

国民党军这边做了决战准备。他们把最精锐的部队都调往东北，包括从印度打回中国的远征军（一般称其为驻印军），远征军的装备比全副美械装备的国民党军还要精锐得多。国民党军当时虽然换了全套的美式装备，但穿的还是国民党军的军装，而远征军穿的全都是美式军装。远征军的每个连装备六挺机枪、几门迫击炮，还有坦克营、炮兵营，每个师都有大炮，跟美军装备完全一样，远征军当年在缅北战场上打得日军丢盔卸甲。远征军士兵全都是中学以上文化。当时中国军队中识字的人不多，绝大部分士兵都是文盲。但是由于远征军的需要，当时号称"十万青年十万军，一寸山河一寸血"，征调了大量有中学文化的人补充到远征军，所以兵员素质也是最高的。远征军最重要的两个军是新一军和新六军，两个军的军长都是海归，这在国民党军中是极少见的。新一军军长孙立人清华大学毕业以后留学美国弗吉尼亚军校，新六军军长廖耀湘黄埔军校毕业以后留学法国圣西尔军校，所以由这两位海归将领带领的部队是最精锐的。此外还有其他的美械军，包括国民党七十一军等，这些都是国民党中央军嫡系部队，在新一军、新六军的带领下开始向四平发起进攻。

我们这边各方面也都尽了最大努力，当时中央还提出了"把四平变成马德里"的口号。马德里是西班牙内战期间，共和政府、社会主义者坚守得最惨烈的一场战役。林彪作为当时我军最能征善战的将领之一到东北指挥四平决战，一一五师的很多将领都跟着去了东北。当时从苏联收集的关东军的武器都已经拉到了海拉尔，准备运回苏联当废铁炼钢。我们派出何长工去跟苏联谈判，最后用东北的很多大豆换回了关东军的一部分武器。我方的武器可谓五花八门，有缴获的美式武器，有自制的土武器，也有日军的武器。临时组织起来的部队互相也极不熟悉，有山东来的八路军，有华中来的新四军，还有华北方向来的各个部队等。林彪之前因为负伤长期在苏联养伤，抗战期间一直都不在战场，所以他对手下这些部队也不是很熟悉。在这种情况下，林彪率领的部队还是和全副武装的、刚经过抗战历练的国民党远征军，进行了浴血奋战。但临时收编的乌合之众在敌人冲上来以后发生了叛乱、逃跑等现象，最后靠八路军和新四军主力部队奋勇抵抗，才撤出了四平，还算没有全军覆没。

撤出四平以后，中央军委吸取了四平决战的教训，从此不再跟国民党军进行面对面的依托阵地死守城市的决战，采取了"让开大路，占领两厢"的战略，就是沿铁路线的大城市都让给你，把长春让给你，四平让给你，吉林让给你，沈阳让给你，全都让给你，但哈尔滨不能让给你，因为哈尔滨已经背靠苏联。所以我军从那儿之后，先后到农村去发展了北满、南满根据地，然后从根据地开始，进行机动灵活的运动战，最终以蚕食的方式，今天消灭国民党军一个团，明天消灭一个师，才打到了最后的大决战。所以四平战役是我军在整个解放战争中最大的一次失利，但也是唯一的大失利。

| 梁左逝世 |

今天是喜剧大师梁左逝世的日子，纪念梁左先生。我认为梁左完全可以担得起喜剧大师的称号，什么叫喜剧大师？就是你写的一个相声，全中国人民都爱听，全中国人民都记得，全中国人民都欢呼。像今天稍微老一点的人都知道的《如此照相》，《如此照相》问世是在1978年，大家第一次听到了可以讽刺社会的相声。中国的第一部情景喜剧《我爱我家》当时风靡全国，到今天再重播依然还有很高的收视率。这部情景喜剧主要由梁左编剧，当时从美国学戏剧回来的英达是这部剧的导演。梁左先生后来写了很多优秀的相声，包括《虎口遐想》等，在春晚上不停出现。在文艺百花齐放的20世纪80年代，他的相声、喜剧影响了千百万中国人民。

梁左先生英年早逝，2001 年就去世了。当时整个文艺界都去纪念梁左先生，都觉得梁先生的去世是中国喜剧界的重大损失。梁左去世之后，原创性的相声确实几乎就再也没有出现过什么优秀的作品，也很少再看到像《我爱我家》这样精彩的、这样人物鲜明的、这样台词漂亮的喜剧，确实是中国文艺界的一个重大损失。后来直到郭德纲出现，把传统相声以及自己的一些原创相声融合起来，才让相声有了一点儿生气。

梁左先生全家都是文艺干将。梁左先生的母亲是著名作家谌容，写过小说《人到中年》等多部优秀作品，是中国最优秀的女作家之一。梁左三兄妹当时被称为文艺圈的"三剑客"，梁左是著名的编剧；梁左的妹妹梁欢也是著名的编剧，后来嫁给了英达；他的弟弟梁天大家都很熟悉，也是重要的喜剧演员，今天已经是著名的制片人了。

5月20日

《晓松说——历史上的今天》来到了5月20日。1941年的这一天，德国入侵克里特岛，世界上第一次大规模的空降兵战役爆发。1506年的今天，哥伦布去世。

| 德国入侵克里特岛 |

1941年的今天，德国入侵克里特岛。克里特岛原来是希腊下辖的一个岛，只是一个可以在地中海地区骚扰一下英国运输航线的小岛，本身战略意义并不大。但克里特岛战役是载入人类战争史的一次重要战役，其特殊之处就在于在这次战役中德国首次大规模地动用了空降部队，从此以后现代战争就多了一个重要的兵种——空降兵。

大岛屿攻防战一直是人类战争史上最复杂的一种战争形态，因为岛屿攻防涉及潮汐、海滩地形等各方面的因素。海军经常会说"舰队对要塞是赢不了的"，在海岛攻防战中相对来说防御比较容易，而进攻者必须得从海上迎面攻上来。自从克里特岛战役以后，大规模的空降兵开始应用在海岛进攻中，此后岛屿攻防战就变成了立体战，进攻的部队不光可以从海上上来，也可以从天上空降下来。从此以后，海岛的进攻变得相对容易，防御却变得越来越困难。因为空降兵的加入使防御变成全境防御，矛尖锐了，但盾一下子变弱了。

那时在太平洋地区，日本海军占优势，在太平洋、印度洋上的军舰比地中海的军舰要先进。在地中海地区，意大利海军实力超过英国。英国在地中海的舰队都是一战时期的老舰，而英国的主力舰队在大西洋，主要用于防备德国在大西洋的海军。其实，意大利的海军、陆军、空军总体上来说战斗力都很差，之前微博上传一架意大利的战斗机，像萝卜在空中飞，大家都嘲笑说意大利空军就这水平。意大利陆军就不用说了，每次打仗喝着酒、唱着歌就投降了。相比之下，意大利海军还算是三军里最强的，军舰也新，而且军舰也大，炮火也很猛烈，但是它不敢出海跟英国海军对垒，因为意大利不尚武也不善战，不是那种长期统一的有民族荣誉感的国家。英国曾经发动过一次奇袭意大利海军基地塔兰托的战役，每当与有这种传统的皇家海军对垒的时候，它首先就认输了。所以整个二战期间，地中海地区就没有爆发过几次意大利海军跟英国海军或法国海军之间的对抗。

克里特岛战役爆发时，德国海军并不强大，那时德国纳粹上台其实没有几年，任何一个国家都是陆军、空军的军备生产比较容易，而建设一支强大的海军可没那么简单，海军需要多年时间慢慢培养。但是又要打下克里特岛，最后就决定用空降兵。那时德国的空降兵已经秘密地训练了很久，空降兵是从陆军中挑出来的最精锐的官兵，因为空降兵不光要打仗，对身体素质、心理素质各方面的要求也都非常高。尤其是要求每个空降兵都要非常勇敢，因为空降兵不是大家捆着一块儿从飞机上跳下来，空降兵得一个一个从空中跳下，下来以后还经常被风吹得到处都是，有落在敌后的，有落在敌人战线上的，有落在敌人堡垒顶上的。所以要求每个空降兵都要有很高的战斗素质，在空中就有可能和敌人开战，跳下来以后还得一边打一边集合。空降兵的军官们也要求有非常强的领导能力，能集合多少人就集合多少人去打，所以各国空降兵都是最精锐的部队，其次才是海军陆战队。德国空降兵当然也是德国最精锐的部队。

空降兵有一个大弱点，就是一般都没有重武器，所以面对重兵防御的堡垒时非常困难。一般情况下空降兵都是先降落在敌后骚扰，烧烧粮草，搞搞突袭，然后配合正面的军队进攻。这是空降兵到今天为止最主要的战术，如果正面没有重装甲部队的接应，纯粹用空降兵去打，那是非常困难的。克里特岛战役就是一个典型的例子，虽然最后德军成功占领了克里特岛，但是德国空降兵在这场战役中的损失也极为惨重。为了攻占这一小岛，德军伤亡人数高达六千，仅有的伞兵师遭到重创。相比之下，德军在攻占南斯拉夫和希腊的所有陆上领土时，只付出了伤亡五千人的代价。所以从此以后德国再也没有发动过大规模的空降兵的战役。到二战末期，德国的制空权也丧失了，天空上飞的都是美、英的战斗机，最后这支精锐的德国空降兵部队就被当作陆军使用了。在意大利战场上，这支德国的空降兵部队确实是发挥了重要作用，他们曾经挡住了整个英美大军在南线的进攻，而且坚持了很久，但是再也没有成为空中的雄鹰。

空降兵在二战的时候第一次做到了大规模尝试运用，但是真正取得的战果不是特别明显，空降兵在诺曼底登陆中曾取得过一次比较大的胜利。诺曼底登陆时大规模地采用了空降兵，美国两个师、英国一个师的空降兵都空投到敌后，帮助主力部队在海滩登陆。但那时空降兵实际上是空降到浅近的敌后，并不是非常深远，只要登陆部队一上来，大家就能互相打枪，相互开炮彼此都能听见。于是空降兵部队成功地在敌后跟主力的登陆部队会师了。

诺曼底登陆以后，北线的蒙哥马利指挥的陆军又发动了人类历史上一次超大规模的空降战役，叫市场花园战役（又叫阿纳姆战役），规模甚至超过诺曼底登陆。市场花园战役几乎集中了盟军所有的空降兵，包括美国的第八十二师、第一〇一空降师、英国的第一空降师以及波兰的一个伞兵旅。著名的美剧《兄弟连》讲的就是一〇一空降师的故事，其中有一段著名的台词。在阿登森林战役中，那是德国发动的最后一次进攻战，空降兵当时向包围圈里走，而陆军是往反方向走。陆军跟空降兵的弟兄们说："你们往那里走干吗？你们到那里就会被包围的。"这些空降兵答道："我们是空降兵，生来就是要被包围的。"如果是在敌前作战，陆军就可以了，而空降兵一定要空降在敌后，一定会被包围。

我看到过德国空降兵司令对阿纳姆战役的回忆，感慨万千。当时德国空降兵已经被当作陆军使用，去防御英美的装甲部队。有一天他们趴在战壕里，天上五千架运输机、滑翔机遮天蔽日地从他们的头顶上飞了过去。德国空降兵司令看着满天的飞机，长叹一声说："如果有一天我能统率这样的大军去打空降战役该多么幸福啊！"作为一个职业军人，作为一个空降兵的将军，打一场这样的空降兵战役才是他最幸福的时刻。市场花园战役基本上也是以盟军失败告终，因为盟军事先没有料到，就在空降地点附近驻扎着两个强大的德军坦克师。只有轻武器的空降兵当然挡不住坦克、大炮的进攻，所以在这次战役中，盟军空降兵的损失也极为惨重。

战后，美国和苏联在各种各样先进的战术思想的指导下，开始研制大型的运输机。因为之前空降兵都没有办法使用重武器，飞机一般也就是一两吨、两三吨的载重，最大的载重也就是三四吨，一架飞机装载上几十个人，没办法再装载坦克、大炮什么的重武器。于是战后各国就开始了大型运输机的研制，美国率先于 20 世纪 50 年代研制出使用喷气式发动机的 B-52 战略轰炸机。它的最大起飞重量为 221 吨，最大载重量为 27 吨。到 20 世纪 60 年代美国又研制出 C-5A 银河式运输机。它的最大起飞重量达 380 吨，最大有效载重量为 118 吨。苏联也不甘落后，于 20 世纪 80 年代研制出安东诺夫 -225 超大型运输机。它的最大起飞重量高达 600 吨，最大有效载重量竟高达 300 吨，是迄今为止世界上最大的运输机。再加上降落时采用的火箭减震技术等各种先进技术，以及专门为空降兵研制的坦克、炮等装备的普遍应用，现代战争中的空降兵已经不再是当年只能拿着冲锋枪下来的空降兵，能空投坦克、大炮等重武器和大量的弹药给养，所以今天的空降兵是一支能攻善守的部队。在冷战时期，美、苏两军最常备的精锐部队都是空降兵，苏联的几个空降师都是随时能投入战斗的部队，美国的八十二空降师跟一〇一空降师也是随时待命，随时可以投入第一线战斗，这些空降兵都是快速反应部队。所以今天的空降兵已经成长为一支重要的战略部队，不再是一支简单的战术部队。

我国也有自己的空降兵，我军的第十五军就是一支空降部队，这个番号已经解禁了。我们不但有自己精锐的空降兵十五军，还有自己的大型运输机，大型运输机运 -20 已经开始执行飞行任务。我相信未来世界上不太可能会爆发大规模的战争，如果发生局部冲突，在都不使用核武器的情况下，第一个投入战场的就是空降兵。

哥伦布去世

1506 年的这一天，人类大航海时代最重要的航海家之一哥伦布去世。哥伦布最重要的发现就是美洲新大陆，他虽然发现了这块新大陆，但他并不知道这是哪儿。哥伦布是个意大利人，他本来想去印度，当时写给各种赞助商看的报告都是说要去印度。最后哥伦布拉到了西班牙国王的赞助，还跟西班牙国王签了个合同。西方自古就有签合同、守契约的传统合同说，你赞助我去印度，我发现的东西百分之多少归你，百分之多少归我，还包括土地如何分配等。哥伦布拿到了西班牙国王的赞助，就出海了。

哥伦布的时代虽然叫大航海时代，但是仔细看当时的历史记载，哥伦布其实只有那么几条小船，跟在他之前八十多年的郑和航海时的大舰队完全没法比。哥伦布的三条船搁一块儿都能放到郑和的大船里头去，可见郑和舰队的规模之大。我在新加坡还看到了郑和的宝船复原的样子，那简直是巨型大船，军队、战马、火炮等全能装在里面，哥伦布的那几条小船跟它简直不能比。但哥伦布的贡献是巨大的，因为郑和出去转了一圈，无非就是把金银、绸缎、瓷器等礼物赏赐给了一些远方的国家，抓了几个妄图偷袭船队的海盗、酋长或国王，弄了几只长颈鹿、狮子回来。郑和时期的航海家并没有胸怀远大理想，要去发现新大陆，郑和自己可能有这样的想法，但是没有实现。但是，哥伦布时期的航海家个个都怀着要发现新大陆、发现新世界的理想，或者可以叫野心。这可能跟中国的文化有关系，儒家传统始终都是讲忠、孝、仁、爱、礼、义、廉、耻，并没有那么大野心；而西方人很有侵略性，到处去找新大陆，他们发现了新大陆以后就给这个地方命名，以占领与殖民。

众所周知，哥伦布第一次远航美洲，首先发现的是加勒比海上的一个小岛。当地土著叫它"瓜纳哈尼"，他却将其重新命名为"圣萨尔瓦多"（即救世主的意思）。这个小岛位于西印度群岛最北面的巴哈马群岛上。之后他又进行了另外三次远航，相继发现了加勒比海上的一系列大小岛屿（如巴巴多斯等）以及中美洲地峡，还到达南美洲大陆的边缘。哥伦布把加勒比海上的所有岛屿统称为西印度群岛，因为他认为自己发现的地方就是印度，而且一直到死都对此坚信不疑。哥伦布历尽千辛万苦才发现了这一片新大陆，却没能用自己的名字来命名它。反倒是一位名叫 America（亚美利加）的意大利人若干年后去考察了南美海岸，发现这里根本不是印度，而是一片新发现的大陆，于是果断地用自己的名字命名了它，并得到全世界的认可。所以，这块大陆现在还叫亚美利加洲（即美洲）。

其实早在哥伦布之前就有各个方面的人发现了美洲，但这些早期发现者后来都与自己的原出发地失去了联系，因此无人知晓这些探险成果。只有哥伦布，不仅再一次重新发现了美洲，而且与欧洲建立起牢固的联系，再也不曾中断。正是这样的发现对人类历史的进程产生了划时代的影响。所以直到今日，美国人对他还是很尊重。美国专门有一个法定假日叫哥伦布日，这个非常难得，美国没有几个法定假日是用人的名字命名的。

美国的中学语文课本的第一课就是关于哥伦布发现美洲新大陆。美国的语文课本跟我们的不一样，我们是每个年级的课本中都有古文、有现代文，有散文、有诗。而美国的中学语文课本是按照时代来排的，最早出现的文学作品放在前面。美国最早的文学作品就是哥伦布在发现巴巴多斯岛时写的《巴巴多斯日记》。巴巴多斯是一个小岛，位于西印度群岛最南面的向风群岛上，是哥伦布在 1493 年第二次远航时发现的。因为在那之前美国只有印第安人，没有什么文学作品，只能放在历史课里去教，而语文课中的内容是当作文学来教的。从这里也可以看出，美国人对哥伦布多么敬重，有用他的名字命名的节日，他写的日记还被当作美国语文的第一课。

《巴巴多斯日记》这篇课文后面有一个作业，说日记有两种，一种是真的，就是写给自己看的；还有一种是假的，就是写给别人看的。这个哥伦布日记就是写给别人看的，写给谁看呢？是写给赞助商看的。因为在这篇日记中，哥伦布一定夸大了巴巴多斯，夸大了他发现的那些东西，因为他把那儿写得富足极了，是为了让赞助商高兴。于是后面的作业就让孩子们去伪存真：假设你是一个海员，你就在哥伦布的船上，和他一起登上了巴巴多斯岛，你来重新写一下

《巴巴多斯日记》，记录下你的眼睛看到的东西，把你觉得为了忽悠赞助商能给他更多的钱的那部分去掉。重写《巴巴多斯日记》是美国学生的第一个作业，不迷信权威，有独立思考的精神。这是一个非常好的教育，所以拿来跟大家分享一下。

5月21日

《晓松说——历史上的今天》来到了 5 月 21 日。1904 年的这一天有一件大事发生—— FIFA（国际足联）成立。1991 年的这一天，印度前总理拉吉夫·甘地被刺身亡。

| 国际足联FIFA成立 |

1904 年的这一天，国际足联在巴黎成立。这件事情可谓意义重大，到今天 FIFA 不但影响着除了美国以外的绝大多数国家的娱乐体育，而且每隔四年 FIFA 都要重组这个世界，全世界在这几天都会变成一个崭新的世界。平时的世界里，美国是个超级大国，中国很厉害，俄罗斯、日本也很厉害。平时大家都觉得阿根廷好遥远，巴西在金砖会议的时候才能被稍微提起来一下，很多小国家，大家平时根本就想不起来。每到四年一度的世界杯的时候，巴西、阿根廷，还有荷兰等，这些国家一下子就变成了超级大国，而美国在人们的心目中变成了热血青年，每次世界杯都被别人玩，自己还特勇敢地在那儿拼命地跟人拼。

中国到了世界杯的时候，世界上好像就没有这个国家，每隔四年这国家就"消失"一回。至今也就去过一次世界杯，结果被人家2：0、3：0、4：0给踢回来了，给人感觉根本不是一大国。

所以说FIFA非常厉害，它能构造一个全新的世界，而且大家已经把这上升到国家民族荣誉的地步，如果得了世界杯的冠军，那会是举国狂欢。当然，任何事情都有两面性，FIFA在给全世界人民带来欢乐的同时，也有它的问题。尤其像FIFA这种完全独立的、不属于任何国家的组织，实际上权力比很多国家都大。各国的足协几乎都隶属于FIFA，如果不按它的规则来，FIFA可以开除你，如果你被FIFA开除了，这国家的足协就没有意义了。FIFA曾经开除过尼日利亚的足协，所有的比赛都参加不了，别说非洲杯、世界杯，甚至连友谊赛都参加不了。我们的足协也是这样，有问题也得去请示FIFA，并且言听计从。FIFA特别简单，如果不听我的指挥，我就把你开除了，我FIFA又不缺你一个国家。

FIFA是个由各个成员组织组成的、完全独立的国际组织，不但不受任何政府控制，也没有任何国际组织能管它。按说国际奥委会下面是各个单项协会，像国际自行车联盟、国际田径联合会，但FIFA跟国际奥委会完全平级。国际奥委会请求FIFA说，你能不能派点儿好球员来我这儿踢球啊，每次我们奥运会的足球赛都没人看，全派二十三岁以下的来。FIFA就一句话："去奥运会参加比赛，必须二十三岁以下，这是我的规定。"因为FIFA不想让奥运会侵占自己世界杯的商业价值，如果这些球星再跑去参加奥运会，等于每两年大家就要看一次世界杯，那世界杯的价值就降低了。

任何东西过于强大就会变成一个魔兽，就会带来很多问题，比如说过于自大、强行干涉等。别人也没有办法，因为它太强大了，所有赞助商都得跟它来谈，连球员穿什么都得跟它谈。FIFA跟一些大的博彩公司，比如威廉希尔等，都有千丝万缕的关系。FIFA给全世界人民带来了欢乐，但它是一个强大的灰社会组织。

| 拉吉夫·甘地被刺杀 |

1991年的这一天，又一个姓"甘地"的人被刺杀了。印度历史上姓甘地的

人被刺杀已经发生过三次了。圣雄甘地曾经带领印度人民不屈不挠地斗争，最后赢得了印度的独立，被称为"印度独立之父"。但甘地被一个宗教狂热分子刺杀了。这个刺杀者还不是穆斯林的宗教狂热分子，而是印度教的狂热分子，由于甘地主张跟穆斯林和解，他就刺杀了甘地。

再一个被刺杀的就是拉吉夫·甘地的母亲，叫英迪拉·甘地。英迪拉·甘地和拉吉夫·甘地是母子俩，但这母子俩和圣雄甘地家族其实没什么血缘关系。英迪拉·甘地的爸爸叫尼赫鲁，多年来一直追随圣雄甘地，是圣雄甘地最重要的干将。圣雄甘地被刺杀以后，尼赫鲁当了印度总理。1962 年，在尼赫鲁任总理期间，印度还跟我们打了一仗。尼赫鲁的女儿后来嫁给了一个记者，他和圣雄甘地家族也一点儿关系都没有，只是他也姓甘地，于是尼赫鲁的女儿就变成了英迪拉·甘地。

英迪拉·甘地是被一个锡克教狂热分子刺杀的。锡克人主要聚居在印度的旁遮普邦，旁遮普邦是印度的一个大邦，以至于很多时候外国人都会将印度人误认为锡克人。比如在上海人们就管印度人叫"红头阿三"或"火柴头"，为什么叫"红头阿三"或"火柴头"呢？因为他脑袋上缠这么一个红布的东西，然后还留着胡子。其实这不是一般的印度人，而是锡克人，信锡克教。锡克教在印度是第三大宗教，有上千万信徒，比信天主教的人还多。锡克人有自己的宗教，有自己独特的打扮装束，有自己的语言和文化传统，历史上就是一个拥有武装的独立的土邦，一直有独立、自治的倾向。刺杀英迪拉·甘地的人是一个锡克教教徒，他是个卫兵，在英迪拉·甘地检阅卫兵的时候，枪里有子弹，把英迪拉·甘地打死了。

1991 年被刺杀的甘地叫拉吉夫·甘地，是英迪拉·甘地的儿子。拉吉夫·甘地被泰米尔猛虎组织派的女的用自杀式炸弹给炸死了。泰米尔猛虎组织是斯里兰卡的一个反政府组织。泰米尔地区是斯里兰卡一个有自己的语言、文化和宗教的地区，一直要独立。泰米尔地区的局势也非常混乱，天天打，导致斯里兰卡的经济也发展不了，也没有人敢去旅游。斯里兰卡向印度求援，因为在南亚那一带印度就是老大。当时印度正好是拉吉夫·甘地当总理，派了五万大军去了斯里兰卡。表面上说是为了让泰米尔地区交战的双方停火，要在交战的双方之间搞一个非军事区，但实际上印度去了以后嘴上说"别打了，别打了"，但背地里"咚"给这个一下，"咚"又给那个一下，打死了很多泰米尔猛虎组织的成员。所以泰米尔猛虎组织非常痛恨拉吉夫·甘地，拉吉夫·甘地本来当了总理之后下台了，结果又要去参加竞选，泰米尔猛虎组织觉得他要是再当上总理，肯定对我们不好，于是把他刺杀了。

像印度这种不善战、不尚武的民族，还有像意大利、西班牙，包括巴尔干半岛，这些不太能打仗的地方，特别爱干这种刺杀的事，但是只要一打仗，这些地方就完了。而那些能征善战的民族反而不太爱干刺杀这样的事情。我们泱泱中华大国，只有两个有刺客的时代——春秋战国时代和民国时代，也是两个文化大师辈出的时代。像春秋战国出现了诸子百家，那时出现了一大帮刺客，荆轲、要离等等。民国时期也是大师频出的时代，也出现了一堆刺客，还有好几个女刺客，汪精卫也当过刺客。为什么大师辈出的年代，刺客也辈出，没有大师的年代，刺客也少？

| 黄伟文生日 |

今天是我们圈中的大腕儿黄伟文的生日，伟文哥生日快乐！伟文哥就比我大半岁，但是您这头发都上哪儿去了呢？在黄霑之后香港有两位大词人，并称"双伟文"。一个叫黄伟文，一个叫梁伟文。梁伟文是谁呢？即著名的林夕，夕爷。

5月22日

《晓松说——历史上的今天》来到了 5 月 22 日。1969 年的这一天，美国大学生占领校园，爆发了美国历史上最大的反战革命。1885 年的这一天，大作家雨果逝世。

| 美国爆发反战革命 |

1969 年这个年份很重要，每当听到这个年份，每当听到《加州旅馆》这首歌里唱的 nineteen sixty nine（1969），我就想到有一个重要的人在这一年出生，那就是本人。所以 1969 这个数字让我觉得很亲切。

1969 年美国爆发了有史以来最大的反战革命，持续了好几年。20 世纪 60 代末 70 年代初是美国历史上的重要时期，当时美国面临着整个国家的巨大转变，从一个各方面都很保守的国家，变成了一个奔放、革命、性解放的国家。这是为什么呢？所有的历史课本里都说这是因为越战。当时媒体上登出光着身子的小女孩儿，被烧着的村子，士兵在街头直接顶着脑袋枪毙人……美国人民都快疯了，说光荣的美国军队怎么能干这种事呢？于是美国人民开始反战。但是其实历史上美国人干的坏事也不少，为什么这个时候年轻人会爆发如此巨大的反战革命呢？

以前美国是个性保守的国家，堕胎是违法的，也没有好的避孕措施，所以大家都很保守。到20世纪60年代末的时候，发生了两件事，一个是发明了避孕药，另外一个是法院开始判堕胎合法。这两件事同时发生了之后，所有年轻人就像被从魔瓶里放出来一样，整个美国迸发了年轻人的那种激情。这种激情任何时候都可以爆发，只是需要找一个缝隙，这个缝隙可以是政府腐败，也可以是反战，总之美国学生是逮着反越战这事了。东西海岸是左派根据地，从西海岸的伯克利大学，一直到东海岸位于纽约的哥伦比亚大学以及波士顿大学，学生们全都起来开始反战革命。当时有一种圆头的德国大众的 bus（巴士），在美国最为畅销，在那个时候成了革命的象征。电影《阿甘正传》演到革命那一段的时候，阿甘的女朋友要跟一个摇滚乐手走，阿甘特别傻地问："你真的要跟他走吗？"旁边停的就是这样一辆圆头的德国大众的 bus。《阿甘正传》是一部极为考究的电影，每一个历史阶段的细节都表现得特别到位和典型，里面的每一件道具都是美国历史的见证，包括那辆圆头的 bus、长头发的摇滚乐手，以及他女朋友后来吸毒，等等，都是那个年代美国革命的标志。

我导演过一部电影叫《大武生》，这部电影的美国制片人当时五十八岁，1969年就是非常激进的学生，当时他开着一辆大众牌子的圆头 bus，载着他的同学从美国西岸一路开到了华盛顿，去参加百万学生大游行。那个事件由鲍勃·迪伦发起，在伍德斯托克的荒野里上演了一场大型摇滚演出，四十万学生脱光了在泥地里翻滚，爆发了大规模的性解放运动。不管是五月风暴，还是哪儿的学生革命，实际上是年轻学生的荷尔蒙迸发，是大家一种无意识的聚集。学生革命中青春焕发的欲望其实是最重要的，所以学生真的很容易煽动。

越战确实是非常不人道、非常丑恶的一场战争，人们反战的情绪从这儿释放出来。当时这些年轻学生的革命口号就是"要做爱，不要作战"。要做爱其实是最重要的，不要作战当然也很重要。于是四十万学生光着身子在伍德斯托克的泥里乱滚。伍德斯托克摇滚演出是反战革命时期最大的一次演出，也是迄今为止美国最大的摇滚乐演出。历史上这种摇滚演出只办过三次，除了1969年这次，还有就是 1994 年和 1999 年的一次。1969 年这次是所有的学生脱光了在泥里滚。而 1994 年那次，就是二十五年以后，就是这些人的孩子去了，很多观众都说是父母给钱让来的，他们的父母很多都是二十五年前的革命学生。这些人大都是二十出头，反战革命以后出生的孩子，也可以说是革命的成果吧。

这次反战革命也诞生了很多诗人，还诞生了摇滚乐，那个时代给我们留下了无数好歌。当时众多摇滚大腕儿高呼着各种反战口号，鲍勃·迪伦和约翰·列侬都写了大量的反战歌曲，在年轻人中广泛地传唱。那时候约翰·列侬和小野洋子曾经裸体在床上躺了一个星期，接受全世界媒体马拉松式的采访，主题就是反战、抗议。那个年代很多摇滚乐大师已经脱离了纯粹音乐的范畴，成为了政治旗手，对于反战革命起到巨大的推动作用。

在反战革命中还有一个很有意思的事情就是大家去焚烧兵役证。克林顿竞选总统的时候，共和党候选人抨击克林顿说：“我为国服过役，差点儿牺牲。你算什么？你是烧兵役证的逃兵，你是懦夫，你根本不爱这个国家，你凭什么来竞选美国总统？”意思是说大家不能相信一个焚烧兵役证不去为国服役的人。历史上美国总统大多都服过兵役，表现出自己对这个国家的热爱。而克林顿回答得特别好，他说：“在 1969 年的那个特殊年代，焚烧兵役证就是爱这个国家，那时候当兵就是去越南屠杀，去做屠夫，是对这个国家的背叛，烧兵役证证明我爱这个国家。”所以大家没有因为克林顿烧过兵役证就不选他当总统，可见全体美国人对那场反战革命的背景都非常清楚。

越战再加上这场反战革命，让好莱坞诞生了无数获奥斯卡奖的电影，包括《生于七月四日》《猎鹿人》等等。反战革命是美国历史上影响最为深远的革命，影响一直持续到今天，反战革命之前美国人民对政府非常信服。从那之后美国政府就完全成了负面形象，现在好莱坞电影以及美剧里出现的美国政府大都是负面的。近年很火的电视剧《纸牌屋》依然是抨击美国政府、议会的腐败与黑暗。

| 维克多·雨果去世 |

1885 年，大作家维克多·雨果去世。如果让中国读者说出三个西方伟大的

作家，我猜绝大部分人都会提到雨果。雨果的作品影响之大无与伦比，很少有作家能有这样的成就。以《巴黎圣母院》《悲惨世界》这两个作品为例，小说不但卖到了全世界，而且几乎所有语言的版本都畅销无比。《悲惨世界》和《巴黎圣母院》不但写得好，根据这两部著作改编的电影也家喻户晓。这两部小说的音乐剧也长盛不衰，演了二十多年依然风靡世界。音乐剧的名字叫《悲惨世界》和《钟楼怪人》，其中《钟楼怪人》就是根据《巴黎圣母院》改编的。

我曾经看过一个特别浪漫的大型演出，庆祝《悲惨世界》上演二十年的演出，十四个国家的演员用各种语言，包括捷克语、波兰语、俄语、日语、韩语、意大利语、西班牙语、英语和法语，登台演唱冉·阿让的那个最重要的咏叹调，看得我热血沸腾。中国版的《悲惨世界》的音乐剧其实一直在筹备当中，我已经翻译了其中很多段落，在我的博客上放过一大部分。本来我想把这部音乐剧全部翻译出来，但是翻译到一半的时候，麦金托什公司跟我说，我们现在在中国找不着能演冉·阿让的演员，所以就先不翻了。麦金托什公司是英国做音乐剧的最大的公司，《猫》《悲惨世界》都是这个公司做的。他们说用中文能唱出那么高的高音的人都比较胖，但冉·阿让肯定不能是一个胖子。希望中国能赶快出现一个不那么胖的男高音，咱们也要演《悲惨世界》的音乐剧。

看过这两部小说还会知道，《悲惨世界》是五本非常厚的书，《巴黎圣母院》也很厚。实际上电影或音乐剧的容量也就是短篇小说的容量，稍微长一点儿也就是中篇小说的容量。所以要把这么长的小说改编成电影非常困难，只能选取小说中的一小部分事情。比如说只能讲冉·阿让逃跑碰见主教，然后芳婷死了留下个孤儿，最后有情人终成眷属，只是把那五本《悲惨世界》里非常少的部分给提出来连在了一起。

从雨果的这些长篇小说中我们还可以看出为什么雨果被称作浪漫主义作家，他和托尔斯泰不一样，托尔斯泰是个现实主义作家。现实主义作家一定要连贯地把每件事、每个人物都塑造得符合逻辑：人物怎么塑造，怎么转折，故事怎么发展，怎么积累，等等。而浪漫主义作家不管这些，所以雨果的小说连贯性就很差，写着写着就跟这件事没关系了。最开始的那版五卷本的《悲惨世界》，中文版用的还是繁体字，我从小看的就是那版，当时看到第三本的时候，发现雨果居然上来就用了半本写滑铁卢战役，跟冉·阿让、芳婷一点儿关系也没有，但他就是这样具有浪漫主义色彩的作家，想到哪儿就写到哪儿，随心所欲。雨果描写的滑铁卢战役是我见过的写得最浪漫的滑铁卢战役，里面有很多小标题，比如说早晨六点就开始，然后下了一场雨。对战役有各种精彩的描述，尤其写到法国骑兵冲锋，那些字句印在了我的脑子里，我今天都记得非常清楚。一想起书中的描写，就仿佛自己已身临其境：先听到雷鸣一般的马蹄声，紧接着在一片硝烟和雾霾中先看到三千把雪亮的战刀，然后战刀下逐渐露出三千个钢盔，钢盔下露出三千大胡子，然后三千张嘴齐声大喊皇帝万岁，然后再冲锋……就冲锋这一件事情他都可以描写得这么精彩。最后一章描写的是全军溃败时的情景，当时看得我也是热血沸腾。

而且雨果居然还知道中国有个圆明园，他把圆明园描述得简直就是万园之园，美丽至极。纪念伟大的作家雨果，他的作品影响着我们很多人。我年少的时候，对女性最美好的向往就是雨果的《巴黎圣母院》中的爱丝梅拉尔德，那是我最崇拜的女性之一。

5月23日

《晓松说——历史上的今天》来到了 5 月 23 日。1960 年的这一天，大军阀阎锡山病逝。今天还是许鞍华导演的生日，许导演生日快乐！

|许鞍华导演生日|

许鞍华导演是华人导演中最受尊重的导演之一。一个导演之所以受人尊重，不光是由于他 / 她的作品，还有他 / 她的人品，以及他 / 她服务整个社会的愿望。在各个方面许鞍华导演都是当之无愧的优秀者，可谓德艺双馨。

许鞍华导演是香港导演中学历最高的一位。她当年是香港大学最优秀的英文系硕士毕业生，后来又专门留学英国学习电影，在香港导演中可以说是绝无仅有。香港男导演基本都是在片场摸爬滚打做起来的，当然这是香港独特的教育方式造成的，香港没有电影学院，大批导演就是从片场的各个职位做起，一步一步地熟悉电影，最后做到导演。而香港的几位女导演相比之下学历都挺高的，除了许鞍华导演，还有纽约大学毕业的张婉婷导演，和李安一个学校，这几位女导演都是香港电影界的光荣。在香港导演中许鞍华导演不但学历最高，而且得奖最多，曾经四获金像奖最佳导演奖，两获金马奖最佳导演奖（截至2013年5月23日）。许鞍华导演在2004年还当选为香港电影导演会会长，所以现在不能叫许鞍华导演，要说许会长生日快乐！

两岸三地的导演每隔两年要聚会一次，聚会地点会轮流选在大陆、香港和台湾，所以导演们之间也都熟识。但我和许鞍华导演的相识并不是在这样的聚会上，很早以前，许导演在北京筹备《天水围的日与夜》的时候，我就见过她，聊得很投机。许导演当时还问我认不认识周迅，我说当然认识，我导的第一个电影就是周迅演的。许导演说那你带我去看看周迅，但你不要说我是谁。于是我就带许导演去见周迅，当时许导演就坐在周迅面前。许导演的穿着极为朴素，手里拿了一个20世纪70年代、上面还印着火车站的那种包。她当时就坐在周迅旁边，一直也不说话，就这样看着周迅，过了很久以后，她才开始跟周迅说话。然后我跟周迅介绍说："这是许鞍华导演。"周迅吓了一跳，这竟是如雷贯耳的许鞍华导演，生活中非常朴素，一点儿都没有大腕儿的感觉。

许鞍华导演应该算是到今天为止华语电影圈所有导演中最朴素的一个。她没有自己的房子，在香港至今还是租房住，然后每天坐公共汽车上下班。到现在许鞍华导演依然坚持不拍商业片，坚持不向商业妥协。香港电影本来就很商业化，但是在商业化电影极为繁荣的年代，香港也还是诞生了一批优秀的艺术片导演，比如说许鞍华导演、王家卫导演。许鞍华导演跟王家卫导演的风格正好相反，王家卫导演的电影是表现主义风格，而许鞍华导演是现实主义风格，几乎都不用漂亮的光，也不用超乎现实的美术设计。我也曾学着许鞍华导演那样拍过一部电影，就是因为我喜欢许鞍华导演，在那部电影里一切都是写实的风格，不打那么漂亮的光，人也不化那么漂亮的妆，完全都是生活化的场景，这是现实主义的艺术片。

在香港导演北上大潮中，大家都北上来赚钱捞金，只有许鞍华导演坚持在香港，拍香港的艺术电影。非常值得崇敬的大姐，一位优秀的好导演、好会长。许会长，生日快乐！

|阎锡山病逝|

阎锡山是中国最大的军阀之一，说起来他跟我们家还有血仇。阎锡山当年是山西新军的头目，山西最后一任巡抚是我外婆的爷爷陆钟琦，他当时接到各地革命的消息，正在犹豫要不要追随全国各省一起革命，要不要通电全国说我们也独立了，因为当时有的省巡抚已经宣布独立了，而有的省巡抚被新军打死了，有的省巡抚自己跳墙跑了。陆巡抚正在犹豫的时候，阎锡山率领当时的山西新军，包围了巡抚衙门，进行了灭族大屠杀。那是 1911 年，当时我外婆刚刚出生，全家就遭阎锡山灭门，所以外婆从小就是个孤儿。外婆在舅舅——名中医施今墨施家长大，后来出国留学都是舅舅出的钱。外婆从小就跟我讲，阎锡山是咱们家的仇人，在同一天把外婆的爸爸、爷爷都杀了。但这只是我自己家的事，从大的环境看，那个时期新军闹革命杀了很多清朝的重臣，包括一品大官巡抚等，算是革命行为。不能因为我自己家里人被杀就说那时的革命是不对的。

从那时开始到 1949 年，山西一直都在阎锡山的统治之下。阎锡山是整个山西的土皇帝，当然他也非常努力地经营着山西的各种事情，包括工厂、铁路、煤矿等方面，而且经营得还不错。除了沈阳兵工厂以外，山西的兵工厂应该是全国最好的。阎锡山是一个特别抠门的人，是一个非常精打细算的人，所以他老打不赢仗，因为打仗得拿出一股拼了的架势才能赢。阎锡山在经济上确实是一把好手，山西在他的统治下，经济发展确实不错。但是也是由于他的小家子气，山西修的都是窄轨铁路，因为他不想让别人来山西，他修的铁路的铁轨都比别人窄，所以火车到山西是开不进去的。

阎锡山还经营了自己的晋绥军。中国在北伐之后出现了很多大军阀，最大的几支就是蒋系的中央军（或者叫黄埔军）、冯玉祥冯系的西北军（或者叫国民军、冯军）、李宗仁白崇禧的桂军（或者叫广西军）、张家的东北军（或者叫奉军），再有就是晋绥军。当时蒋军就是蒋家的军队，蒋介石即使不担任军中的任何职务，蒋军也不听别人的。桂军只听李宗仁白崇禧的。东北军就是张家的。

张学良即使出洋下野，东北军别人也指挥不了。冯家军自称生是冯家人，死是冯家鬼。而晋绥军就等于是阎锡山的封建私人武装。当时阎锡山占据的地盘除了山西（简称晋）还有绥远（简称绥，在今日内蒙古的河套地区这一带），所以这支军队也就叫晋绥军。

阎锡山这块地盘一开始的时候很大，北伐结束以后，四大军阀开始一起瓜分这块地盘。北伐最后实际上是四大军阀打一大军阀，就是蒋、冯、阎、李四家一块儿打张家。这四家中跟张家打得最激烈的就是阎锡山，阎锡山首先派出自己最强的将领出战。蒋军当中有八大金刚，冯家的西北军有五虎上将、十三太保，阎锡山手底下也颇有几员大将，其中大家最熟悉的战将就是傅作义，还有徐永昌、商震等等。1945 年 9 月 2 日，日本在东京湾"密苏里"号上签署投降书，各国代表去签字受降，代表中国去签字的就是徐永昌——当年晋绥军的主将之一。晋绥军的另一员大将商震是后来长城抗战的英雄，在 1933 年的长城抗战中，西北军、晋绥军、中央军都上过前线，冷口之战当时就是由晋绥军负责的，商震在长城抗战中曾经立下过大功。

傅作义在北伐的时候一战成名。山西是个易守难攻的地方，到处都是这"关"那"口"，当时北伐军中的蒋军和桂军在涿州以南和奉军激战，涿州是奉军北退的重要通道，今天在京广线上也是重要的一站。这时晋绥军突然表态要参加北伐军，然后傅作义指挥的晋绥军出娘子关之后直接截断了奉军的退路。所以这场在涿州爆发的大战其实就是由张学良指挥的奉军进行猛攻和由傅作义指挥的晋绥军拼命坚守的一场围城战，这也是北伐中的著名战役。

历史课本中的北伐基本上只讲蒋介石叛变革命之前的那段，所以大家熟悉的北伐的重要战役大都发生在南方，其实在蒋介石叛变革命以后，那些新军阀还在继续北伐，因此才有后来爆发的涿州大战。阎锡山在北伐之后获得了大量的地盘，黄河以北的大部分地盘，包括平津两市与河北等地也都归了他，所以当时其他的军阀心里觉得不平衡。北伐之后阎锡山的野心开始日益膨胀，连南京委任他职务他也不去。

北伐结束之后蒋介石曾组织召开过军队编遣会议，说咱们打完仗了，北伐也完成了，东北也易帜了，青天白日旗也在全国竖起来了，咱们就裁军吧。各大军阀都想裁别人的部队，谁也不想裁自己的，于是互相拆台，最后彻底分裂，爆发了一场大战，也就是1930年的中原大战，这是中国解放前内战中最惨烈、规模最大的一场内战。中原大战的一方是蒋介石，当时蒋挟持中央，蒋军就叫中央军，正帅当然是蒋介石。另一方是冯、阎、李三大军阀，在军事上大家公推阎锡山为陆海空三军总司令，副总司令是冯玉祥，还给张学良挂了一个副总司令的称号，但张学良从来就没有当过。那边蒋介石也给了张学良一个副总司令的头衔，最后张学良支持了蒋介石一方。在政治上冯、阎还另立国民党中央党部，特地邀请汪精卫来主持。汪精卫便兴冲冲地带领陈公博、顾孟余等一批人来到北平，召开中央党部扩大会议以示正统。在这个过程中，其实由这三大军阀组成的反蒋军有多次胜利机会，因为反蒋军有八十多万大军，而中央军只有六十万，当中还有很多都是临时拿钱买来的杂牌军，根本就没什么用。

当时中央军的主力部队都在中原大战的两个主战场上，一个是在陇海线上西北军和中央军在打，另一个是在津浦线上晋绥军跟中央军打。打到最激烈的时候，晋军悍将傅作义攻破济南。本来张学良当时都已经准备发电报支持中央，突然济南被西北军攻破，张学良跟蒋介石说，如果中央军连济南都守不住，我们东北军可不能支持中央军，东北军不是来给你们卖命的，我们要通电全国结束战争。于是蒋使了一个最古老的计策——反间计：派人到阎锡山身边散布消息，说傅作义功高盖主，准备叛变、投降蒋介石之类的话。阎锡山本来就是一个多疑、小气的人，西北军当时在陇海前线跟中央军的主力打到最激烈的时候，阎锡山都舍不得给炮弹，舍不得给钱，就是因为抠门。其实山西当时有大批的军工厂，能生产很多炮弹，所以晋绥军的武器应该是非常好的，但是战斗力不如西北军。西北军个个都背着大刀片，能征善战。西北军和中央军陷入胶着战，但是阎锡山就是舍不得给炮弹，当时冯玉祥都急了，说："咱们要败了就全完了，有钱也不是你的了，有炮弹也不是你的了。"抗战中最大的战役就是淞沪战役，当时我军一天最多发射两万发炮弹。而在整个中原大战最激烈的时候，双方一天就要发射四万发炮弹，现在想起来都很痛心，我们这些炮弹都拿去跟自己人打仗了，等到后来跟日本打的时候一天最多就只能发射两万发。

总之，阎锡山听信了蒋介石这个反间计，当时就把傅作义给撤了，换了一个叫张荫梧的不太能打仗的尿将。临阵换将，乃兵家大忌。而后蒋介石从陇海线撤出八大金刚的主力，所有的军长、师长全部不骑马打绑腿，率部队急行军，北上济南。当时的侦察技术也不够好，又赶上连续下大雨，西北军也不知道陇海线上的中央军都撤了。中央军以急行军的形式从陇海线撤回，攻克了济南。紧接着张学良就发了一封电报表示支持中央，停战谈判。于是中央军赢了，而西北军全军则在前线溃散，从此以后就再也没有西北军了。阎锡山躲到大连，冯玉祥跑到泰山上，李宗仁回了广西，傅作义也脱离了阎系的军队，慢慢地发展成了一个独立的军阀，最后在北平起义。

实际上阎锡山的军阀时期到 1930 年就结束了。按说阎锡山败了就应该滚出山西，就像西北五省当初都是冯玉祥的，冯玉祥后来败了，西北五省于是归了马家，包括马鸿逵、马鸿宾、马步青等，陕西就归了杨虎城。但是山西这个地方很奇怪，弄来弄去没人能玩转山西，再加上阎锡山又哭哭啼啼道个歉什么的，所以后来山西还是在阎锡山的统治之下。

抗战期间，华北战场上主要是当年的西北军和晋绥军在打，京广线上主要是西北军，山西主要是晋绥军。除了张自忠率领的一支西北军参加了台儿庄战役以外，西北军当时在整个华北前线都打得非常差，整个华北一泻千里，平津四天就被日本占领。只有在山西，阎锡山指挥的晋绥军加上一部分中央军和日军对抗。当时在山西还打了忻口战役。当时已经是阎锡山主将的傅作义和中央军的卫立煌率领两个集团军，在忻口和日本进行了一场激烈的大战。在这场战役中中央军的第九军军长郝梦龄也上了前线，最后牺牲殉国，这是第一位在抗战中牺牲的军长。忻口战役中还有一次特殊的战斗也被载入史册，当时我们的八路军，或者叫第十八集团军，从西北和陕北开赴前线抗战，这支部队就归阎锡山指挥。在忻口前线晋绥军和中央军与日军大战的同时，八路军一一五师在平型关潜入敌方侧后，截住了一支日军运送大衣的辎重车队，消灭了一千多日本鬼子，缴获了几万件大衣，有力地支持了忻口正面战场。

阎锡山在抗日战争以后乏善可陈，最后做到国民政府的行政院院长，相当于总理。其他军阀都不愿意去台湾的时候，他居然跟蒋去了台湾，作为蒋多年的对手，阎锡山老了，已经没有任何血气，1960 年的今天阎锡山在台湾病逝。这就是阎锡山的一生。

5月24日

《晓松说——历史上的今天》来到了5月24日。2002的这一天，国务院前副总理习仲勋逝世。1993年的这一天，《霸王别姬》获戛纳电影节金棕榈奖。今天还是鲍勃·迪伦的生日。

| 习仲勋逝世 |

2002年的这一天，国务院前副总理习仲勋逝世。习仲勋同志是陕北红军的杰出代表。陕北红军以刘志丹为首，刘志丹牺牲以后，陕北红军的主要代表就是徐海东大将和习仲勋。习仲勋在20世纪50年代就是国务院秘书长，还担任了国务院副总理，对缔造国家以及中国的改革开放都做出了重大贡献。在1986年的时候，习仲勋代表中央参加了我外婆的追悼会，我曾经跟他握过手。

鲍勃·迪伦的生日

今天是鲍勃·迪伦的生日。我个人认为鲍勃·迪伦是美国流行音乐这半个世纪以来最重要的创作者，是美国摇滚乐的一个重要流派的奠基人，同时也是民谣音乐最重要的歌手和写手。

英美的流行音乐风靡全球。但相比之下，英国流行音乐比美国流行音乐还有一个重要的优势——歌词水平远远超过美国。英国人有深厚的文化底蕴，英国在戏剧、文学等各方面都有悠久的历史，所以英国歌曲的歌词大都写得非常好。而美国流行音乐永远都是 love you、want you、touch you（爱你，想要你，触碰你），极少有歌词写得特漂亮的。美国流行音乐首屈一指、鹤立鸡群的歌词创作者就是鲍勃·迪伦，歌词写得相当有诗意，而且寓意深刻。

鲍勃·迪伦演唱的歌曲跟迈克尔·杰克逊有很大的区别。鲍勃·迪伦几乎所有的歌都曾被多次翻唱，当然这跟鲍勃·迪伦本人的嗓子不是特别好有关，就像咱们的罗大佑歌写得好，但嗓子不是特别好，所以他们的歌都容易被翻唱。而迈克尔·杰克逊的歌几乎没有人能翻唱，也没有人能够达到他的高度。

鲍勃·迪伦在美国音乐界的地位崇高，是美国学院派最重要的代表之一。全世界人民所熟悉的《重访 61 号高速公路》就是鲍勃·迪伦的歌词集，也可以叫诗集。鲍勃·迪伦不但是当时美国摇滚乐的旗手，同时也是美国青年学生反越战革命时期的精神领袖，对整个美国都产生了重大影响。

鲍勃·迪伦最开始只是背了把吉他就离开家乡独自来到纽约，他先是到酒吧去唱歌，就是必须要有客人点你，你才能上去唱，唱一晚上能挣二十五美元。其实现在很多美国酒吧唱一晚上也就是挣二十五美元，还没有在中国的酒吧挣钱多。当时鲍勃·迪伦去的第一家酒吧有十多个歌手在那儿排队等着唱，别的歌手唱歌时他就坐在那儿等着。由于鲍勃·迪伦的歌词写得好，他的粉丝变得越来越多，上去唱歌的机会也就越来越多。后来鲍勃·迪伦离开了这家酒吧，去了一个更好、更牛的酒吧，下半场他唱歌，上半场是另一个人表演单口相声。美国没有对口相声，都是单口相声，这位和鲍勃·迪伦一起在酒吧说相声的就是后来的大师伍迪·艾伦，当时在这家酒吧说相声时还没成名。大家有机会去纽约一定要去这间酒吧纪念一下，两个大师的诞生之地。

鲍勃·迪伦还曾经在自己的传记里记述了这样一件事情。有一天鲍勃·迪伦正在酒吧唱歌，来了一个哥伦比亚唱片公司的人，给了他一本特别厚的协议。美国的协议都非常厚，因为美国是法制国家，各种规定都制定得详细极了。哥伦比亚唱片公司的这个人问鲍勃·迪伦想不想出唱片，如果同意，公司可以给他出唱片。鲍勃·迪伦当时里面的内容看都没看，直接就翻到最后一页签了字，这点让我感觉特别震撼。当时他说："我现在一无所有，我有什么可骗的，我所有的梦想就是把歌唱给更多的人听，有人替我出唱片我还看什么内容，还看什么版税，我什么都不用看，直接翻到最后一页签字就行了。"鲍勃·迪伦于是在哥伦比亚唱片公司出了第一张唱片，从此一举成名，名满天下。

鲍勃·迪伦在音乐以及其他方面的经历都极大地影响了我，后来我也有机会在好莱坞拍一个小公司的电影，当时电影公司也要和我签协议，也是这么厚的一本导演协议。电影公司的人说："你仔细看一看，你要不要做这个电影的导演，要不要签这个协议。"我当时也是连中间的内容都没看，直接翻到最后一页就签了字。我当时就觉得，我能在好莱坞的公司拍一个电影，那就是我的梦想。希望年轻人在自己的事业道路上也是这样，先想清楚自己要什么，然后就去做。如果每个地方都算计，每个地方都斤斤计较，你是不会成功的。

| 《霸王别姬》获金棕榈奖 |

陈凯歌导演是我北京四中的大师兄，比我大二十届。我 1988 年从北京四中毕业，陈凯歌导演 1968 年毕业。陈凯歌导演以及以他为代表的第五代导演基本上都是当年的老三届，都曾下乡插队十余年，经历过各种生活历练，后来考上电影学院。恢复高考后，七八级是最难考的一届，十年的高中毕业生都集中在那一年参加高考，考出来的很多都是精英，陈凯歌导演、张艺谋导演、田壮壮导演等五代导演都是电影学院七八级的。中央音乐学院七八级诞生了谭盾、郭文景、瞿小松、刘索拉等大腕儿，可谓精英辈出。

陈凯歌导演是第五代第一个脱颖而出的导演，他拍完《黄土地》的时候，第五代其他导演大多还在做摄像，包括摄影系毕业的张艺谋、顾长卫等等。陈凯歌导演的《黄土地》是 1985 年拍的，那个时候这部电影就被全世界看好，得了很多奖，但没能得到全世界最大的三个国际电影奖，也就是戛纳奖、柏林奖、威尼斯奖。两年后的某一天陈凯歌在厕所里看报纸，突然看到报纸上大标题写着，热烈庆祝张艺谋导演获得柏林电影节金熊奖。据传说陈凯歌导演看到这个消息以后一个小时都没有从厕所里出来。因为张艺谋导演当年曾是陈凯歌导演的摄像，后来导演的《红高粱》得了柏林电影节的金熊奖，是中国大陆的电影第一次获得三大奖最高奖项。

这也促使陈凯歌导演更加奋发努力，1993 年《霸王别姬》获得戛纳电影节金棕榈奖。到今天，大陆导演中只有陈凯歌一位导演得过戛纳电影节金棕榈奖，华人导演中王家卫导演也获得过金棕榈奖。演员中葛优因为演出张艺谋导演的《活着》得过戛纳电影节影帝，梁朝伟因为《花样年华》得过戛纳电影节的影帝。今天再回头看《霸王别姬》依然是一部完美的电影，从编剧到导演、表演，每个方面、每个细节都处理得非常完美。著名导演顾长卫当时是这部影片的摄像师，摄像也非常完美。《霸王别姬》的编剧是香港优秀的女编剧李碧华，有很多优秀的作品，我曾经看过她的《生死桥》，写得非常好，也是关于京剧的。

有一阵微博上有人黑陈凯歌导演，说陈凯歌导演当年的《霸王别姬》实际上是陈凯歌导演的爸爸陈怀皑导演的，然后给他儿子署了名。电影不像躲在家里写东西，爸爸可以偷偷摸摸替你写，一个电影剧组有四五百人，如果有代导，当时就传遍了，所以这个代导之说纯属无稽之谈。当时拍《霸王别姬》的时候现场确实有三把椅子，陈凯歌导演坐一把，顾长卫摄像坐一把，然后陈怀皑导演坐在旁边，帮儿子压压阵而已。因为陈怀皑导演关心儿子，陈凯歌就把陈怀皑导演请来做艺术顾问。不能因为陈凯歌导演后来拍过失败的电影，就这样去黑人家，拍一些不成功的电影纯属正常，没有哪个导演一辈子拍的每部电影都一定是成功之作。

总而言之，作为导演，一生有这样重要的作品，获得过这样的荣誉，足矣。我 1998 年第一次去戛纳，在戛纳电影节的主会场外面到处都是棕榈树，我当时在棕榈树上刻下了"××年金棕榈奖高晓松"，梦想在若干年之后的××年自己能获此大奖。我就不说哪一年了，反正那一年已经过去了，今天我还是没有得到这个奖，所以还要继续努力。

5月25日

《晓松说——历史上的今天》来到了5月25日，今天是阿根廷的国庆日。2007年的这一天，抗战名将孙元良去世。1948年的这一天，战斗英雄董存瑞牺牲。

| 阿根廷国庆日 |

今天是5月25日，也是阿根廷的国庆。如果按照从地心穿过去的距离，阿根廷是离中国最远的国家，正好是斜对角，从这头到地心再到地球那头。阿根廷对于大部分中国人来说都比较陌生，但总有一些浪漫的事情让我们对这个国家有一些印象。

说到阿根廷大家首先想到的肯定是足球，阿根廷国旗也应该是大家最熟悉的国旗之一，每四年一届的世界杯上，我们都会看到这面国旗飘扬在球场上。每次世界杯看阿根廷队踢球，对于球迷来说简直就是莫大的享受。阿根廷队踢过无数场经典的比赛，最经典的要算是每次世界杯上阿根廷队和英格兰队的比赛。英格兰队的实力也很强，当年英格兰有贝克汉姆等众多球星，强大的英格兰队和强大的阿根廷队每次在世界杯上相遇，都会是刺刀见红式的比赛。阿根廷跟英国曾经在马岛打过仗，阿根廷被打败了，马岛从此归了英国。每次世界杯，只要这两支队伍相遇，那就是仇人见面，准能踢出最漂亮的球，让大家一饱眼福。

如果赌球或是国际足联干预，那三分之一的足球世界冠军都应该是阿根廷的，三分之一是巴西的。阿根廷队是极少数全是白人的顶级球队。这并不是因为阿根廷足球队只挑白人球员，实际上阿根廷是整个美洲白人比例最高的一个国家，白人占到百分之九十七，几乎就是一个纯白人的国家。这样的国家在全世界也是很少的，东欧一些国家是全部白人的国家，但那些都是民族国家，而阿根廷是个移民国家。

19世纪时，白人移民去阿根廷跟移民去美国其实差不多。大家经常说老天垂青美国，给美国那么好的一块土地，全是一望无际的大平原，种什么长什么，地底下资源丰富，要什么有什么。实际上阿根廷的土地更加肥沃，气候也是南半球最好的。当时移民到阿根廷的大部分都是白人，意大利人、西班牙人、德国人都非常多。由于阿根廷全是白人，也导致了一些种族色彩，再加上德裔移民很多，要不是在美国强大的压力以及战争威胁下，二战的时候阿根廷差一点儿就铤而走险加入了纳粹阵营。

很多人认识阿根廷还因为有两件非常浪漫的事情，一个是有首动听的歌曲，叫《阿根廷别为我哭泣》，还有一个是麦当娜演的电影《贝隆夫人》。阿根廷最著名的就是探戈，所以我说阿根廷是一个善舞不尚武的民族，过去一百五十年都没打过仗，就打过一次马岛战争还输了。马岛只是阿根廷一个小的领土争端，阿根廷跟全世界还有一个大争端，它坚持认为火地岛对面那一百万平方公里的南极圈土地都归属自己。中国一共才有九百六十多万平方公里土地，阿根廷说因为这一百万平方公里的土地就在我鼻子底下，所以就是我的。这是一个不能被认同的说法，这和阿根廷坚持马岛属于自己性质不同，纯粹是无稽之谈。我们直到2012年才有一艘航空母舰入列，而阿根廷很早就有一艘航空母舰，而且是那种正儿八经有弹射器的，起飞的是法国"超级军旗"舰载机。这艘航空母舰的名字，就叫"五月二十五日"号——阿根廷的国庆日。

抗战名将孙元良

战争是军人最好的舞台，但是这个舞台不像科举考试那么公平，科举考试只要考得好就能往前走，考得最好就是状元。战争很多时候跟机遇有很大的关系，可能有比你更能打的，但是这仗没轮着他打，或者说正好没赶上指挥好的部队，于是这个人一辈子默默无闻；有的人正好赶上了机会，在正确的时间、正确的地点，打了正确的仗，那么你就出名了。孙元良就是我说的后者，可能他并不是一个能征善战的悍将，但是由于有好的机遇最终成了名将。

孙元良在黄埔一期学生中并不突出，他是四川人，也不是蒋的同乡。但当时正好赶上国民党军整编，准备应对日本的侵略，孙元良获得了很好的机遇。国民党军本来准备整编成三十六个德械师跟日本鬼子好好干一仗，当时还请来了德国顾问，去帮助军队配制进口的德国武器。但是刚编好三个，日本鬼子就来了。这三个德械师就是孙元良的八十八师、王敬久的八十七师，以及宋希濂的三十六师，其中两个都是黄埔学生指挥的。一期黄埔学生是1924年毕业的，1937年就能做到师长去指挥一个精锐师，这在黄埔学生中算晋升得比较快的。孙元良就属于机遇极好的一个，而宋希濂属于很能打仗的一个。1937年"八一三"淞沪抗战一开始，张治中将军就率领当时国民党军最精锐的第五军，也就是这三个德械师，上了前线，率先攻打上海的日军。早在五年之前的1932年"一·二八"淞沪抗战中，张治中就主动请战，亲率第五军增援上海，与十九路军并肩作战狠揍日军。不过当时的孙元良与宋希濂一样还只是八十七师所属的旅长。

"一·二八"淞沪抗战的主力以及打响第一枪的就是十九路军这支广东军队。从战役的角度看，"一·二八"算是和日军打成了平手，至少逼得日军三易主帅，四次增兵，孙元良在这次战役中也是一战成名。蒋光鼐、蔡廷锴、张治中、宋希濂等也都成了抗日名将。1937年孙元良已晋升为八十八师师长。这三个德械师以及宋子文的私人武装税警总团的装备是当时国民党军队中最精良的，税警总团由孙立人统率，这几支部队是国民党军队中最精锐的部队，是中央政府的心肝宝贝。后来这些部队在西安事变以后，有些去镇压了一下东北军，这些都是小节，都不重要。重要的是 1937 年在第二次淞沪战役中，也就是"八一三"抗战中，第一个拉上前线的又是张治中将军指挥的这三个德械师。这三个德械师就是国民党军的三只小老虎，关键时刻要去冲锋陷阵。由此看出，当时在上海战场上国民党军是把自己最主力的部队投入了战斗。

"八一三"淞沪抗战时，孙元良率领的八十八师坚守闸北阵地长达七十五天而寸土未失，最后才随大军后撤。此时涌现出一个永垂史册的英雄事迹。有首歌《中国不会亡》曾唱彻神州大地，就是歌颂孙元良师的一个营孤军死守闸北的英雄事迹。在大军已经后撤、敌寇百般围攻之下，由谢晋元团附率领四百多壮士（对外号称八百），坚守闸北四行仓库达四天四夜，击退敌军数次进攻。由女童子军杨惠敏冒险送去的国旗高高飘扬在仓库大楼的屋顶上，这些都极大地鼓舞了上海市民乃至全国军民的抗战决心。

孙元良、宋希濂从内战前线坐火车向上海集结去参加"八一三"抗战的时候，也都满怀着军人的荣誉感。他们后来写的一些回忆录，也记载了这段历史，当时这些部队就是打内战，所以当部队准备坐火车到上海参加抗战时，全体人民都热烈欢呼，欢送他们上前线。所有将领、士兵都怀着必死信念。孙元良这个人确实比较幸运，在战场上每次都毫发无损。在淞沪抗战了三个月之后，全都撤到了南京，在南京保卫战中国民党军最精锐的这三个师全军覆没，孙元良、宋希濂这几个师长全都上船跑了。但是不管怎样，这些抗战名将都曾为中华民族浴血奋战，这是值得每个中国人铭记的，他们一定会被载入史册。

解放战争时孙元良就不用再说了，军人就是军人，不是政治家，仗打不打、正义不正义，这不是军人考虑的问题，这是领袖考虑的问题。孙元良在解放战争中实在乏善可陈，到处东奔西跑，在华中、华东一带一直跟三野周旋，最后也没打出什么胜仗。淮海战役中我军全歼黄百韬、黄维、李弥、邱清泉、孙元良分别领导的五个主力兵团。其中黄百韬自杀了，黄维被抓住后一直关到 1975年，邱清泉被击毙，只有李弥和孙元良两个人跑了。李弥跑到了缅甸，后半生过得比较惨，而孙元良去了台湾。命好将军孙元良一辈子没负过伤，各种荣誉、各种名将头衔都加于一身。他到台湾以后，又活了五十多年，一直到 2007 年才去世。而且在台湾生了一个极英俊的儿子，就是著名的电影演员秦汉——在无数的琼瑶电影里，他饰演的角色总是开着奔驰跑车，永远都是留学回来的高帅富的代言人。

5月26日

《晓松说——历史上的今天》来到了 5 月 26 日。1900 年的这一天，敦煌藏经洞被发现。1942 年的这一天，抗日名将戴安澜在缅甸以身殉国。1981 年的这一天，在美国发生了和平时期最大的一次航母事故。

|敦煌藏经洞被发现|

敦煌莫高窟堪称世界最大的艺术宝库之一，是中国历史、文化的骄傲。敦煌莫高窟历史非常久远，南北朝时期就建起来了。敦煌位于古代中国通往西域、中亚和欧洲的交通要道——丝绸之路上，曾经有过繁荣的商贸活动。汉朝时期我国军事实力强盛，汉武帝曾经一直把匈奴驱逐到漠北乃至更远的地方。当年为了巩固西面的国防，在河西走廊建起了河西四郡：敦煌、武威、张掖、酒泉，到今天依然是河西走廊上的重要城市。

佛教刚开始传到中国时是偷偷摸摸的状态，后来慢慢发展壮大，南北朝时期达到鼎盛。敦煌莫高窟中留下了从南北朝一直到宋朝期间的壁画群，多达四万五千平方米。南北朝时期留下来的石窟以及佛像都是稀世珍品，就连石窟里被偷走的佛头，包括北齐佛头、北魏佛头等，在世界拍卖市场上都是最昂贵的东西之一。除了莫高窟珍贵的壁画以外，敦煌藏经洞里还藏有五六万件非常珍贵的佛经，以及大量其他书籍，内容涉及从南北朝到宋朝时期的政治、军事、海外交流等，用七八种语言写成，相当于一个相当珍贵的博物馆。

我们在南北朝时期就那么重视艺术，有那么大规模的博物馆。但是到后来这个国家也不知道怎么了，一天到晚地纠结各种事情，把艺术什么的都扔到一边去了，以至于后来都不知道有敦煌莫高窟这样的东西，一直到1900年敦煌藏经洞才偶然被一个道士发现了。那是中国最羸弱的时期，慈禧太后被打得逃往西安，路上只能吃窝头。那个时候谁还能去保护这些珍贵的文物呢？最后导致大量文物被英国人、法国人、瑞典人等弄到了国外。也有一派观点说，幸亏这些人把这些东西弄到国外，才使得这些珍贵的文物现在很好地珍藏在大英博物馆、大都会博物馆等博物馆里。我带着女儿到过颐和园万寿山上的佛香阁，很多的小佛头又被重新装上去了，很明显上面是新的，下面是旧的。我女儿只有六岁，我指着那个佛头对她说："你看看为什么上面的头是新的，下面身子是旧的？这就是我们这个国家曾经经历过的最伤痛的历史，要记住！"

今天我国政府对敦煌做了很好的保护。敦煌的壁画很容易受到破坏，古代的颜料跟现在不一样，在受到灯光照射的时候会发生化学变化，旅游者的灯光都会对壁画有影响，所以今天敦煌壁画基本上已经不开放。敦煌最重要的那些壁画后来都经过了张大千先生详细的临摹跟整理，这也是张大千先生对中国文化做出的重要贡献，王国维大师也曾研究、保护过敦煌文化。

敦煌文化是中国的骄傲，真正从文化的角度来说，我觉得敦煌比长城更珍贵。长城并不是艺术，也不是文化，主要用于战争防御。但敦煌是真正的中华文明的精华所在，北朝时期是民族大融合时期，所以它是中华各民族文化的集成，是中华民族最珍贵的博物馆，也是中华民族奉献给全世界的最美好的文化遗产之一。

|抗日名将戴安澜殉国|

1942 年的这一天，抗日名将戴安澜在缅甸以身殉国。我们的抗战时间远远不止八年，从 1931 年算起就是十四年，如果从 1894 年甲午战争算那就是长达半个世纪的抗战，牺牲了几千万中华儿女，如果真像今天电视剧里讲的这么容易，随便来个鬼子就能扯成两半，我们就不会有这么多为国牺牲的志士了。但这些电视剧、电影也让大家更全面地了解到当年的抗战是一个全民参与的战争。戴安澜就是其中涌现出来的最英勇的将领之一。戴安澜是中央军黄埔系的嫡系将领，黄埔三期毕业。蒋介石的中央军嫡系，尤其是黄埔学生率领的这些部队，装备最好、训练最精良。在这些部队中，第五军是整个抗战期间最精锐的一个军，一直由蒋介石手下的第一悍将杜聿明率领。

杜聿明在解放战争中当然不光彩，但抗战中重要的昆仑关战役是由杜聿明统率的第五军打的大胜仗。这时的第五军是国民党军唯一的摩托化、机械化的部队，机械化程度虽然没有德军、苏军、美军那么高，但是也有了卡车大炮。

日军开始攻击缅甸的时候，在缅甸的英军是极不能征善战的一支部队，他们要求中国来帮助他们一块儿守住缅甸。当时中国整个沿海都被日军占领了，原来从海上运过来的物资都没有办法补给，最后我们只剩下一条物资运输的通道——滇缅公路。所以国民政府派了三支相当精锐的部队入缅作战：第五军、第六军跟第六十六军。罗卓英率领远征军十万大军进入缅甸，这是第一次远征。那时是 1942 年 5 月。1941 年的 12 月 7 日，日军偷袭珍珠港之后势如破竹，在印度尼西亚打败了盟军的舰队，在新加坡全歼了英国的一支舰队，在印度洋上还歼灭了英国的航空母舰。那是法西斯最猖狂的时候，也是盟军最衰落的时候，美军在太平洋上节节退守，英军经过了敦刻尔克大撤退之后元气大伤，无论在北非战场还是在东南亚战场都被敌方打得一败涂地。而我们中国当时是所有盟国中最勇敢的，因为其他国家都没有主动出击。我们不但主动出击，而且打得非常英勇，戴安澜率军在同古战役中歼灭了数千日军。戴安澜是位攻守兼备型的将才，参加过台儿庄战役以及武汉会战，身经百战。

但是远征军光师长能打其实是没有用的，远征军的上层发生了激烈斗争。整个远征军应该归史迪威指挥，但是中国军队是家族式军队，所以史迪威根本指挥不动，这支军队的中国将领就是罗卓英以及杜聿明，坚持听远在重庆的蒋介石指挥，以至于当时的远征军令出多门，朝令夕改，特别迷茫，最后被日军截断退路。之后远征军就分裂成两部分，一部分以杜聿明为首，包括戴安澜等在内的黄埔学生军。蒋介石当时命令他们回国，于是他们毫不犹豫地执行了重庆的命令，在退路被截断的情况下翻越无人区。戴安澜将军在退入野人山的时候，遭到了日军伏击，胸腹中弹，天气炎热的情况下没有补给又没有药，最后壮烈殉国。而另一部分是由美国海归将领孙立人、法国海归廖耀湘率领的远征军，受过西方军事教育的将军对命令的执行没那么死板，所以就没有服从命令从野人山退回中国。孙立人率领一个师，廖耀湘率领一个师，直接向西到了印度，这就是后来的驻印远征军，也是国民党后来最精锐的王牌军新一军、新六军。

5月27日

《晓松说——历史上的今天》来到了 5 月 27 日。1644 年的这一天著名的山海关战役爆发，这是一场灭国级大战役。1941 年的这一天，德国海军最让人敬畏的战舰"俾斯麦"号被击沉。

|山海关战役爆发|

1644 年的今天山海关战役爆发。一场灭国级的战役让李自成的大顺政权灭亡。在中国战争史上，这种灭国级战役总共也就不到十场。关于山海关战役这段历史的民间传说有很多，金庸先生写的小说也对此有过很多描述。

当时中国最强大的军队就是李自成统率的大顺军，李自成后来率军进北京，逼死崇祯皇帝。那时中国整个黄河以北，包括西北、华北这些地区，以及黄河以南、淮河以北的大部分地区，都由大顺军统治。李自成当时有百万大军，但是由于他统治的地域很大，占领后都得留下大军驻守，所以最后李自成率领进入北京的军队只有大概二三十万。当时中国有四个不同的政权并存。李自成占领的主要是北方地区。南方还存在着一个南明政权，虽然占有广大的淮南以南地区，但已经没有能征善战的军队了。此外，中国还存在一个大西政权，是一个叫张献忠的妄人建立的。再有就是当时新兴的清朝统治着东北。

历史上中国基本都是占领黄河以北的那个政权最终战胜其他的政权，从而统一全中国。但改朝换代还要看领袖，李自成虽然把崇祯打得上了吊，还占领了那么多地方，那也只是说明李自成是个能打的人而已，并不是一个真正能改朝换代的领袖。

吴三桂率领的是明朝最后一支精锐部队，为了防御清军而建立，经过了孙承宗、袁崇焕多年经营。清军全是骑兵，能征善战，所以这支防御清军的军队也是明朝唯一的全骑军，叫关宁铁骑，虽然只有五万人，却一直将清军挡在关外。当时吴三桂本来正在率领部队跟清军在山海关对峙，这边李自成的大顺军一围北京城，皇上马上说你来勤王吧。于是吴三桂带着军队往北京赶，刚赶到一半就听说北京城已破，崇祯皇帝已死，于是他又率兵回到山海关开始观望。吴三桂虽然是武将，从小也是饱读诗书，曾经参加过科举考试，吴三桂的爸爸吴襄当时也算是部长级的干部，所以其实吴三桂对朝代的更替、历史的发展心里也非常清楚。当时他想既然皇帝已经死了，估计明朝气数将尽，基本上接受了李自成的招降，已打算归降大顺。李自成还派将领率领几千人来接收山海关，吴三桂把部队全都留在了山海关，只带了几个随从赶往北京准备觐见新皇李自成。

结果吴三桂刚走了一半，他爸爸的小妾以及仆人就来报信：老太爷吴襄现在天天在北京城被李自成的人吊起来打，可谓惨不忍睹，家里的钱也全都被抢走了，他本来怜香惜玉、舍不得带到山海关的女人陈圆圆也被霸占了。历史上对陈圆圆被霸占有两种说法，一种说法是被刘宗敏霸占了，金庸先生写的《鹿鼎记》里说是被李自成霸占了，完全是小说家言。总而言之，吴三桂"冲冠一怒为红颜"，但更重要的原因应该是中国人的孝：我本来就已经要不忠了，到最后我爸还让你打成这样，那孝我还是必须得有的。于是吴三桂直接返回山海关，出兵把李自成派来接收关宁铁骑的几千人都打跑了。

李自成得知消息后也非常生气，明朝那么多军队都被我消灭了，吴三桂区区五万人竟然敢跟我较劲。当时李自成已经开始膨胀了，以为自己无往而不胜，亲自带着大兵从北京直奔山海关。李自成的大顺王朝可笑到什么程度？竟然连个书记官都没有，连个记东西的人都没有。所以有关大顺政权以及李自成的所有记载，都是敌方的记录中留下来的。在敌人的各种记载中，有说李自成率领十万大军的，有说二十万的，还有说三十万的。另一个比较可靠的说法是，李自成率军五六万，号称十万前往山海关。军中还押着吴襄，企图用来威胁吴三桂。大军出发前拖拖拉拉，等了十多天才开始上路，本来路上走五天就可以到，结果走了七天才到山海关，耽误了很多时间。

当时清军知道大顺攻陷北京以后，打算绕道热河，从北线和大顺军来争夺北京。清军沿着长城进发，发现大顺军已经动身赶往山海关，当时多尔衮率领的清军就停在长城沿线观望。戏曲中描述吴三桂这边为崇祯皇帝披麻戴孝，全军白盔白甲。吴三桂和李自成大战了两天，眼看着吴三桂率领的关宁铁骑就快撑不住了，于是吴三桂带着亲信冲出了重围，直接来到了清军营中剃发请降，请清军帮忙共同对抗李自成。多尔衮一看这下是真的了，于是在吴三桂和李自成的大顺军打得不可开交的时候出动。当时多尔衮率领七八万人，都是清军最精锐的骑兵。在一片石大战中，清军大破大顺军，几乎把李自成打到全军覆没。

李自成一看扛不住了，慌忙逃回北京登基当皇帝，回到北京之后马上把吴三桂的父亲连同全家老小三十四口人全部杀了。李自成这皇帝就当了一天，第二天就被赶跑了。最后金庸先生说他出家了，和陈圆圆还偷偷摸摸有点儿什么；而正史记载说他逃到湖北九宫山被地主武装打死。李自成率领的大顺军虽然曾经占领了中国那么大面积，但是就因为他自己以及整个领导阶层都是流寇思想，所以没能建立一个新的王朝，在山海关战役中一战灭国。

德国"俾斯麦"号战舰被击沉

德国纳粹上台以后，开始急剧扩张军备，生产了大量的坦克、飞机。但是海军不光是造几艘军舰的问题，还需要漫长的时间培养能出海作战的军人，所以德国虽然空军、陆军都很强大，但海军一直都没有培养出来。那时英国和美国都有十艘左右的战列舰，日本当时也有八艘，而德国虽然只有"俾斯麦"号和"提尔皮茨"号两艘战列舰，但德国工业非常先进，这两艘舰从装甲、火炮、兵员素质，到瞄准距离、瞄准性能等各方面，在世界上都首屈一指。这两艘战列舰也非常大，有四万两千多吨，当时英国只有一艘"胡德"号战列舰与之吨位相当，美国当时的战列舰还没有比它大的，美国后来才有了大型的"依阿华"战列舰，日本后来才有了"大和"号战列舰。所以德国的这两艘战列舰应该算是世界上最精锐的战列舰，但是它并不敢出海决战。一战的时候，德国海军空前强大，几乎可以跟英国的皇家海军媲美，远远超过其他国家的海军实力。但是当年德国只出海跟英国打了一次大规模海战，就是一战中著名的日德兰海战。

德国投入了那么多钱建造了这么精锐的战列舰，却不敢用来海战，现在想起来简直是暴殄天物。当时德国也是没有办法，因为大西洋航线对德国来说确实很重要，所以德国就出动战列舰去袭击大西洋的运输船，也就是进行破袭战，最大的撒手锏就是德国潜艇的狼群战术。在征服了挪威与法国之后，德国已在大西洋拥有漫长的海岸线，可以随时从任何地方出发前往大西洋。1941 年 5 月 18 日，"俾斯麦"号带着一艘名为"欧根亲王"号的巡洋舰驶离基地开赴大洋，准备挑战英国的海上霸主地位。出动之后，整个英国海军如临大敌，这么漫长的海岸到底在哪儿堵截你呢？到处派出船舰飞机去侦查它的踪迹，终于在格陵兰与冰岛之间的丹麦海峡南面堵住了"俾斯麦"号。担任堵截任务的是两艘英国最强大的战列舰"胡德"号与"威尔士亲王"号，其中"胡德"号又被人称作战列巡洋舰。战列巡洋舰和战列舰的吨位和主炮都一样，只是战列巡洋舰的装甲明显薄一点儿以减轻自重加快速度，这样可以开得更快。战列舰通常能开到二十几节，而战列巡洋舰能开到三十多节的航速。

一场海上恶战于 5 月 24 日清晨打响了。虽然"胡德"号与"俾斯麦"号同样拥有 381 毫米的巨炮，排水量同样为 4.2 万吨，但那薄薄的装甲却成了它致命的弱点。"俾斯麦"号的穿甲弹轻而易举地钻透了"胡德"号的薄甲，引发了火药库的大爆炸，使这艘巨舰一折为二，瞬间沉没。"俾斯麦"号旋即将炮火对准"威尔士亲王"号，很快就将其主炮打哑，令其不得不仓皇撤离战场。这场海战以"俾斯麦"号的全胜告终，不过它也挨了三发重型炮弹，造成燃油外流。舰尾拖着长长的油迹，很容易被人发现。

"俾斯麦"号闯入了北大西洋，一路向南驶去。为了对付这艘可怕的巨舰，英国海军竟然调动了四十二艘战舰来围追堵截它。一开始英国用巡洋舰在后面追，但巡洋舰不敢离得太近，"俾斯麦"号的大炮射程差不多是四十公里，实际拿眼睛是看不见的。当晚"俾斯麦"号还突然返身与追击它的英舰交战，以掩护"欧根亲王"号安全返回法国的布勒斯特港。

英国当时有一艘叫"皇家方舟"号的航空母舰，"皇家方舟"号是英国最古老的舰名，到现在英国的每一代军舰都有"皇家方舟"号。当时就从这艘"皇家方舟"号航母上起飞了最古老的双翼飞机，居然就是这架古老的飞机，不但找到了"俾斯麦"号，而且冒着猛烈的高射炮火发射了鱼雷，打中了"俾斯麦"号。这时就显示出了航母的重要作用，大家从这儿也能看出，航母将会成为未来的海上霸主。

当时鱼雷正好击中了"俾斯麦"号的舰尾，使方向舵完全失灵无法操纵，此时"俾斯麦"号已经明白自己再也无法返回德国了。5月27日黎明，"俾斯麦"号终于被数十艘追击而来的英舰团团围住。当时大批的英国战列舰，包括一战时的老战列舰，也包括最新的战列舰，全部包围上来一通炮轰，无数枚重型炮弹像狂风暴雨般砸向"俾斯麦"号。此时舰上已是火光冲天浓烟滚滚，但"俾斯麦"号仍挣扎着开炮回击，一直顽强地战斗到每一门炮都被打废了为止。整个舰体被烧得通红时，因为采用严密的防水结构，它居然还没被击沉。此时英国战列舰上的大炮沉寂了下来，大批巡洋舰与驱逐舰则冲了上去，把多达七十一枚的鱼雷射向敌舰。"俾斯麦"号再也支撑不住，于当天上午10点40分沉入了波涛滚滚的大海。

"俾斯麦"号被击沉以后，德国海军只剩下一艘超级战列舰"提尔皮茨"号。但在"俾斯麦"号被击沉以后，"提尔皮茨"号就再也没敢闯入北大西洋与英舰公开对阵，最后是在德军控制的挪威沿海的峡湾里被英国的轰炸机炸沉的。德国海军从此以后再也没有什么战斗力，只剩下潜艇还有能力出击。"俾斯麦"号被击沉显示出了双重意义：一是德国海军的脊梁就此被打断；二是航母显示出在未来海战中的重要意义。

5月28日

《晓松说——历史上的今天》来到了 5 月 28 日。1889 年的这一天，法国著名的米其林公司成立。1972 年的今天，英国前国王爱德华八世——著名的温莎公爵逝世。

|米其林公司成立|

所有爱好美食的人都知道，"米其林"是全世界最好的餐厅保障。米其林最开始和美食没有关系，它是靠轮胎起家的，到今天米其林轮胎依然是世界上最好的轮胎之一。米其林不光做汽车轮胎，也做飞机轮胎，协和式飞机的轮胎就是米其林公司做的。协和式飞机是超音速飞机，起飞和降落的速度比一般的飞机要快得多，所以对轮胎的要求也非常高。

好的生意人永远都是高瞻远瞩的。在一九零几年的时候，米其林公司的创办人米其林兄弟俩在研究怎么才能卖出去更多的轮胎。要让轮胎卖得多，那首先得汽车卖得更多。那怎么才能让汽车卖得更多呢？那就得让大家都爱出去旅行。怎么才能让大家都爱出去旅行呢？那我们就来做一本杂志告诉大家世界各地有什么好玩的、好吃的，有哪些好的旅店。于是他们做了一本《米其林指南》。

米其林公司是法国公司，法兰西民族是一个很爱吃的民族，一顿饭吃三个多小时很正常，直接吃到半夜。一开始《米其林指南》里边推荐各种旅馆、餐厅，接着就开始给餐厅评星，慢慢变成最权威的全世界餐厅指南，没有能跟它竞争的。一家餐厅能获得米其林的评价，已经是空前的荣誉了。米其林评价餐厅非常严格。首先米其林调查员必须秘密到访，不能透露身份；第二是所有的米其林调查员自费、义务造访，这样才能保证评价的公正性；第三是这个调查员一旦给这个餐厅评了星，以后若干年都不能再来给这个餐厅做评价，以后再评这个餐厅就得其他的调查员来，防止某个人跟某个餐厅建立了感情，使评价变得不客观。

在我们这儿厨师是一个技工，大厨最多也就是一个匠人。但是在法国厨师是艺术家，是非常有荣誉感的一个职业。如果你曾经在某个米其林餐厅里做过厨师，你以后不论到哪个饭店工作，那个饭店的菜单上都会写出来——我们的主厨是米其林厨师。当然大家千万不要盲目跟风，因为米其林并不评价厨师，只评价餐厅，所谓"米其林厨师"只是说这个人在一个米其林餐厅里当过厨师。不过即使如此，米其林餐厅的主厨也是至高无上的荣誉，还有厨师因为自己的餐厅没评上米其林餐厅而自杀。

米其林餐厅的评价一个用叉匙来表示，另一个用星级表示。一副叉匙表示餐厅的环境还可以；两副叉匙表示环境不错；三副叉匙就是很舒适了……最多是五副叉匙。叉匙越多就说明这个餐厅的环境越好，所以叉匙是环境好坏的标志。星级就厉害了，主要针对的是烹饪的水准，这对餐厅来说是最重要的，尤其是对中国人来说环境怎么样关系不大。餐厅最高的能获得三颗星，一颗星的意思是"值得前去造访"，两颗星的意义是"值得绕远路专程前去造访"，三颗星的意思就是"值得专门为此设计一次旅行"。三星级米其林餐厅平均每人要花三四千美元。目前，全世界大概有六十多家米其林三星级餐厅，这个数字也不固定，有时候多一些，有时候又会少一些，米其林再来查的时候发现没有原来好吃了，就会减去一颗星。香港原来有一家三星级的米其林餐厅，后来就被减了一颗星。香港可是世界美食之都，连香港都只有两星级的米其林餐厅，所以三星级的米其林餐厅非常少，大部分都在法国、意大利、西班牙、日本。我还没有进过三星级的米其林餐厅，有机会一定要补上。

| 温莎公爵逝世 |

2011年的奥斯卡最佳影片奖颁给了《国王的演讲》（*The King's Speech*），那个电影里捎带讲了一点儿温莎公爵，就是原来的英王爱德华八世，他是著名的不爱江山爱美人的代表。

爱德华八世本人一表人才，而且非常有治国能力。当时的英国非常强大，有很多殖民地，爱德华八世也是追求者众多，本来他可以君临天下，然后找一个皇后母仪天下，过幸福的生活。但是长得越帅的男人，品味越与众不同，大帅哥的想法就跟别人不一样，全欧洲甚至全世界那么多年轻漂亮的贵族女子都想嫁给他，可他偏偏看上了一个曾经离过两次婚的美国人，就是辛普森夫人。

辛普森夫人第一次结婚嫁给了一个军人，离婚后又嫁给了商人辛普森先生，所以她被称作辛普森夫人。辛普森夫人离婚以后从美国来到英国生活，渐渐混入了上流社会。这种女人能从一个平民混入上流社会，一定非常有手腕，后来她认识了国王爱德华八世。爱德华八世死活就爱上了辛普森夫人，非要跟她结婚。英国王室、英国议会、英国政府全都激烈反对，说："这样坚决不行，堂堂英王君临天下，全世界差不多三分之一的土地都是咱们的，您同时还兼任澳大利亚、加拿大的元首，您怎么能娶一个离了两次婚的美国女人呢？"英国人在内心看不起美国人，认为美国人没文化，土鳖。

爱德华八世却意志坚决，非辛普森夫人不娶，痛下决心说："反正我这辈子就爱她一个，我就要跟她在一起。你们让我结婚，让她当王后，我就娶她当王后。你们不让我结婚，不让她当王后，我就退位，退位我也要娶她。"于是大家都傻了，当时的英国王室非常传统，非常保守，绝对不同意自己的国王娶这样一个女人。最后经过激烈的斗争，爱德华八世退位娶了辛普森夫人。

英国今天已经不是全世界最强大的国家，但王子大婚依然要全世界媒体直播。爱德华八世在位期间英国可是世界上最大的"日不落帝国"，国王竟然退位了，当时震动全世界。爱德华八世将江山让给了他弟弟乔治六世，乔治六世无论是才貌、文武都不能跟他哥哥比，各方面确实差了很多，《国王的演讲》讲的就是乔治六世怎么从一个连句整话都说不出来的结巴，在很多人的训练和帮助下，最后能在全国人民前发表演讲，在战争中鼓舞英国人民的士气。

爱德华八世本来是一代明君，却为了爱情而退位。退位之后英国王室就出现两个问题，一个是王室的继承问题，另一个是退位的国王应该获得什么头衔。乔治六世在即位时向他哥哥爱德华八世说："你放心，等我驾崩的时候，我肯定不会把王位传给我的孩子，我一定要把王位传给你的孩子。"这很像宋太宗对宋太祖的承诺，就是弟弟即位以后还是要把这个皇位传给哥哥的儿子。但是最后宋太宗还是把皇位传给了自己的孩子，给了宋太祖的儿子最高的荣誉，叫什么八贤王千岁，给一个铁锏在殿上可以随便用，还给了免死券。乔治六世也是，虽然承诺了要把王位传给爱德华八世的孩子，但到最后他去世的时候，还是把王位传给了自己的女儿，就是现在的伊丽莎白女王。

应该给爱德华八世什么头衔，也让英国王室颇费了一番心思。英国王室有明确规定：女王丈夫是爱丁堡公爵；女王的第一个儿子就叫威尔士亲王；接下来的叫肯特公爵、约克公爵等。历史上从来没有过退位国王，给他一个什么公爵才能符合他前面的国王的身份呢？想来想去最后说，我们单独设计一个公爵，他的孩子不能继承，因为原来他的孩子还是打算继承王位的，所以就不用世袭。于是用英国王室的姓命名的公爵授给了爱德华八世，也就是温莎公爵。维多利亚女王嫁给了一个德国人，所以英国女王是德国姓。后来一战期间因为英国要和德国宣战，英国王室就改了个姓。王室都住在温莎堡，温莎堡是个地名，当时英国王室说那干脆我们就姓这个姓吧。后来就把这个温莎公爵直接授给了爱德华八世，这在英国王室是独一无二的，而且也不能世袭，于是爱德华八世成了英国历史上唯一的温莎公爵。

温莎公爵娶了辛普森夫人以后一生都住在外国，二战的时候住在西班牙，在西班牙的德国间谍企图拉拢温莎公爵并策反他，英国间谍就来保卫他，展开了精彩的英、德谍报战。温莎公爵一直到 1972 年才去世。这个故事非常感人，希望女人们都能遇到像温莎公爵这样才貌双全而且爱你的男人。

5月29日

《晓松说——历史上的今天》来到了 5 月 29 日。1382 年的今天，朱元璋设立锦衣卫；1453 年的今天，君士坦丁堡陷落，东罗马帝国灭亡。

|君士坦丁堡陷落|

君士坦丁堡的陷落在西方历史上意义重大，中国历史上可以与其媲美的只有崖山之战。很多史学家认为"崖山之后再无中国"，南宋在崖山覆灭，始于汉唐的最辉煌的汉文化就此被截断，从此进入异族统治、衰弱阶段。君士坦丁堡陷落在西方的历史中是要大讲特讲的。曾经有一本非常流行的书叫《人类群星闪耀时》，作者是以《一个陌生女人的来信》而闻名的奥地利著名作家茨威格，这本书中他讲到了人类最重要的那些瞬间，其中就专门写到了君士坦丁堡的陷落。

西罗马帝国覆灭后，北方蛮族在那里肆意妄为，罗马文化、希腊文化东移到以君士坦丁堡为首都的东罗马帝国。东罗马帝国后来又延续了上千年，所统治的疆域不断地被蚕食。君士坦丁堡这个地方可能风水不太好，以它为首都的大帝国最后都不断被蚕食。后来的奥斯曼土耳其帝国将首都设在君士坦丁堡（后改名为伊斯坦布尔并沿用至今），最后也慢慢萎缩，丧失了北非、中东与巴尔干等地区的绝大部分领土，只剩下小亚细亚与伊斯坦布尔。东罗马帝国在它存在的这一千年的历史中，先是被阿拉伯人夺去了北非和中东，后又失去了小亚细亚与巴尔干等地区，最后就只剩君士坦丁堡周围这一点儿地，以及中间还隔着好多小国的伯罗奔尼撒这一点点土地，被人称为"只有脑袋没有身体的国家"。

君士坦丁堡在其千年的历史中曾经被第四次十字军东征攻陷过一次，但是没过多久，隔了五十七年之后就又恢复了，所以这次陷落不是君士坦丁堡的第一次陷落。很多人都认为十字军东征就像后来的英、法到处占领殖民地一样，好像是先进、文明的东西在占领落后的东西，其实中世纪时期欧洲非常落后，西欧天主教罗马教廷统治黑暗，只有教士识字，因为书也不能印刷，只能抄，所以当时西欧的人民都非常愚昧。如果人民具有独立思考的能力，有自己的英明的领袖，就不可能被教廷统治。十字军东征时打着恢复圣城的旗号，实际上就是一群文盲草根去逆袭。东方有东罗马帝国，又有特别强大先进的伊斯兰文明，最开始十字军还说是为了神圣的信仰，为了收复圣城耶路撒冷，到后来其实就是去抢东西。实际上他们并没有想过要占领东罗马帝国，因为东罗马帝国的宗教是东正教，他们是天主教，都信仰耶稣基督。他们主要是跟穆斯林打过好多次。

君士坦丁堡在被十字军攻破五十多年后就恢复了，后来就一直没有被攻陷过。到这个时期，奥斯曼帝国已经非常强大了，把周围的地方全都征服了，然后就开始围攻君士坦丁堡，围攻了很久，一直坚持到1453年，那时开始出现大炮。当时奥斯曼帝国雇了一个匈牙利的工程师，是不是犹太人没有考证过，但是一讲到匈牙利人我估计就是犹太人。当时他帮助奥斯曼帝国设计了口径七百五十毫米的火炮用来对付东罗马帝国，人类历史上最大的口径炮可能也就是八百毫米。这种臼炮射程虽然不够远，但在当时威力还是可以的，能打到一千米以外，奥斯曼帝国就用这种大炮不停地轰击君士坦丁堡的城墙。

君士坦丁堡东、南、北三面临水，整个城市突出在海中，只有朝西一面是陆地。在这种三面环水的地形上所筑就的城墙当然非常有利于防守。另外，由于城墙的东、南两面都是茫茫大海，只有北面是狭窄的金角湾，因此为了不让敌舰驶入，还特地用大铁链把水面拦住，使船舰无法通过。为了能从水陆两路夹攻君士坦丁堡，最后奥斯曼帝国不但用了巨炮，还想出特别的一招。他们居然从一处很窄的陆地上做了船槽，用大木板涂满油，然后把军舰、战舰从木板上拖过去，于是君士坦丁堡遭到了水陆两路的联合夹攻。君士坦丁堡这个时候的守军只有区区七千人，其中两千还是雇佣兵。当年君士坦丁堡被十字军占领以后，曾经发生过瘟疫，人口锐减，堂堂东罗马帝国的首都就剩下五万人，五千士兵当时已经是征兵的最大限度。在这个只有七千士兵守护的城堡里，汇聚着无比辉煌的古代希腊与罗马的文化，面临的却是土耳其二十万大军、三百艘战船以及攻城巨炮的围攻。中国也曾经出现过这样的倒霉时代，几千名持大刀长矛的士兵守着紫禁城，守着圆明园和无数珍贵无比的文物，却无力对抗用洋枪洋炮武装起来的约两万名英法联军，任人宰割。

在奥斯曼土耳其大军的强大攻势下，1453 年 5 月 29 日，君士坦丁堡被攻破，成为西方历史中最重要的转折点，延续了千年的东罗马帝国灭亡，罗马文化也就此彻底灭亡。罗马帝国的末代皇帝君士坦丁十三世，当时表现得非常英勇。他脱下皇袍，跨上战马，亲自率领军队出战，而且身先士卒，冲入奥斯曼帝国的军队中，最后被斩于马下。罗马帝国皇帝都是从军事起家，马上得天下，最后一位皇帝死于马上，也算是死得其所，没有给罗马帝国丢人。

当时正是穆斯林最强大的时候，文化多元，非常宽容。当年和十字军打了那么多次仗，穆斯林还是愿意容忍多种宗教并存，所以中东地区到现在还有基督教、天主教存在。率领奥斯曼土耳其大军入城的穆罕默德二世也继承了他的前辈那种穆斯林的宽容精神。战争中都会有纵兵烧杀、奸淫这类的事情，但是他入城二十四小时以后命令所有的烧杀奸淫立刻停下，然后把剩下的一半还没来得及被杀的人变成自由人，还保留了东正教大教堂，任命了新的东正教大主教，而且把君士坦丁堡当成了奥斯曼帝国的首都。奥斯曼帝国是一个一直以来都保持着多宗教、多民族的大帝国，并不像十字军那么狭隘。这是那个时代伊斯兰教给全世界带来的贡献。

君士坦丁堡的陷落标志着整个罗马文化的彻底灭亡，但是它也带来了两个好的副作用。一个就是在君士坦丁堡被围期间以及被攻破之后，大批的希腊人逃离时带走了大量珍贵的书籍、文物，有的回到了希腊，也有一大部分去了意大利，这些文明开始向西流传，为西欧带来了书籍，带来了文明，使这些草根开始觉醒，这也成为后来欧洲文艺复兴最重要的原因之一。再有就是君士坦丁堡的陷落导致整个欧亚交通的咽喉被截断，却从此开启了西欧的大航海时代。

| 锦衣卫设立 |

锦衣卫是朱元璋为了侦捕审判文武百官而特别设置的一个特务机构，打破了一个国家正常的管理体制。从名称上讲，它应当属于军事编制。古代京师有十二个卫，锦衣卫是其中的一个卫。正常的军队直接由政府来管理。而锦衣卫这支军队越过了兵部，越过了国务院，是直接供皇帝指挥的一支军队，以军队编制为名，实际上是一个特务机构。

特务机构直属皇帝，这是一个很可怕的事情。皇帝坐在宫里，对外面的事情其实并不太了解，所以要靠考试把各地平民提拔起来做官，大家一起来谈谈不同地方的情况，皇帝才能知道怎么管理国家。这套体制实际上是经过长期运作逐步形成的，几乎所有的汉人政权都是由皇上提出基本的治国思想，然后由宰相开始运作执行。皇帝不应该再直接越过宰相去指挥下边，这样会把整个国家的秩序打乱。而锦衣卫对整个国家的体制和管理有重大伤害。

锦衣卫就是皇帝用来直接对付内阁以及官员的，当然不能让它归内阁管。锦衣卫不管老百姓，只用各种黑狱、各种酷刑管处级以上干部。锦衣卫还负责廷杖。廷杖是明朝时盛行的东西，就是让大臣在朝廷上当着众人的面被扒了裤子，趴着拿大棒打。据说明朝曾廷杖五百人，其中有五十个大知识分子被活活打死。廷杖之残忍最后连朱元璋都看不下去了，最后朱元璋决定撤销锦衣卫，把锦衣卫所有的犯人转交刑部，这才符合正常的程序。

朱元璋一死，朱棣就篡了皇位。朱棣篡位以后被方孝孺刺激了，他就天天想，你们这些大臣，可能在底下嘀咕我，说我是篡位的皇帝，我的玉玺也不是真的（玉玺当时被建文帝拿走了）。于是朱棣又恢复了锦衣卫，监视这些大臣。锦衣卫就一直传了下去，史书说明亡于厂卫，就是说明朝灭亡很大程度上是因为东厂、西厂以及锦衣卫这些特务制度，这导致了最后整个明朝的统治都是扭曲的、畸形的，不是一个国家正常的管理体系。

5月30日

《晓松说——历史上的今天》来到了5月30日。1626年的这一天，北京发生了著名的离奇的天启大爆炸。今天还是倪匡老师的生日，生日快乐！

| 天启大爆炸 |

人类历史上有很多未解之谜，一直到最近都有很多神秘的事件发生。很多古老的神秘事件记载不详细，有的还会被演变成鬼神传说，但1626年的今天发生在明朝天启年间的这个未解之谜，在历史上却有非常详细的记载。

1626年的今天，在北京发生了大爆炸，死伤两万多人。据后来估算，爆炸的当量差不多相当于两万吨TNT炸药，当量就是把所有的爆炸威力都折合成TNT炸药的威力，当年美国扔在广岛的原子弹，差不多就是两万吨当量，所以这次爆炸相当于在北京扔了一颗原子弹。

爆炸发生的地方确实有大量炸药，这里本来是一个生产火药武器的地方，就是北京的王恭厂。明朝的时候火器已经发展得很不错，但是王恭厂绝对没有两万吨炸药，而且那个时候炸药的威力跟今天的 TNT 炸药的威力也是不能比的，所以如果当时爆炸真的是火药导致的，那这火药厂的炸药至少得有十万吨以上。

当时北京的王恭厂也没有具体记载到底有多少火药，我猜可能最多也就是几百吨，这在当时已经很厉害了。皇上也不敢在京城里真的放上千吨火药，威力也太吓人了。但是当时两万间民房瞬间被夷为平地，离爆炸中心大概有二里地的五千斤的大石狮子，直接被炸飞到城外去了，连远离城中心的郊区密云的大树还倒下好几十棵，可见威力之大。

还有一个关于这次爆炸的离奇记载：爆炸发生以后在北京远郊昌平发现了好多死人的衣服，而且不同的记载都记下了这个事情。当时北京城里死伤的两万人全身赤裸，衣服全都飞到了昌平。这件事确实是真的，明朝离现在已经很近了，各种历史记载也都很详细，所以大家都觉得很奇怪，有人说可能是龙卷风刮的，但是我本人就是北京生、北京长，四十多年我也没有见过北京刮龙卷风。我倒见过北京刮沙尘暴，但沙尘暴也不至于把大石狮子给刮到城外去吧。即使是龙卷风也不可能光把人身上的衣服给卷走了，把衣服卷到昌平去，把人留在这里。还有人说可能是陨石砸的，陨石砸下来也非常有可能产生两万吨当量的大爆炸，确实是可以把火药库里的火药引爆，但是陨石砸下来应该会出现一个大的陨石坑。月亮表面有大的陨石坑，因为月亮周围没有稠密的大气层去抵挡那些陨石。地球上也经常会有陨石掉下来，但是许多陨石在下落的过程中都被地球的大气层烧毁了，很少有大块的陨石直接落到地面。流星就是在空中烧化了的陨石。关键是这次爆炸并没有在地球上留下一个大的陨石坑。

那这次爆炸到底是什么原因呢？到现在也完全不知道。这种大爆炸不光在中国发生过，1908 年俄国也曾发生过著名的通古斯大爆炸，当量相当于一千万到一千五百万吨 TNT 炸药，相当于至少五百颗广岛原子弹，相当于北京发生的天启大爆炸威力的至少五百倍。好在当地人口极其稀少，故没有太大的人员伤亡。通古斯大爆炸是什么原因引起的到现在也是个未解之谜，当时也没有看到陨石，如果是陨石砸下来，那总得留点儿痕迹吧，什么也没有。后来说通古斯大爆炸可能是彗星引起的，但是彗星是一种质量较小、呈云雾状的天体，那么软绵绵的东西怎么能砸出这么大的通古斯大爆炸？我个人也没有明确的观点。

我想象中的外星生物是巨大的，可能拿手指头一捅就能捅出个通古斯爆炸，但我也不相信外星人来了就这点儿反应，所以我觉得外星人的说法也不太合适。

总而言之，到今天这次爆炸仍然是个未解之谜，但这个未解之谜在当时对整个国家产生了一些影响。这次爆炸发生的时间是 1626 年，十八年之后，也就是 1644 年，明朝就灭亡了，天启是明朝倒数第二个皇帝，接下来就是明朝的最后一个皇帝崇祯。天启年间明朝已是内忧外患，外面清兵打得很厉害，内部起义军也打得很厉害。当时爆炸发生以后，群臣就上奏皇上，说那一定是因为咱们有做得不对的地方才受到了老天爷这样的惩罚。皇上自己也惊着了。大爆炸发生时，皇上正在殿里坐着，突然一下子把皇上也给吓着了。然后皇上起身逃跑，而且跑得飞快，连身边的侍卫都没跟上。当时就只有一个内侍紧跟在皇上身边，刚跑了两步，这个内侍就被震下来的一块瓦砸得脑浆迸裂，但皇上毫发无损。当时皇宫里正有两千工人在修大殿，修大殿这种事情就是腐败，就是面子工程，修大殿的工人全部被震倒在地上，两千人当场死亡，历史上的记载是全部变成肉弹，就是咱们说的变成肉泥。而皇上自己居然没事，不过皇上当时也受到了非常大的惊吓，后来还为此专门下了罪己诏，就是说我作为皇帝没干好工作，对不起大家。这个也没什么用，十八年之后明朝还是灭亡了。

| 倪匡老师生日 |

1935 年的今天著名小说家倪匡老师出生，祝倪匡老师生日快乐！

香港是一个商人辈出的地方，香港的作家、文人并不是很多，也没有形成一个精英、知识分子或者文人阶层。商业社会里的严肃文学作品没有生存的土壤，所以也就没有几个人去写严肃的文学作品，要写就写些通俗小说，比如金庸、古龙、梁羽生都是武侠小说作家。

但倪匡老师写的是"卫斯理"系列侦探小说。他并不觉得写了"卫斯理"系列侦探小说有什么可炫耀的地方，他觉得最光荣的是他用一副对联所描述的，上联是：屡替张彻编剧本，下联是：曾代金庸写小说。

金庸先生一共写了十五部小说：飞雪连天射白鹿，笑书神侠倚碧鸳，以及

《越女剑》。其中最长的一部叫《天龙八部》。那个时代即使是写通俗小说，也不敢坐在家里写，因为那样小说家就会饿死。所以当时香港的小说家都是直接在报上连载，《天龙八部》这部小说就是在《明报》上连载的，当时香港人买《明报》，最重要的就是想看《明报》每天那一千字的金庸先生的武侠小说。但是《天龙八部》这部小说太长了，金庸先生写到中间经常会有各种各样的事情，就得停下来，等出差回来再接着写。人出差了，报纸上却不能空一块，于是倪匡曾经两次帮着金庸先生写。第一次倪匡写了几天，等金庸先生回来一看，啊，阿朱死了。第二次金庸先生又出差，结果倪匡又把阿紫给写死了。

当时这些小说家在报纸上写连载也是没办法，因为大家就靠稿费生活。当年古龙先生也经常在报纸上写连载，但是古龙在报纸上连载的小说来不及整理他就去世了。后来出版的古龙小说经常会出现前后矛盾的情况，就是连载的过程中古龙写着写着就糊涂了，古龙爱喝酒，经常喝大了胡写。而金庸先生后来是把这些连载，重新整理了一遍，才出版了现在的单行本，所以金庸先生的小说读起来要好得多。

5月31日

《晓松说——历史上的今天》来到了 5 月 31 日，今天是世界无烟日。1916 年的这一天，爆发了人类历史上最大规模的战列舰对决——日德兰海战。1927 年的这一天，传奇的福特 T 型车的最后一辆轿车下线。

|日德兰海战爆发|

1916 年的这一天，当时全世界最强大的两支海军——英国皇家海军和德国帝国海军，在北海对决。这场战争是人类历史上规模最大的传统海战，有记载的规模最大的海战是莱特湾海战，但莱特湾海战是一场完全现代化的战争。日德兰海战那个时期是海军最光荣的时代，海军在交战时要升旗，要说各种豪言壮语，要双方互相都看得见，然后再开炮。当时世界各国的空军都还很少很弱，海军是最光荣的军种，海军军官的荣誉感比空军、陆军都要强得多，从上军校开始就在讲应该打什么样的海战维护海军的荣誉、怎样为国捐躯。所以海军拥有光荣的作战传统：宁可战死，也不投降。日德兰海战就是一场所有海军都期待的最理想的海战，是一场最标准的大炮对大炮的战列舰之间的决战。

海军技术发展最快的阶段是在甲午海战之后的二十多年。甲午海战以前的铁甲舰差不多全都被淘汰了，英国开始研制无畏舰，也就是后来的战列舰，在日德兰海战中第一次把战列舰做到完美的地步。这时的战列舰通常拥有一连串的炮塔，有三个或四个，战列舰上的大炮都能旋转，大炮的射速远远高于以前的铁甲舰，射程也比铁甲舰远得多。战列舰上的发动机功率也比之前明显增大，所以航速远远超过以前的铁甲舰。德国在1871年统一以后迅速崛起，从19世纪末开始，英、德两国展开了规模巨大的造舰比赛。当时正处于第二次工业革命时期，也是技术爆炸的时代，英、德两国的海军技术突飞猛进，短短二十年间英德两国的军舰制造技术已经是世界领先，其他国家像法国、意大利、日本、美国等都望尘莫及。那段时间英、德两国的设计师每隔三四周，就会设计出一代新的战舰。到1916年日德兰海战爆发，这场大决战终于来了。

当时最大的军舰分为两种，一种叫战列舰，通常前面有两个炮塔，后面有两个，二战时期开始出现了前面两个炮塔、后面一个的形式，四个或者三个炮塔可以同时开火，开战时所有的战列舰排成一列，全部以侧舷的火力向敌人开炮。另一种叫战列巡洋舰，战列巡洋舰跟战列舰的吨位、火力都一样，但是它更强调速度，去掉了战列舰厚厚的装甲，所以战列巡洋舰可以开得更快，但是装甲薄，防护性降低。战列巡洋舰的作用是勾引敌人前进，把敌人引到自己的大舰队跟前，因为那个时候还没有雷达等侦察手段，空军也不能飞这么远到海上去，所以那个时期才会有这种战术。当时在日德兰海战中战列巡洋舰的引诱技术可谓发挥得淋漓尽致，完全像教科书一样，双方都先用战列巡洋舰的舰队引诱对方，后面都跟着大舰队，然后双方就面对面开始大战。

德国海军在各方面的素质都是全世界最高的，就像拿破仑所说："普鲁士人是从炮弹里孵出来的！"德意志这个民族就是为战争而生。像德意志这样善战的民族全世界再也找不到第二个。相比之下，英国国民的整体素质、战斗素质都没有德国强，英国陆军走到哪儿都有可能投降，但英国海军是具有光荣传统的部队，两万吨的战列舰撞过去也不投降。英国的皇家海军一直都保持着舰长与舰共存亡的传统，在战争中船沉了，所有人都可以弃船，只有舰长一定要与舰同沉，这个传统一直保持到二战期间。

英德两军大战一场之后，德国军舰被击沉十一艘，英国军舰被击沉十四艘，德军稍占上风。最后德军大概伤亡三千人，英军伤亡六千多人，所以从战术上来看，德军稍胜一筹，但是德军也没能取得最终的胜利。双方当时数百艘军舰对战，被击沉的军舰都占参战军舰很小的比例，德国被击沉的十一艘中主力战列巡洋舰只有两艘，英国被击沉的十四艘中主力战列巡洋舰只有三艘，但当时最先进、最大的"玛丽女王"号被击沉了。德军之所以在这次战争中稍占上风，有两个原因。一个是德国军舰的设计与制造理念要比英国更高明更合理，德国在建造时强调的是战舰的生存能力，所以除了加厚装甲外，还设置了重重水密门与隔水仓，故中弹后不易沉没。而英国军舰在建造时则一味追求战舰的航速要快、主炮的口径要大，为此不惜牺牲装甲的厚度，故在海战中容易被击沉。所以在双方都挨了那么多炮弹的情况下，英国军舰沉了，而德国军舰还能漂着走。二是由于德国军队素质非常高，损害管制的能力也非常强。损害管制简称损管，对于军舰来说就是中弹以后，如何堵住缺口、如何把水排出去、如何抢救伤员、如何灭火等等，在每一艘军舰上都有一支专门的损管队，军舰一旦被击中，损管队就要去想办法自救，这方面的素质德军比英军要高一些。所以德军被击沉的军舰就少一些，牺牲的人数也少一些。

这次战争对双方都没有造成很大影响。德国虽然在这次战争中稍占上风，但是并没有打断英国海军的脊梁，也没有大量击沉英军的主力舰，英军的战列舰一艘都没有被击沉。德国虽然在战术上占了上风，但是在战略上德国输了。在这次海战以后，当时世界上最强大的德国帝国海军舰队再也没有出过海，等于是被封锁在了北海。这个形势对德国来说非常不利，所以德国后来在二战中为什么要先占领法国，就是为了获得大西洋的出海口。

整个一战时期，德国都没能占领法国的海岸，日德兰海战后的德国舰队只能躲在北海沿岸德国自己的军港里，而不敢再开赴公海去与英国舰队进行决战。一支龟缩在自己军港内不敢外出的舰队，其战略作用几乎等同于零。直到一战结束，这支大舰队都被封锁在德国自己的军港内动弹不得。不过到一战结束德国投降后，英国海军看到德国仍有这么多军舰很眼馋，于是下令让德国的整支舰队开到苏格兰北部，准备俘虏世界上最优秀的、质量最高的军舰。但是德国海军很有骨气，开到那儿以后一直停着，突然有一天早晨，德国的各条军舰上都升起了旗子，互相传递一种叫"彩虹"的信号。大家都已经约好了，"彩虹"信号一出，所有的德国军舰都将自沉。这支曾经跟英国海军同样强大的、当时世界上一流的大舰队，最后自沉在苏格兰的斯卡帕湾。

|最后一辆福特T型车下线|

1927年的今天，在生产了一千五百万辆车之后，最后一辆福特T型车下线，T型车停产。一千五百万辆的数字已经非常惊人，而这个数字前面还有一个前缀——1927年。那个时候世界上其他国家还不知道在干吗。直到今天，英国、法国的汽车也还没有普及到人手一辆，但美国在那个时候，光福特一款车就能生产一千五百万辆，可见美国国力之强大。

我在美国时的那个城市就有一家小小的历史博物馆，当中有一张1929年建市时的照片，照片中黑压压的停的全都是黑色福特汽车。那时美国汽车已经普及了。但是风水轮流转，今天所有的汽车厂都开到中国来了，以至于包括福特公司在内的美国三大汽车公司的所在地——汽车城底特律，现在完全成了一个死城。

Today

in History

月

⑥月❶日

《晓松说——历史上的今天》来到了 6 月 1 日。今天是六一儿童节，祝包括我女儿在内的天下小朋友节日快乐。1616 年的这一天，著名的"征夷大将军"德川家康去世；1968 年的这一天，美国盲聋女作家海伦·凯勒去世；1980 年的这一天，CNN 正式开播。

| 德川家康去世 |

1616 年的这一天，德川家康去世。以前德川家康并不为大众熟知，但是后来因为出了那么大一套《德川家康》的小说，洋洋五百五十万字，让人们开始对德川家康熟悉起来。《德川家康》是我见过的字数最多的小说，这么大部头的书竟然还是畅销书。可能是中国版的《三国演义》看多了以后，就想看看日本版的三国演义吧。

我认为，人类社会最开始实际上都是地理决定历史，后来人类彻底摆脱了地理的束缚，才有了今天的人类历史。日本和欧洲的地形特别像，都是多山、多河流，河流的方向还不一样，这条河往东边流，那条河往南边流。欧洲经常会分裂成很多小国：王国、公国、侯国等等。一个城堡周围有建筑与人口就成了一个国家，这其实与欧洲尤其是中东欧地区的地形有关：山太多，大家也是没办法，翻山太不容易，干脆自己成立个国家得了，于是欧洲就出现了很多小国。但大家本来都是一大家子，不管分成多少个小国，也是一个大家庭，他们之间依然相互通婚、相互继承。比如说我没有儿子，你那儿多一个，就来一个给我当国王或是来当公爵。

日本的山川河流也非常混乱，也是分成了很多诸侯小国。当年日本权力最大的是"幕府"，德川家康就是江户幕府的开创者。这点也很像欧洲，欧洲的那些王国、大公国、公国、选帝侯国也是每隔一段时间就选一个皇帝出来。我国春秋时期的周天子跟日本"幕府"时期的天皇差不多，表面看来很风光，但是实际上谁也管不了。从德川家康开始，日本的江户幕府时期延续了两百多年，一直到1868年改元明治，幕府才还政给天皇，日本才正式发展成为一个统一的、君主立宪制的现代国家。

《德川家康》中讲的其实也不全是德川家康自己的故事，还有日本当时诸侯之间的那些混战。但是《德川家康》没有《三国演义》有意思，因为我国的三国时期有气势恢宏、动辄数十万人的大战役，而日本这些诸侯经常就是千把人跟千把人打。日本只有武士才能打仗，导致这些战役规模都特别小，规模最大的上十万人参战的关原之战也就打了一天。

| CNN成立 |

1980年的今天，美国有线电视新闻网（CNN）成立。很多人都以为CNN是具有上百年历史的老店，其实CNN只有几十年的历史。在美国能称得上"百年老店"的电视公司，基本上都是从做广播开始的，像NBC（全国广播公司）、ABC（美国广播公司）、CBS（哥伦比亚广播公司）等。这些"百年老店"一直统治着美国主流媒体，并且全都由犹太人创办。美国的犹太人虽然只有六百万，但美国大媒体，包括报纸、八大电影公司等，几乎都由犹太人控制，相当于控制着美国的主流舆论、价值观。所以美国的主流媒体，从来都不会批评以色列、批评犹太人，而矛头一定会指向巴勒斯坦，经常指责阿拉伯世界。阿拉伯人虽然有钱，但是在美国却没有太大的话语权。

1980年，在一个叫亚特兰大的南方城市，一个叫特纳的天才建立了CNN，特纳不是犹太人。和北方的那些大城市比起来，亚特兰大不算大，但有两个重要的大家伙，一个是著名的可口可乐公司，还有一个就是著名的CNN。可口可乐称得上是百年老店，而CNN1980年才成立。CNN成立伊始叫作有线电视网。因为CNN一开始没有能力去跟大的主流广播公司竞争，用户需要通过付费收看节目，所以CNN和其他的电视公司不一样，最开始一直没有广告，这几年才有些大品牌的广告或旅游广告。

在1990年的海湾战争中，CNN的记者深入战争第一线，在全世界的媒体中第一个报道战争爆发。那天美国所有的大型电视公司全都快急疯了："我们的前方记者怎么还不发消息过来？"那边的CNN都已经直播上了，导弹发射、飞机起飞等全都呈现在观众面前。电视台都有基本的职业操守，就是要保证观众的知情权，不能说你的记者没有拍到现场，你就假装不知道这件事。最后其他的电视公司憋了四个小时，实在等不及前方记者的消息了，各个电视台都开始播放CNN的画面。

美国知识产权保护非常严格，电视台在转播别人的节目时必须打上人家的台标，所以各个电视台播出的都是CNN的战争画面，而且在转播时都要声明：据CNN电视台报道。在这次报道中，CNN可谓一战成名。CNN的报道风格既不偏左也不偏右，它在自己的节目中不将美国称呼为"我国"，而是直接称其为"美国"，在美国的电视台中属于首创。

我舅舅20世纪80年代时曾在美国亚特兰大的佐治亚理工留学。那个时候留学生全都要去勤工俭学，很多人会去饭馆刷盘子、当服务员，不像现在留学生家境越来越好，很少有人去打工。我舅舅当时一边读书一边在餐厅里当服务员，当时他在打工的餐厅里见过特纳，每次结账都用一张无限额度的黑色信用卡。只有像特纳那样的精英才能掏出这样的卡，我舅舅当时作为一个穷留学生在那里刷盘子跑堂，也就是为了有一天能弄到那么一张卡，实现他的美国梦。从1980年成立开始，短短几十年的时间，CNN的成功是一个漂亮的美国梦，是一部漂亮的奋斗史。

6月2日

《晓松说——历史上的今天》来到了 6 月 2 日。1927 年的这一天，国学大师王国维去世；2004 年的这一天，上海的 F1 赛道正式建成。

|王国维去世|

首先向王国维大师致以崇高的敬意。不是什么人都能称为"大师"，如今那些随随便便就称为大师的，我觉得后面可以加一个"傅"字，这些人称为"大师傅"还差不多。作为"大师"必须通透。首先大师对自己研究的东西是什么、从哪儿来、要去哪儿，要完全通透。大师还要有自己的著作，要把自己研究的这个领域了解得清清楚楚、彻彻底底，能把它清晰地写出来告诉大家。

王国维研究了诗词领域中的一切。王国维大师的人生也过得很有诗意，最后效仿当年的大诗人屈原，抱石自沉在昆明湖中。屈原这个人我其实一直不太喜欢，他的所谓爱国情怀咱们另说，但他确实是伟大的诗人，他写的那些东西在今天看来依然是经典。我小时候读王国维的书，最感动的就是他讲到情诗，小时候只是情窦初开，其实也不是太懂。王国维说情诗里面有一句叫作"拼将一生休，尽君一日欢"，可以称得上是千古绝唱。当时我看到这个好感动，心里想什么时候有个女人能为我"拼将一生休，尽君一日欢"？可长大后我就慢慢明白了，这不纯粹属于大男子主义嘛！怎么能这么自私？就打算自己这一晚上高兴了，人家凭什么就得拼将一生休？那个年代王国维可是梳着辫子一直都没有剪掉，当然是继承了中国过去的封建传统，所以才会有那样的想法。

王国维有一个关于做学问的三个境界的著名言论，是三句大家都很熟悉的词，第一句叫作"昨夜西风凋碧树。独上高楼，望尽天涯路"，刚开始做学问的时候，好像刚能看见一点儿，但那学问怎么那么辽阔、那么遥远，怎么总感觉抓不到也摸不着。第二句叫作"衣带渐宽终不悔，为伊消得人憔悴"，就是说做学问一定要经历这个过程。等把学问都研究透了的时候，就达到了那个最高的境界，也就是第三句，叫"众里寻他千百度，蓦然回首，那人却在，灯火阑珊处"。能成为大师的人，最后都要达到这种境界，要彻底看明白、看清楚。

王国维最后抱石自沉，让人非常感慨。至于为什么要走这一步，只能说大师有大师的境界，不能从我们俗人的角度去分析大师到底是怎么想的，让大师去做自己的选择吧。王国维先生的离世，对当时的清华大学来说是一个重大的损失，因为王国维是清华国学院四大有名的国学导师之一。王国维、陈寅恪、梁启超、赵元任四位大师当时都是清华的招牌，是清华的骄傲。

|上海的F1赛道建成|

2004 年的这一天，上海的 F1 赛道全面建成。我特别喜欢看赛车，上海 F1 赛道建成后迎来的第一场比赛，我就自费跑到上海来买黄牛票，最后还真买到了一张位置特别好的票，坐到了主席台上。我身边坐了很多领导，但那些领导居然都塞着两个大耳塞子，比赛进行到最激烈的时候，我扭头一看，领导们竟然全睡着了。我当时感觉特别奇怪，坐在这么好的位置，而且对面就是大屏幕，他们居然睡着了。可见 F1 比赛并没有普及，大家还不会欣赏，如果是看足球、篮球，那估计就睡不着了。

看F1赛事有两大乐趣，第一是听声音，去看F1比赛的人都是喜欢车的人，拼命超车的时候，猛踩油门的瞬间，还有拐弯的时候，你闭着眼去听那声音，那是一种享受。一圈一圈震耳欲聋的声音，那声音大得就像战斗机从你眼前飞过去。

乐趣之二是看赛车进站加油换轮胎的技术。F1赛车有几个基本战术，有的车队采用重载油战术，有的车队采用轻载油战术。赛车普遍很轻，车越轻、发动机越强劲，赛车的速度才越快。这时候携带油量的多少直接决定赛车重量以及耗油量，当然也就决定速度和进站加油的频率。另外轮胎软硬也是不同车队的战术选择，越软越快，但是损耗也快，需要进站换轮胎。加油、换轮胎的时间都要算入选手最后的比赛时间。所以得了F1冠军不光是赛车手自己的荣誉，每一个给赛车换轮胎、加油的人，都会感觉无上光荣。这些人的手稍微慢两秒，你就得多追两圈。所以大家看赛车进站之后，就赶紧加油，噌噌噌噌四个轮子换下来，也就十几秒的时间，最多三十秒，弄完马上开走。采用重载油战术时，车开着没有那么轻快，但是可以多开几圈再进站。轻载油战术就是先不加满油，我先以轻的车开始开，我一定比你快，领先你几十秒，就可以先进站。

6月3日

《晓松说——历史上的今天》来到了 6 月 3 日。1924 年的今天，西方现代主义文学的鼻祖卡夫卡去世；1942 年的今天，中途岛战役爆发；1969 年的这一天，大将许光达去世；1994 年的这一天，中国工程院产生首批院士。

|卡夫卡去世|

在我成长的年代里，如果一个男生连卡夫卡都没看过，是没办法追到女生的。当时文艺青年最占上风，那时还没有什么富二代，也没有什么海天盛筵，文艺青年们经常在户外的草地上聊天、弹琴。聊天一定要聊到卡夫卡、米兰·昆德拉、村上春树，村上春树有一部长篇小说就叫《海边的卡夫卡》。可以说我们是在卡夫卡作品的伴随下成长的。

卡夫卡的书一定要在年轻的时候读一遍，中年读一遍，晚年还应该再读一遍。不同的阶段读卡夫卡，会有完全不同的感受。年轻的时候读卡夫卡会觉得非常神奇、诡异、荒诞，而且前卫、先锋，觉得自己读卡夫卡好有文化。那时读卡夫卡完全是怀着那种我必须看下去的心情去看的，要不然还能算是文艺青年吗？其实我当时读卡夫卡并没有特别深的感受，就像《城堡》这种小说，冗长极了，我记得看的过程中我睡着了七八次，但还是要坚持着看完，因为是文艺青年就一定要读卡夫卡。

卡夫卡有很多短小的作品非常精彩，到现在我还能背诵出来。其中有一部叫《出门》（又译《起程》），写主人跟仆人之间的对话："远处传来了号角声，我问他是什么意思？他说他不知道，他什么也没听到，什么也没听到。在门口他拦住我说：'你这是要去哪儿啊，我的主人？'我说不知道：'只是离开这儿，离开这儿，离开这儿就是我的目标。'什么口粮也不能搭救我，这可是一次真正没有尽头的旅程。"

这篇短文特别好地表现了卡夫卡作品的风格，即Expressionism（表现主义）。当时的文学作品有各种各样的风格，比如现实主义、浪漫主义、批判现实主义等，卡夫卡的表现主义风格奠定了整个西方现代文学的一大流派。我正打算翻译的一部作品，是《搏击俱乐部》（*Fight Club*）的作者恰克·帕拉尼克（Chuck Palahniuk）写的，就是典型的表现主义风格作品。

卡夫卡的人生也富有表现主义色彩，他订了好多次婚，但一次也没有结成。从卡夫卡的作品中，你就能感觉到他的内心深处极为颓丧，不能入世。表现主义也是基于这样的一种生活态度，从充满热情入世的生活态度变成了对这个世界"冷眼嘲观"。卡夫卡就长了这样一双眼睛，他一直都在冷眼旁观自己，冷眼旁观这个世界。就是在这样的颓废和沮丧中，卡夫卡度过了一生，终年只有四十一岁，还没有我现在的年龄大。

卡夫卡实际上是捷克人，但是各种介绍都说他是奥地利作家，因为当时还没有捷克这个国家，奥匈帝国是当时中东欧地区最大的国家，它包括后来的奥地利、捷克、斯洛伐克、半个波兰、半个南斯拉夫，意大利的一部分也属于奥匈帝国。卡夫卡就出生在捷克布拉格的一个犹太人家庭，犹太人真的很厉害，我最喜欢的几个作家，像卡夫卡、茨威格都是犹太人。我曾经去过卡夫卡的故居，完全不像我们这儿的大作家故居那么豪华，卡夫卡的故居非常简陋，是一间特别低矮的小房子，也没做过什么特别的装修，就是原来的样子。卡夫卡在布拉格生活了一辈子，一直都在做小职员，一生不得志，临终前他立的遗嘱希望把所有作品都烧掉，还好执行人没有执行他的遗嘱，这才有了后来伟大的波澜壮阔的西方现代主义文学。纪念卡夫卡大师。

|许光达大将去世|

1969 年，我出生的这一年，大将许光达去世。中国人民解放军在 1955 年开始评军衔。

当时评出了"十元帅"和"十大将"。十大元帅的排序其实很有讲究，如果仔细比较，一开始十大元帅的排名是怎样的，后来又是怎样的，其中有一个人的排名曾经跑到最后，后来又怎样把这个人的排名弄上去，会觉得这些都是很有意思的事。相比之下，大将的排名基本上没变化，粟裕排第一。粟裕在大将里确实是鹤立鸡群，但是他评不了元帅，因为他不符合元帅的一个基本要求，就是在红军时期必须是军级以上干部才可以评元帅。粟裕的资历以及各方面条件都要比后面的几位大将高很多，因为粟裕曾经任华东野战军代司令员、代政委。十大将的最后一位是许光达大将，主要是因为当时许光达资历不够，抗战时不太突出，红军时期他也只是红二方面军的一个师长。红二方面军的总指挥是贺龙元帅，萧克作为红二方面军副总指挥，竟然没有评上大将。萧克在上将中排第一，而他的资历完全属于大将。萧克先后担任红一、二、四方面军的军长，红二方面军副总指挥，没评上大将，而下面一位师长即许光达却评了大将。这里面其实有一个小小的政治问题：当年张国焘犯了分裂党的严重错误，后来叛党逃跑，在对张国焘的斗争中，萧克的态度不坚决，就因为这个小小的失误，萧克没有评上大将。

在元帅当中贺龙是红二方面军的代表，徐向前是红四方面军代表，剩下的八个全都是红一方面军也就是中央红军的代表。在大将中有一位陕北红军的代表——徐海东大将，红四方面军的代表是副总指挥王树声大将，其他几位都属于一方面军。红二方面军作为红军的主力一定要有一位大将的代表，因为政治问题萧克不能评为大将，那评谁呢？那就只有许光达了。当时许光达知道自己被评为大将之后，表现出共产党员的高风亮节，他曾三次上书中央军委，上书毛主席、周总理，说："我这个资历坚决不能评大将，我想起牺牲在长征路上、牺牲在新中国成立之前的同志，自己心里有愧。而且那些比我有更多战功，比我资历更高的人都没有评为大将，我怎么能评大将呢？"看来当年许光达确实是真心实意的，不像有些人是来虚的。

中央经过仔细权衡，也专门找了许光达谈话，最后说你评大将是代表二方面军，这不是你个人的荣誉，这是二方面军的荣誉。最后许光达接受了大将的军衔，但坚决不拿大将的四级工资。当时毛主席没有拿一级工资，只是拿二级工资，所以元帅拿三级工资，大将拿四级工资，上将拿五级工资。最后在许光达的坚决要求下，自行降低一级工资，所以他是大将当中唯一的和上将一样拿五级工资的。从这里也可以看出许光达确实是一位高风亮节的共产主义战士。在新中国成立以后，许光达任装甲兵司令，所以他评为大将不光代表着二方面军，还代表了装甲兵作为我军稀缺兵种的重要地位。

|中国工程院产生首批院士|

1994 年的这一天，中国工程院产生首批院士。这在中国历史上很重要，因为新中国一直以来都是通过科学院来评院士。工程科学家长期以来在科学院里非常受排挤，大家总觉得做工程的人没有学术上的重大的理论性突破，但正是这些人，用理论真真实实地设计出飞机、造出轮船、盖起大楼。1952 年开始，清华的文科和理科都并到了北大，变成了以工科为主的大学，清华始终在抱怨这件事。比如在科学院数学所，你只要有理论上的学术贡献，发表了论文，就可以评院士，有的人甚至算出一道题来都能成为院士。可是那些以清华为首的做工程教育的科学家，与以原国防科工委为首的正儿八经做原子弹、做两弹一星、设计中国飞机的科学家，经历了那么多艰辛、拼命做工程，只因为核原理不是他们发现的，他们就永远都评不上院士。

后来在大家不停地鼓励与推动下，六位当时中国科学院的顶级工程类院士，其中包括我的外公——张维院士，集体发起倡议，建议国家成立中国工程院，单独给工程科学家授予最高荣誉。我外公对我说，在中国，建筑师最难做院士，因为只是设计了一堆建筑，没有理论性突破。当时想把戴念慈先生评为院士，但是后来戴先生去世了，所以他死后才当成院士。终于在 1994 年，在这六位老院士的倡议下，国务院最终批准成立中国工程院。在 1994 年的今天，中国工程院产生了首批院士。从此那些设计飞机的、做两弹一星的，为国家的发展做出那么多贡献的工程科学家，都可以扬眉吐气地拿到院士的最高荣誉。

我可以说是出身于院士世家，我的外婆陆士嘉还创下科学院历史上唯一辞去院士候选人资格让位给年轻人的纪录。今天的院士已经远远没有解放初期那一批院士来得货真价实了。1955 年只有两百多位院士，到 1981 年也就增选了近两百人，到后来院士的人数开始泛滥。而且随着整个中国社会的变化，院士的评选过程中也出现了很多不尽如人意的地方，也有很多不光彩的事情，个别人为了当院士，用尽手段。在中国，院士的待遇相当于副部级，坐飞机不用安检，能直接进头等舱。一个大学有多少个院士，决定着自己大学的排名，以及能搞来多少科研经费。因此大学也都在为自己的教授争院士。

6月4日

《晓松说——历史上的今天》来到了 6 月 4 日。1940 年的这一天，著名的敦刻尔克大撤退结束；2002 年的这一天，中国男子足球队首次出战世界杯；1928 年的这一天，奉系军阀的首领，也是当时北洋政府的元首——张作霖去世。今天还是大美女安吉丽娜·朱莉的生日，生日快乐！

| 中国男足首次出战世界杯 |

2002 年的这一天，中国男子足球队史无前例地出现在了世界杯的决赛圈赛场上。我们第一个面对的球队是著名的哥斯达黎加队。哥斯达黎加队对我们来说算是一支强队，怎么看出来是强队呢？当时世界各大博彩公司竟然开出一个盘口，哥斯达黎加队让中国队一个球。这个盘口的意思就是如果你下的是中国队，那中国队打平你就赢了；如果中国队 0 ：1 或者 1 ：2 输一个球等于不输不赢；只有哥斯达黎加队赢中国队两球，你才输钱，这个就叫作让一球。从盘口就说明他们都觉得哥斯达黎加队能赢咱们中国队。于是像我这种爱国的、奋勇的中国人，一定会下中国队。结果中国队 0 ：2 输给了哥斯达黎加，我们是

输了球，又输了钱，非常生气。

紧接着中国队下一场对巴西队。当时的盘口是巴西队让中国队三个球，我又毫不犹豫下了中国，我就想人家巴西干吗要进那么多啊？结果我又输了。最可气的是他就踢你4：0，正好比盘口多一个，还不如踢个6：0呢，非常生气。

再下一场是中国对阵土耳其，盘口开的是土耳其让中国队两个球。当时还有另外的赌盘就是赌甭管输多少，中国队能不能进一个球。我想这回中国队怎么着也得勇敢一点儿吧，好歹咱也得进他一个球。我也下了注。结果中国队在世界杯三场比赛竟然一个球也没进，并且土耳其踢中国3：0，这纯粹属于大家在玩中国队嘛！每场比赛都比盘口多进一球，下中国队的全场皆输。我想这肯定不是中国队在配合盘口，中国队的技术还轮不到去配合。主场的盘口就是人家在配合，人家想踢你几个就踢你几个，于是每次就比盘口多进一个球。

从此之后，中国队再也没有进入过世界杯决赛圈。那一届中国队进世界杯，其实是赶上了一个非常好的契机，当时是日韩同时举办世界杯。东道主队不用参加预选赛，直接进入决赛圈。于是在亚洲区预选赛的时候，就少了日、韩两个强队，我们才闯进了世界杯，结果0：2、0：3、0：4，就这么让人家给踢回来了，实在让人寒心！

|敦刻尔克大撤退结束|

二战刚开始的时候，德军可以说是天下无敌。德国军队向法国军队开战的时间是1940年的5月10日。谁也没有料到德军主力竟一路向西猛攻，横穿比利时与法国北部平原，仅用了十天时间就抵达英吉利海峡，将英法联军后路切断；又只花了五天时间就将其包围在敦刻尔克海边，英法联军三十三万余人不得不于5月26日至6月4日乘船撤往英国。当英军全部撤走、荷比两国先后投降后，法军单独组织的魏刚防线只守了三天，就被德军全面突破。在巴黎大门洞开、法军败局已定的情况下，法国不得不于6月22日屈膝投降，此时离开战只有一个多月，号称世界第一陆军强国的法兰西就这样转瞬之间崩溃了，全世界为之震惊。

德军在这个时代可以说是名将辈出，整个二战时期德军最重要的三大名将——古德里安、曼施坦因以及隆美尔，都是在这一轮向法国海岸突击中脱颖而出的。他们个个出色又各有所长：曼施坦因制订进攻方案，古德里安指挥装甲部队，而隆美尔则一路冲锋在前。相比之下，隆美尔的地位最低，只是一个师长。但是在这次战争中隆美尔表现突出，当时德军几十个师向前突击，隆美尔率领的装甲师一马当先冲到了海边，在众师长中脱颖而出。隆美尔从师长一直做到了元帅。

当时德军不仅战术先进，理论也先进，称得上是有理论、有实践、有装备、有将领，所有打胜仗的要素一切具备，而且打过波兰，积累了大量的战争经验。而法国这几样都没有，虽然法国有几百万大军，坦克并不比德国少，但是坦克都分散到步兵手里，被当作防御用。战争理念非常落后，而且是由七八十岁的、参加过一战的将领指挥。法国当时不但没有先进的战争理论，也没有什么名将指挥。所以说敦刻尔克大撤退对于英法联军来讲已经算是幸运的了，如果不是德国戈林的空军逞能托大，在敦刻尔克战场上德军其实完全可以歼灭对方。

德军紧接着掉头进攻苏联，打了许多次极其漂亮的大规模的围歼战。在敦刻尔克战役中德军本来也想就地歼灭英军，但当时英国出动的舰船特别多，英国当时全国人民都拼了，皇家游艇、富人的游艇、穷人的渔船，以及军舰、商船、各种舢板全都出动，能撤出多少人就撤出多少，就差拉一个救生圈游过海把英军给拉回来了。最后英国撤出了全部的远征军，总共有三十多万人，在这些远征军中有三分之一是法国人。这支法军撤到英国才有了后来的自由法国，才有了戴高乐，才有了后来参加大反攻的那支法军。因为当时大部分法国军队都投降了，这支撤到了英国的法军，就是后来在反攻的时候，到北非、到欧洲作战的法军主力。

张作霖去世

北伐其实主要就是伐张家。北伐的时候，在北方的各派军阀中，最强大的就是奉系。一开始直系军阀是最强大的，奉系的实力还差一些，吴佩孚、孙传芳、曹锟等人都是直系。但是直系经过几次分裂，最重要的是在直系的部队中一个叫冯玉祥的人直接在直奉战争中倒戈了，导致直系的实力大降，从此以后就变得越来越弱了。后来奉系就变得越来越强大，与冯玉祥一起占据了北京。

那个时候北方打得一塌糊涂，最后直奉又联合起来把冯玉祥的国民军打跑了，一直打到内蒙古的五原。那个时候还不叫内蒙古，叫绥远。当时直系在南边还有一点儿地盘，北伐开始的时候，我们讲得最多的就是打孙传芳、打吴佩孚，打吴佩孚的是叶挺的独立团，都是共产党员。但是实际上在南方的孙传芳、吴佩孚等，都不是整个北洋系统中最强大的。那时直系的军队都已经残破了，或是刚被人打败的残兵如吴佩孚，或是刚崛起没两年的新手如孙传芳，真正强大的是当时的奉系。

当时张作霖的奉系也是内忧外患。内忧就是这边有北伐军，而且当时的北伐军已经不光是南方来的北伐军，还多了从西边绥远过来的冯玉祥的军队，也就是西北军。当时西北军先打到西安，后来又打到河南北上。而人称山西王的阎锡山此时也加入了北伐军。所以第二期北伐的时候，不光是南方的国民政府的军队，还包括了冯玉祥、阎锡山的军队，那时的奉系可谓"墙倒众人推"。

北伐军对奉军一通打之后，奉军的外患又来了。日本人当时看出了奉军的处境，就问张作霖，你要不要我支持？你如果要我支持，我在青岛就有驻军。一战之后，五四运动就爆发，就是因为当时中国政府把原来德国在山东的权利都让给了日本，所以日本在山东有驻军。日本当时就跟张作霖谈，你看，这北伐军就快到山东了，山东一过就到了河北，要到京津了，那样你就完了；如果你答应我的这些条款，我就立即出动山东的日军帮你。后来在济南爆发了"五三惨案"，日军大批屠杀国民政府的外交官，非常残忍，割耳朵、挖眼睛、割舌头等，日军就是禽兽。当时日军有一个条款，说如果你答应我的条件，我立即保住你，还能支援你这个，支援你那个，但日军其实并不是真正要帮张作霖，而是要逼张作霖就范，所以张作霖当时坚决不同意。

张作霖虽然是土匪出身，但是他是个有气节的中国人。北洋系统都是一些旧军人，这些旧军人当然有很多反动的地方，比如说比较封建，他们会娶几个姨太太，但是旧军人有旧军人的气节。在整个日军北洋系统里，真正跟日本人合作的军队将领几乎没有。日军占领了北平后，让吴佩孚出来做华北伪政府的首脑，他坚决不同意，后来被日本人暗杀了。对于日本提出的条件，张作霖坚决不同意，大骂了日本人一通，跟日本人各种拍桌子瞪眼，到最后张作霖说："我不打了还不行吗？我坚决不接受这些条件。我回家了，回沈阳。"

这日本人一看，好你个张作霖，你还不听我的，给脸不要脸，于是就决定去暗杀张作霖。暗杀这件事是有争议的，有的说是国民政府干的，有的说是日本人干的，但是后来公开的一批日本机密文件最终确定暗杀是日本人干的。当时张作霖坐着慈禧太后的专列从北京回沈阳，从北京回去总得捞点儿东西走，虽不至于把整个故宫的东西都拉走，但是至少列车上得带点儿值钱的东西。当时日本人就在专列要经过的皇姑屯站放了炸弹，等列车到了皇姑屯的时候，日本人引爆了炸弹，想要把张作霖给炸死。

张作霖临死之前说："赶快把小六子给叫回来！"这就相当于他的遗嘱。张作霖有八个儿子，张学良排行老大，小名却叫小六子，张学良在张作霖所有的孩子中最具雄才大略，张作霖很信任他，二十岁就让他做将军，一直统兵作战。所以在张作霖被炸后，就立即通知张学良说："大帅不行了，你赶快回沈阳继位。"张学良后来秘密回到沈阳，在他回来之前，张作霖被炸死的消息一直都被封锁着，秘不发丧。每天都请很多医生进进出出张作霖的住处，还散出很多消息说大帅还能说话，给他做各种他爱吃的东西……

当时日本派出许多间谍都在那里看着，也被唬住了，以为张作霖没有被炸死。其实当时就是为了稳住东北的政局，才制造了各种假象，让人觉得张作霖还活着。直到张学良秘密地回到沈阳，才开始发丧，之后张学良继位，成为奉军统帅，张学良从此主政东北。主政后张学良做的第一件事就是停止内战，他把北洋的五色旗降下来，升起了青天白日旗。中国实现了名义上的统一，史称东北易帜。

|安吉丽娜·朱莉生日|

在安吉丽娜·朱莉和布拉德·皮特的孩子出生的时候，整个美国的狗仔队

都快疯掉了，就为了得到一张孩子的照片。这个孩子刚一出生，有媒体就说谁能弄到这个孩子的第一张照片，这个说我出四百万美元买下，那个说我出五百万美元，接着又有人说出六百万美元，一路飙下去。到最后所有的狗仔队都拼了，如果拍到了这张照片，那我这一辈子就够活了。最后安吉丽娜·朱莉的经纪人自己找上门来，对杂志社说："你也不用这样找人拍了，我们自己把照片拍好给你，你给多少钱？"这个杂志说给一千三百万美元，差不多相当于她一部电影的片酬。

我当时都看傻了，心想怎么一张孩子的照片会值这么多钱。不管是在中国还是在美国，我都不会关心一个刚出生的孩子长啥样，因为刚生出来的孩子根本也看不出来什么长相。但美国人民可喜欢娱乐八卦了，听说出一千三百万美元买照片的那个杂志，真的就将孩子的照片登在了封面上，结果这期杂志卖了四百万份。美国的杂志卖得很贵，四百万份，这份杂志也发了。可见美国人民有多闲得慌，没事干的时候就想先看看人家孩子长什么样。

6月5日

《晓松说——历史上的今天》来到了6月5日。在2004年的这一天，美国前总统里根去世；1942年的今天，中途岛战役决战。

|里根去世|

近年来在美国媒体举办评选美国人民心目中最好的、最值得怀念的总统时，里根总统始终都排在最前面。他能跟华盛顿总统、林肯总统、罗斯福总统齐名，甚至排过前三名，可见美国人民对里根总统的怀念。里根上台的时候，西方正处在低谷时期，美国刚刚经历了越战，导致整个社会大崩盘，人民怀疑政府，怀疑体制，甚至怀疑西方价值观，经济也发展不下去。当时，欧洲刚刚经过左派执政的20世纪70年代，更是一塌糊涂。与此同时苏联却越来越强大，航母下水，核武器远超美国，苏联当时拥有七万辆坦克，远超美国的一万两千辆。美国外部面对苏联的战争威胁，内部民心涣散、士气低落，可谓身陷内忧外患之中。

这个时候，欧美各自出现了两位强大的领导人，美国这边是里根，英国那边是撒切尔夫人。里根在美国人的心目中是一个有主义、有能力、有理想、有信仰的总统，里根执政的那八年成为美国战后最好的一段时期，人民重新建立信仰，国家重新找回荣誉感，军队被重新武装起来，美国经济翻身向前进。在里根的带领下，美国又重新建立起跟苏联对峙的勇气。共和党本身就很强势，里根又是共和党里少见的强硬右派人物，所以在他这八年的治理下，美国不断繁荣富强，而且最终拖垮了苏联。

苏联解体的时候，里根已经卸任了，因为美国总统只能连做两届。但是里根总统卸任以后，美国人民出于对里根总统的信任，直接把他的副总统老布什选为总统。在美国这是很少见的，因为副总统本来就没什么事干，所以也没什么政绩。副总统唯一的作用就是总统突然去世时继位。罗斯福总统去世以后，当时的副总统杜鲁门继任总统。接着杜鲁门又在下一届总统竞选中胜出，正是由于大家对罗斯福总统的信任，才愿意让杜鲁门延续他的政策。所以说只有出现非常杰出的总统，副总统才有可能这样去继任。

老布什总统并没有什么雄才大略，当副总统之前也没有做过民选官，其实只是公务员出身，这样的人当选总统在美国历史上是很少见的。大部分美国总统以前都是州长或是参议员，州长和参议员都是选民投票投出来的，里根原来是加利福尼亚州州长，是加利福尼亚很少的共和党州长。加利福尼亚州是民主党大本营，很少会有共和党当选州长。正好巧了，加利福尼亚州曾经的两个共和党州长里根和施瓦辛格都是演员出身。

里根在做州长之前，曾经做过演员工会的主席。演员工会是美国最强大的工会之一，演员工会一罢工，好莱坞就崩溃。编剧工会罢工其实没事，只要以前储备了剧本，就不耽误生产。而演员要是一罢工，行业就彻底停摆。里根其实是三流演员出身，戏演得一般，但是他乐于服务大家，大演员都忙着演戏挣钱呢，谁也不愿意当工会主席，而里根只演过几部小戏，我还看过很多片段，都是那种打扮得油头粉面，经常被女主角打一大嘴巴，要不然就是那种拉链拉不上的角色。就是这样一个三流演员，却展现出非常好的政治眼光和组织能力，成为美国演员工会的领导者，后来当选为加利福尼亚州州长，把加利福尼亚州治理得非常好，最后当选了美国总统。

里根有一句名言，叫作"不是枪杀人，是人杀人"，是他在遭遇刺杀时说的

Today

in History

一句话。里根被刺杀其实跟政治毫无关系，那刺客哥们儿有病，他看了一部非常著名的曾经获得奥斯卡奖的电影——《出租车司机》，电影中有一个非常漂亮的雏妓，由年方十四岁的朱迪·福斯特演的，就因为影片中的这个出租车司机要去刺杀总统候选人，她爱上了这个出租车司机，这是电影里的情节。看完这部电影以后，这哥们儿爱上了电影中的女主角朱迪·福斯特，他就想我怎么才能被朱迪·福斯特注意到呢？于是就想到用刺杀里根总统来博得尊敬和爱情。这个刺客完全就是个精神病。他打中了里根右胸一枪，保镖扑在里根的身上被打死了，在这种情况下，里根说"不是枪杀人，是人杀人"，以支持美国人民持枪的权利。

里根来中国访问时，去西安看秦始皇兵马俑。参观秦兵马俑，一般是不让人下到坑里去观看的。但是里根总统身份特殊，特例让他下到坑里去看。里根于是就拍了拍马屁股，拍了一张照片，后来发表在中国香港的报纸上，标题就改成了"里根在拍中国马屁"。

里根去世以后，他的夫人南希依然受美国人民的崇敬。在一些重要的时刻，只要南希上台，全场都会爆发出经久不息的热烈掌声，这个掌声其实是送给里根总统的。纪念里根，他结束了人类最大的噩梦——冷战！

| 中途岛战役以日本惨败告终 |

中途岛战役日本失败主要有这么几个原因：

第一个失败的原因就是联合舰队的司令官山本五十六轻敌，这也是中途岛战役失败的最重要的原因。实际上如果当时的日本舰队全部出动的话，实力远远超过美国舰队，不管对方用什么阴谋诡计战术兵法，都不可能打赢。在战争中实力是第一重要的，尤其是海战，陆战还可以草木皆兵，还可以弄个沟、弄个坎，在大海上作战，实力够的话，任何时候都不会败。但是山本五十六轻敌，他当时想打一场空前大战役，就把庞大的舰队分成了五支，两艘航母去了阿留申群岛。阿留申群岛是阿拉斯加下面的一个群岛，战略地位无足轻重。而且山本五十六自己居然率领主力舰队在离中途岛一千多公里的地方等着，其中包括世界上最强大的战列舰"大和"号。如果这些战列舰都跟在南云舰队旁边，做防空掩护，不管怎么打，日本也不会四艘航母都被击沉。南云忠一舰队的护航编队并不强大，而强大的山本五十六的主力舰队和机动舰队都离得很远。开战的时候美国实际上只有三艘航母，而强大的日本舰队却被分开再分开。不管是海战还是陆战，分散兵力都是兵家之大忌。这是日军失败的最根本的原因。

第二个失败的原因在于指挥中途岛海战的南云忠一中将优柔寡断。不知道为什么山本五十六那么喜欢南云忠一，其实日本海军里将星如云，山本五十六本人就是一位非常优秀的将领。美国那么容易就能恢复使用珍珠港，就是因为南云忠一优柔寡断。当时日军有的是炸弹，完全可以继续轰炸珍珠港的油库，而美国太平洋舰队和航空兵已经完全丧失了战斗力。海军的军舰、航空母舰等要消耗大量的油，南云如果把珍珠港的油库炸了，那美军至少在一年半载之内用不了这个基地，也就不会出现从珍珠港出发的这些航母舰队。南云当时疑心太重，心想珍珠港里没有美国航母，是不是美国的航母都躲在什么地方还没冲过来，算了，咱们赶紧走吧，炸沉几艘战列舰，任务就算完成了。

这次在中途岛南云又优柔寡断了。航母之间作战，要是打军舰的话，舰载机是必须挂鱼雷的；如果要炸机场，舰载机就要挂炸弹。南云先让舰载机挂好鱼雷，等着发现美国航母，结果半天也没发现军舰，于是就把鱼雷都卸下来，直接放到了甲板上。然后又往舰载机上装炸弹，装完炸弹就准备去炸中途岛，这个特别奇怪，中途岛它跑不了，也不会躲起来，没什么大威胁，你干吗要去轰炸中途岛啊？南云偏要给舰载机挂上炸弹去轰炸中途岛，可是突然又发现美国航母了，于是就又把炸弹都卸下来，再把鱼雷装上，结果甲板上到处是鱼雷和炸弹。当美国轰炸机从高空轰炸的时候，一颗炸弹下来，就引爆了甲板上所有的鱼雷和炸弹。日本当时有世界上最大、最先进的航母，先是三艘航母乒乒乓乓地跟爆米花一样，被自己满甲板的炸弹、鱼雷给炸沉了，剩下最后一艘稍微反击了一下，击沉了美军的一艘航母，最后也被美军击沉，所以中途岛海战日本大败，日本四艘航母全部被击沉，而美军只损失了一艘航母。

日军最终必然失败还有一个根本的原因是日本的工业能力跟美国完全不能比。当时美国整个东西岸全都在造航母，整个太平洋战争期间美国光大型航母就造了二十四艘，而日本只造了三艘。在这次海战中日本除了损失了大量的航母，还有随着航母一起沉下去的那些精英飞行员，这个损失是更难弥补的。美国国内有几十万有飞机驾照的老百姓，飞行员牺牲了迅速就能补充上来，而日本当时连会开车的都没几个，哪儿来那么多飞行员能够迅速补充到战场上？

日军的失败还有几个小原因。其中一个是美军破译了日军的密码，掌握了日军的行动。再加上日军还有一件倒霉的事，其实当时日军已经发现美国舰队，可侦察机电台碰巧坏了，没法及时向上级报告，只好飞回来报告，耽误了战机。中途岛海战是整个太平洋战场上的一大转折点，从那之后日本就开始走下坡路。

6月6日

《晓松说——历史上的今天》来到了6月6日，今天这个日子很吉利啊！熟悉战争历史的朋友应该立刻就能想起来，6月6日是诺曼底登陆日；再有就是1916年的这一天，袁世凯去世。

|诺曼底登陆日|

关于诺曼底登陆很多人都看过电影和纪录片，电影的名字翻译得也挺好，叫《最长的一天》，这一天确实是二战中最漫长的一天。诺曼底登陆确实是人类历史上规模最大、最复杂的一次战役，因为登陆战本身就是组织最复杂的、不确定性最大的战役，在各方面都这么复杂的战役中，诺曼底登陆集中了当时人类历史上规模最大的陆海空军、空降兵、海军陆战队。

诺曼底登陆之前的故事很有意思。1941年年底，日本袭击珍珠港，美国同时向德、意、日宣战。关于为什么同时向德、意、日三国宣战，到现在为止都有好多人相信这是个阴谋论。美国打日本是为了报仇。当时珍珠港那儿竖着巨大的牌子写着"Kill Japs"（杀死日本人），Jap 是美国人对日本的蔑称，相当于我们说"日本鬼子"。

可是对于德国，大家并不知道为何而战。知道为何而战这个是最重要的，你有素质再高的军队，有再好的武器，但士兵不知道为何而战，战斗力就会下降很多。更重要的是美国是一个移民国家，德裔是美国的第二大种族，据说美国 1794 年众议院投票官方语言，德语只差一票就成了与英语并列的美国官方用语。所以德裔在美国本来就很强大，而且德裔的军官当时在指挥整个欧洲战区，诺曼底登陆的最高指挥官、欧洲盟军总司令艾森豪威尔将军就是德裔，二战美军在太平洋战场上的总司令、海军五星上将尼米兹也是个德裔，可见在美国德裔有多厉害。

美国有这么多德裔，德国又没招美国，大家就问为什么非要和德国去打呢？美国当时一开战就定下了国策，要先欧后亚，就是主要的军力、主要的装备都要先满足欧洲战场，连日本都排在了第二位。德国又没招你，反而变成了美国的头号敌人。诺曼底登陆之前，美国人民还不知道德国集中营屠杀犹太人，当时就只说纳粹不太好，打我们英国表哥，然后就去帮忙了。为表哥打架这事本来就很牵强，而且这表哥以前还曾经殖民过美国，独立战争中打的就是这表哥，所以美军打德国的勇气显然不够。

美军在英国时，普遍觉得去和德军打仗就是去送死。当时其实美军并没有怎么打过仗，而德国可谓是身经百战，1944 年诺曼底登陆的时候，德国已经打了波兰，打了法国，打了英国，打了苏联，尤其在苏德前线，战事异常激烈，简直可以称得上是人类历史上最凶猛的战役，德国一会儿歼灭苏联一个六十万人的重兵集团，一会儿又歼灭一个七十万人的方面军。当时美军每天看着各种报纸，然后想，我的天哪，拿着枪训练了半年就上去跟穷凶极恶的德军打仗，大家一想就觉得心里特别悲剧，于是就开始在英国花天酒地。

英国人非常幽默，伦敦被轰炸以后，他们乐观地面对空中来的炸弹，做了各种牌子冲天举着，牌子上面写着"今天这里还有香肠"之类的。那个时候英国有"灯光管制"的政策，这是因为德国轰炸特别厉害，伦敦就被轰炸过很多次，考文垂几乎被夷为平地，所以英国一到晚上是不能开灯的，因为一开灯，大城市就能被空中的飞机看到。灯光管制下，整个伦敦都黑灯瞎火的，那妓女怎么办呢？于是妓女就拿着火柴站在路边，看到有人来，先听人说话口音，因为美国士兵的薪水是英军的两三倍，所以妓女要先听说话的口音。一听英国口音，就知道这个不行，没钱，一听美国人来了，马上划根火柴让人家看看自己的长相。这划火柴也是有讲究的，脸长得好看的，就划根火柴照脸，岁数大但腿长的，就划根火柴照照腿，反正是哪个部位好看，就拿火柴照哪儿。

美国大兵的待遇高，供应又好，当时每人每天有两包烟，美军还会定期发放香艳的照片满足一下这些士兵。当时的美军士兵在英国疯狂喝酒赌博，大家认为反正这些钱也没什么用了，如果不在英国花光，只要一到法国的土地，跟德国一打，自己就完了。以至于他们所有的财产都不带在身上，最后随身携带的就剩一个狗牌。美军特别有意思，他们为了阵亡以后能够认出来谁是谁，就每个人挂一个狗牌，不管你最后被炸成什么样，哪怕就剩一截了，只要能看见那个狗牌，就知道是谁了。这狗牌就是军人墓地上挂着的东西，除了这个他们什么都不带，大家钱都花光赌光，然后就上船准备登陆了。

上船的时候美军还发生过很激烈的动摇。气象学家当时已经尽了最大努力去预报天气，说这个月只有两三天，月光和潮汐都利于登陆。于是这十七万六千名盟军就都上了船。（参加诺曼底战役的盟军总兵力多达二百八十八万人，其中仅陆军就多达一百五十三万人，而参加6月6日第一批登陆的部队则有七个师共十七万六千人，来自美、加、英三国。）军队一旦上了船就不能下来，因为不能让德国人预先得到情报知道盟军的行动。这个时候的情报多么重要，十七余万军队都要封住口，大家都不能往家里写信说我在干吗、我在哪儿、明天要干吗。美军也不知道自己的行动计划，只能每天喝酒，不知道哪天会上船，反正也许就是明天，就跟判了死刑不知道哪天被执行一样。

终于上船，气象学家又说可能马上会有风暴，于是盟军的统帅部开始犹豫："那怎么办呢？如果有风暴，登陆的事情肯定要失败；如果再等，就不知道多少天过去了。"当时十七余万名士兵已经上船，军官已经知道目的地，再下船所有计划就都有可能暴露。之前还一直迷惑德军，说要在加来登陆，为此美军把德军最害怕的名将巴顿都派来了。巴顿曾在意大利战场、北非战场屡立奇功，德国人对他特别敬佩。为了迷惑德军，还专门在加来海对面给巴顿弄了一个假的集团军群，还弄了个司令部，以及木头的、橡胶的假坦克。

可是现在大家都已经上了船，大家都知道要去哪儿了，再下船那就完了。最后盟军只能赌了，泄露机密以后再打，那就会牺牲更多的人，即使有风暴，大家也得拼了。艾森豪威尔最后下定决心说就今天出发，胜负在此一举！

十七余万名盟军就此出发。那天实际上并没有出现大风暴，登陆的时候也远没有美军想象中的那么可怕，因为实际上德军在西线的部队全是在东线被打残了来西线休养的残部。当时德军总共有三百零二个师，其中一百七十九个师集中在东线苏德战场，五十九个师在西线法国，其余的六十四个师则分散在意大利、巴尔干与挪威等广大地区。德军的精锐部队都在东线与苏军激战，每被打残一个师就拉到西线去休养，同时西线也担负着防御任务，然后补充兵源。等休养好了，兵源也补充足了，又从西线拉出来去东线打。德军在加来沿海有二十七个师，而在诺曼底沿海只有六个师。德军中了盟军声东击西的计谋，把重兵集中在加来地区准备抗击子虚乌有的巴顿将军的登陆部队。再加上那天德军都在休假，连总司令隆美尔都在休假，德军的整个指挥系统及各方面都非常混乱，另外盟国的空军又完全掌握了制空权。所以尽管电影里拍的战斗很激烈，实际上只有一两个海滩爆发激战，大部分地方还是比较顺利地登陆了。盟军登陆之后，也就和德国人打了那么一两个硬仗，最后盟军可以说是势如破竹。

当时整个欧洲由于战争物价飞涨，通货膨胀非常严重，欧洲的纸币几乎变成了废纸。而绿了吧唧的美元则成了最值钱的硬通货，到后来不但美元是硬通货，连美国士兵身上带的骆驼烟也成了一种硬通货。拿一根骆驼烟就能买好多东西，拿两根骆驼烟基本就能够带走一个女人，拿一包骆驼烟就能够拿走一幅古画，都到了这种地步。所以那些在英国把钱都输光的美国兵后悔死了，原来我没死，原来还有这么美好的欧洲。后来在欧洲大陆发现了德国集中营，发现了德军的暴行，巴顿将军立即下令让所有的美军军官、士兵轮流来参观，大家看到德军的这些暴行以后才知道原来纳粹是反人类的，对人类犯下了这样的罪行。当时犹太人在美国有非常强大的势力，美国的三大广播公司、报纸几乎全都掌握在犹太人手里，一看到这个，美军的宣传机器马上开动，美军所有的官兵都知道了为何而战，直到那时美军才开始树立起奋战的决心。

|袁世凯去世|

从比较公正的角度来看，袁世凯的早年经历算得上一个比较励志的故事。袁世凯没有参加过科举考试，完全是行伍出身，后来达到这种地位，跟他本人的才华有很大的关系。袁世凯在人生最重要的时期也确实做了一些好事，客观上为中国的近代化做出了一些贡献。譬如他编练新军，创立了现代化的军事制度；废科举兴学堂，建立了现代化的大中小学教育制度；成立邮传部，提倡与奖励民间兴办工商实业；设立巡警，引进了现代化的警察制度……这些都是袁世凯在清末新政时期亲手抓起来的，在客观上有利于中国的近代化。当然袁世凯最大的贡献是逼迫清帝退位。在孙中山领导的辛亥革命已成燎原之势的历史关头，袁世凯的这一举动无疑大大加快了清廷灭亡。清帝退位也意味着中国延续了上千年的封建帝制宣告结束。所以连孙中山在当时都非常肯定袁世凯的这一举动，为此辞去临时大总统的职务，让位给袁世凯。当然袁世凯在晚年也确实犯下很多罪行，但是我个人觉得对袁世凯这个人的功与过还是应该客观地看待。

6月7日

《晓松说——历史上的今天》来到了 6 月 7 日，今天是高考日，祝各位考生旗
开得胜！ 1981 年的今天，以色列轰炸了伊拉克核设施。

| 中国高考开考日 |

首先，预祝各位考生旗开得胜，马到成功！对于高三学生来讲最重要的就
是高考这两天，把这两天坚持过去，人生就海阔天空了！但是我这么一说，就
已经觉得这里有问题，人生就赌这两天，这想起来就有些不公啊。长长的人生，
如果这两天突然生病了，人生就堵在这儿，没有回旋的余地了。这确实是很残
酷的一件事情。

我们那个时候高考是考三天，当时需要考七门，第一天考两门，第二天考
两门，第三天考三门，晚上要考一门生物。这么长时间的考试确实让人很头疼，
大家当时都快要疯掉了。我到现在还能特别清楚地记得高三的状态，当时真可
以说是到了用"头悬梁、锥刺股"都不能形容的程度。我们那个时候背书已经

背到什么样了？在高考之前我们都已经不是你问问题我来回答，而是直接就问："嗨，政治书第三页第五行说的什么？"

高考对中国学生来说可谓是千军万马过独木桥。我那个时候还好，因为我当时所在的中学北京四中是重点中学，是全北京最好的学校，所以我的高考还算轻松。但是跟我们同考场的另外一个普通学校的同学就特别悲惨，当时是两个学校的学生打散了把考场排在一起。我记得大家第一天考数学，数学又特别容易，我们北京四中的学生差不多都是四十分钟、一个小时就把卷都交了，然后就出来吹牛，比谁先交卷。当时年轻气盛，又特别虚荣。于是老师就给我们开会，说你们不许提前交卷。结果第二天考试，我们做完了也不敢交卷，但又怕其他同学不知道自己做完了，于是就开始东张西望，打哈欠伸懒腰……意思是告诉大家我做完了。最后老师说，你们做完了还是交卷吧，这给普通学校的学生确实带来了很大压力。

分了重点中学和非重点中学，但最后大家还要以同一种方式一起来考，这本身就是个问题。我记得当年我们高考的时候，我们班前十名都已经保送上了清华，剩下的才去参加考试。我本来也被保送了，但因为保送的是南方的大学，被我们家人发现了以后给撤销了，然后我才又去参加高考。我们班前十名都被保送了，在他们没有参加高考的情况下，最后我们高考的平均分竟然超过了清华录取线五十多分。为此当时的《北京青年报》还愤怒地写了篇文章，说：为什么要保送北京四中的学生，对他们来说，参加高考其实就像做课堂作业一样轻松，可是那些其他学校的优秀的学生、有特长的学生，却很难考上好的大学，为什么不保送他们，而去保送这些根本不需要保送就能考上大学的学生？

关于高考的这些讨论始终没有停止过，到今天也是，现在有了微博等各种各样的社交媒体，这种讨论就越来越激烈。我个人作为应试教育体制培养出来的受益人，说很多话当然会遭人骂，有人会说你是重点学校的学生，你是北京人，你是高考的受益者。在这儿给大家解释一下，我们那个年代的高考其实是全国统考，所以进清华的时候，至少我们北京四中的学生考的分数和其他当时最好的学生相比，并没有很大的差别，就是清华在北京招的人数比外地多一点儿。当然清华又解释了：因为清华当年是美国人用"庚款"办的，直接按照这个"庚款"各省分担的比例来分配各地录取学生的名额。当然后来对各省分配的名额又经过了一些调整，但是不管怎么调整，任何一个方案出来都会有人反对。

中国应该是世界上最早有考试制度的，科举考试延续了一千三百多年，而且一直在改良，一直在想怎么弄得更好。科举考试一开始也是不分区域的，结果后来考上的进士几乎全是江浙两省的。后来科举考试就分成了南北榜，南榜出一个状元，北榜出一个状元，因为当时北方人的学习成绩确实不如南方，分成南北榜就能够保证有北方人进到这个政府里，北方人了解北方，南方人了解南方，大家共同管理，才能管好这个国家。后来科举考试还分了满蒙榜，因为蒙古族和满族有各自的文化、各自的语言，分成满蒙榜就可以保证满族和蒙古族有一定的录取比例。还曾经在某个朝代分出了一个"官二代榜"，就是所有的官二代单独考试，以九十比一的比例录取，所有平民单考一榜。

中国的高考制度和西方是不一样的，美国就没有高考，但美国有 SAT 考试（学术能力评估测试）。其实在美国如果你要想上名校，那比中国的高考还要难，因为美国的名校在招生的时候，要看从小到大的所有成绩，包括中学成绩、小学成绩，甚至还有体育成绩，还要看你的人品。什么是人品呢？就是你为了长大上名校，从小就得去做义工，甚至要去非洲做义工。等招生的时候你要把所有的履历拿出来给大家看，来证明你这个人的人品好。所以美国的招生制度不像中国只通过高考一场考试决定命运，美国这种制度让你在考试中作弊没有意义，因为就算你一次考试作了弊，这次的分数高了一点儿也没用，他们要看你从小到大的整体表现。

美国的名校基本上都是私立大学。私立大学没有政府财政拨款，没有用老百姓的税收，也不是像大家想象的私立大学都是老板开的，他再有钱也不能把大学开好几百年，私立大学最重要的资金来源就是校友捐款。他们用校友的捐款成立一个基金，有个专门的投资委员会去负责这个基金的投资升值，这种投资升值碰上金融危机也会大大缩水，所以美国私立大学主要还是靠校友的捐款来运营。私立大学有自己的最简单的招生逻辑，他们对于要招一个什么样的人的想法特别简单，就是要招未来一定能成功、能给母校捐款的。对于这种招生原则大家也都说不出来什么，因为学校也没花纳税人的钱，经费全是校友捐的，他招生就是要招最好的。美国人也经常批评这些名校为什么要招那么多外国学生，招那么多中国学生。但中国学生的学习确实好，学校就解释说我这个学校是私立大学，不管他是哪个州的人，不管他是哪国人，只要他未来能够成为精英，他能够给母校捐款，我们就招。

所以在美国如果想上名校，也会非常辛苦，甚至比参加一次高考决定胜负还要苦。但在美国大家也可以有别的选择，我上不了名校，上一个普通的公立学校总是可以的，那我就不用费这么大劲了。美国有很多公立学校，公立学校还分三级，州大、州立和社区大学。好的公立大学也要高分，比如像加州大学伯克利分校、UIUC（伊利诺伊大学厄巴纳–香槟分校）、UCLA（加州大学洛杉矶分校）等。分数不高当然也有选择，可以上州立大学，再往下还可以上社区大学。如果你想上名校，那就去拼吧，从小到大一直拼，如果你不想那么辛苦，你就去上普通的公立学校。

科举时代人们也可以有不同的选择，你如果觉得自己不是那块料，可以选择不参加科举考试啊！因为参加科举考试的人毕竟是极少数，科举考试如果像今天的高考，全国的考生都跑到一个城市去考试，那长安城就住不下了。许多人没有做王侯将相的那种伟大理想，有的人想当个医生，有的人愿意当个木匠，有人就愿意种地，有人就愿意跟李渔似的在家待着写剧本写《闲情偶寄》，那就不去参加考试了。所以科举时代也好，西方也好，其实都还是给你一个选择的机会。但我想说，你要想上名校，要想出人头地，那全世界都一样，在科举时代你也得十年寒窗、头悬梁锥刺股，在美国你一样得从小努力到大，不但要学习好，还要严于律己，有一个好的人品才可以。

我觉得我们的高考制度有一点挺好，当我们没有那么伟大的理想，也没有那么清晰的目标的时候，那我们就去参加高考吧，因为中国的高考覆盖了整个社会层面，几乎不管你将来干什么，你都得先去参加高考上大学。在中国如果不参加高考，基本上就等于这么大一个社会把你抛弃了，只能在很窄的空间里生存。我觉得社会应该给人们更多的选择，我可以选择不参加高考，而是去学一门手艺，选择一个职业，让上不了大学的人依然有很大的空间来选择自己的人生。当今高考制度最大的问题就是覆盖的面太大，让大家没有选择，只能去挤这座独木桥。其实我们也可以有其他的理想，比如我喜欢音乐，我想当演员，但在中国这也得去高考，为什么学音乐也要高考，当演员也要高考？我觉得这个确实很成问题。

但话又说回来，在中国目前的情况下，我们暂且不说高考制度对整个社会的影响，就高考制度本身的运行来讲，我觉得还是公平的，因为它很难作弊。中国的高考基本上是延续了科举制度的做法，糊考卷、糊考号，判卷的时候看不见那个考生是谁，也不知道考号是多少。如果还想作弊，也只能让这个学校多提一些档，但提档也得按照分数线来，多提了之后打开一看可能还是没有你，你还是进不去。所以就整个制度的内部运行来说，高考制度目前在我们国家各个制度中还算比较公平。

| 以色列轰炸伊拉克的核设施 |

以色列是一个很神奇的国家，它在二十余个比它大得多的穆斯林国家的包围下顽强地生存到今天。以色列的法律规定，如果在餐馆吃饭，小孩儿不准临窗坐，临窗坐的必须是大人，以保护小孩儿人身安全，制度严格到了这种地步。我特别敬佩以色列犹太人这种韧性。犹太人两千年没有自己的祖国，除了到达中国的一支犹太人，流落在世界各地的犹太人都没有被同化。他们坚持了两千年，坚强地生存了下来，两千年之后，犹太人终于有了自己的祖国，所以不管是在以色列生活的犹太人，还是在全世界各国生活的犹太人都对以色列抱着极强的爱国信念，誓死要保卫祖国，因为这祖国是他们用了两千年才找回来的。所以以色列是个很神奇的国家，如果换了我，每天那么紧张地生活，简直受不了。

以色列全民皆兵，人们白天上班，下了班到更衣室里换上军装，晚上就背着枪出去巡逻，我就亲眼见过有不少女人也是这样。在以色列所有人都要当兵，每个人都要保证在开战的几小时之内，立即知道自己要去哪里集合、在哪儿服役、怎么上前线。五次中东战争已经证明了这一点。平时不打仗的时候，以色列也始终保持高度戒备的状态。因为以色列这个国家太小了，战略纵深极其浅，东西方向非常窄，一个炮弹就能从这头打到那头，南北方向被埃及和叙利亚这两大穆斯林国家一南一北夹着。东边上千里是与穆斯林国家约旦直接接壤，再往东一直到伊拉克、伊朗这些国家，全都是它的敌人。尤其后来阿拉伯国家越来越有钱，武器也越来越先进，以色列要同时用外交、军事、特工等各种手段，拼命保护自己的国家。

对以色列来讲最重要或者说最敏感的就是周围的穆斯林国家不能有核武器，因为其他东西我都能跟你拼，拼到鱼死网破也不会怎么样，以前的战争也都证明了这一点。不管怎么打，以色列后面还有美国犹太人支持着，在金钱、武器、政治、外交各个方面都可以支持，但是周边国家一旦有核武器，那以色列就真的完了，那就是灭国战来了。

伊拉克当时有了第一个核设施，那时伊拉克就相当于现在的伊朗，是地区的大型火药桶。以色列绝对不允许伊拉克有核设施，尤其不能允许一个好战的政府拥有核武器。1980年两伊战争爆发，伊朗和伊拉克都是好战的国家，以色列当时毫不犹豫地破坏国际法，只是觉得伊拉克以后有可能威胁它，以色列居然就派出空军，飞越好几个国家到了伊拉克。伊拉克和以色列不接壤，以色列的空军飞过去就把人家主权国家伊拉克的核设施全都给炸毁了。但美国政府偏袒以色列，在美国犹太人强大的庇护下，国际上也没有对以色列进行任何的制裁。以色列一直用美国最先进的武器，美国装备什么以色列装备什么，甚至以色列现在装备的F16-I，比美国装备的F-16C、F-16D还要先进。美国也需要在庞大的穆斯林世界有以色列这样一个桥头堡，实际上美国的武器研制出来都是以色列先用，然后根据使用中的各种经验再去改进，所以以色列有强大的改造武器的能力，永远是在战争中进行实战应用，然后美国再据之改进。

以色列空军素质世界第一，他们去轰击伊拉克的时候超低空飞越了好几个国家。当时沙特的雷达曾经发现了一架飞机，以色列的战斗机队形密集得就像飞行表演一样，翅膀接翅膀地挨着飞，于是雷达上显示的是一架很大的客机。当时沙特的那个航空管理站还问："你是谁？"以色列的飞机说他们这是什么什么航班。沙特的航管站就信了。飞行表演的时候飞机挨得非常近地飞行，但就表演那么几分钟是容易做到的，倒着飞、贴着飞都可以，可是如果真的要飞越好几个国家，飞行两三个小时一直保持这个队形，而且是在超低空的情况下，飞行员的素质得是极高的。最后以色列就这样毫发未损地完成了轰炸任务，一架飞机也没被击落，所有飞机都成功地返回了以色列。

也许以色列在未来的战争中依然采用特工暗杀、劫持、绑架以及这种相当于恐怖袭击的方式，但是在科技进步越来越快的今天，核武器的发展也越来越快，未来如果出现一个与以色列敌对的穆斯林国家拥有核武器，而且以色列没有办法去炸，那个时候以色列怎么办呢？所以和解是最重要的，应该用更多的政治智慧去解决这样的问题。实际上现在有一个穆斯林国家就有核武器，那就是巴基斯坦，幸亏巴基斯坦的这个核武器不是针对以色列的，而是针对印度的。即使在第四次中东战争中，几乎所有的阿拉伯国家全都团结起来，各国都主动上前线，巴基斯坦也没有正面跟以色列冲突，因为巴基斯坦跟美国一直是比较好的盟友，跟我们也是很好的盟友。所以它暂时不会对以色列造成威胁。

巴基斯坦虽然不会公开跟以色列对抗，但每次以色列欺负了阿拉伯人，欺负了穆斯林的时候，巴基斯坦的穆斯林也会在首都伊斯兰堡或者在卡拉奇举行大规模的游行，焚烧美国国旗，焚烧以色列国旗。所以也很难说是否会有从事核武器研究的科学家，出于穆斯林兄弟的感情，出于宗教的感情，把秘密泄露给其他国家。巴基斯坦研制核武器的核物理学家，就曾经把核武器的图纸泄露给另一个穆斯林国家，这个国家就是以色列的敌人。

所以高瞻远瞩的政治家一定会首先想到：走不通的路就不要走。今天核武器小型化，过去一个洲际导弹装一个弹头，现在可以装十个弹头甚至更多，最小的核武器已经小到手提箱大小。有这么强大的军队、警察的美国都难保被人袭击两下，以色列要是再在这条路上继续走下去就很难走通了。但是目前整个犹太民族还处在战争、激进的右翼状态，即使一个政治家有高瞻远瞩的思想，在这样一个民主的国家想当选还是得讨好选民。当年以色列前总理拉宾就是想和周边的国家和解，结果被犹太人自己给刺杀了。所以为了选票，这些政治家就只能强硬。我觉得这是未来以色列需要认真考虑如何去解决的问题。

6月8日

《晓松说——历史上的今天》来到了 6 月 8 日。1994 年的今天，中国科学院产生了首批十四名外籍院士。在同一年的同一天，乌克兰与俄罗斯达成了协议，瓜分了黑海舰队。还有一件小事很有意思，就是大诗人李白在这一天遇赦。

|李白遇赦|

历史上的今天，居然记载了李白遇赦的日子，可见这个大诗人在中国历史上是多么重要。李白被判流放，发配到了很远的贵州，李白感到这一去肯定就是"风萧萧兮易水寒"。从长安到白帝城，路途并不是很远，翻过秦岭后再走一阵就到了长江边，但是这段路李白走了好几个月。因为李白一路走，一路有人迎送。唐宋时候的人们重文轻商，非常尊崇文人，士农工商，文人被排在第一位。李白作为当时的大诗人，被全国人民尊敬，尤其是那些做官的。当官的都是通过科举考上来的，很多也都能写诗，其中著名的诗人王维就是当大官的，诗写得也很好。李白这一发配，从长安出来，沿途几乎所有的官员都以盛大的场面宴请。大部分是因为尊敬，因为惺惺相惜，大家一起喝酒、写诗，有一少部分可能也是为了获得李白的墨宝，以后留给孩子估计能卖钱。

李白去世的地方在安徽，他的病实际上是胃穿孔，估计就是经常这么喝大酒喝的。李白也确实是太爱喝酒了，还专门写了《将进酒》这样的诗，"五花马，千金裘，呼儿将出换美酒"，很有气势。李白在被流放的一路上有各种人欢送，喝了那么小半年，才到了白帝城，结果到那儿一看，赦免令先到了。

古代的时候，政府的重要文件都是走驿道，是非常快的。而李白是自己溜达，从长安到白帝城，他要走蜀道啊，"蜀道难，难于上青天"。到达了白帝城，本来还要被发配到当时蛮荒的贵州，结果到了白帝城一看，赦免了！于是李白心情大好，挥笔就写下了这首诗："朝辞白帝彩云间，千里江陵一日还。两岸猿声啼不住，轻舟已过万重山。"游山玩水了小半年，居然一天刑都没有服，就被赦免了，这太高兴了。这种事情搁在今天应该叫司法腐败。

|中国科学院首批外籍院士选出|

1994 年的今天中国科学院第一次选出了十四名外籍院士，包括杨振宁、李政道、丁肇中、吴健雄等，要么是最杰出的海外华人科学家，要么就是他们的学术贡献或研究和中国有很大的关系。

这里面大部分都是华人，但也有外国人，比如李约瑟，他对中国的科技史研究做出了重大贡献，编写了一部巨著——《中国科学技术史》。中国自古以来有众多写历史的人，写了各种各样的史，如《二十四史》《二十五史》等，民国时期还写了诗词史、文学史、小说史、建筑史。但是有些史却没有人写，中国的正史里从来不记述科技史，材料很难收集，再加上古代对科技的了解又不够，鬼神等乱七八糟的东西都掺和在里面，所以写出来很不容易。李约瑟是剑桥大学冈维尔－凯斯学院院长，用毕生精力研究中国科技史，很多中国的历史学家、科学家，包括在美国的历史学家黄仁宇以及李约瑟的终身伴侣鲁桂珍都参与其中，完成了一部巨著——《中国科学技术史》。从小这书在我家书房里放着占很大一块地儿，偶尔拿出来翻两页，觉得好长好长。

这些外籍院士当中包括三位诺贝尔奖获得者，也就是大家最熟悉的杨振宁、李政道和丁肇中。还包括著名的华人女科学家吴健雄，大家都认为她的贡献完全应该得诺贝尔奖，吴健雄是中国海外女科学家中的杰出代表。吴健雄曾经在普林斯顿大学做教授，普林斯顿大学是美国最好的大学之一，就是爱因斯坦曾经教书与搞科研的那个学校，她是普林斯顿大学百年来第一个女性教授。吴健雄在科学上的贡献有很多，其中最大的成就就是证明了杨振宁和李政道的"宇称不守恒定律"。"宇称不守恒定律"的提出是人类对自身、对宇宙认识的巨大贡献，杨振宁和李政道当时是先从逻辑上证明了这个定律，但他们并没有用实验证明，而吴健雄的贡献是用实验证明了这个定律的正确性。杨振宁和李政道因为提出"宇称不守恒定律"获得了诺贝尔奖，实际上他们三个人都应该得奖。首批外籍院士还包括华人田长霖，田长霖当时任加州大学伯克利分校的校长，也是美国名校聘请的第一位亚裔校长。加州大学伯克利分校是美国排名第一的公立大学。

由于家里的关系，我见过这些外籍院士中的五六位，现在想起来还感到非常荣幸。有一次，我曾经给杨振宁先生当司机。杨先生在中国享有很高的知名度，懂科学、学理工的人都尊杨先生为泰山北斗。杨先生在著名海外华人学者当中，应该是第一个被我国政府邀请回国的，杨先生得了诺贝尔奖，他回到祖国以后受到了国家领导人隆重的接见。我去旧金山接杨先生再回美国时，他已经离开美国很久了，已经在清华大学安了家，还娶了翁帆女士。就因为杨先生娶了一位年轻的女知识分子，有很多爱八卦、爱看娱乐新闻的人，在网上、报纸上拼命地炒作，风言风语地说一些八卦的事情。我看了以后觉得心里很不舒服，因为杨先生不是娱乐人物，也不是政治家，他在不违背任何道德、法律的情况下，自由恋爱，娶了一位崇敬他的女知识分子，结果在网上被炒作成这样，而且不光是在大陆，台湾那边也发了一些不合适的文章，我觉得这简直就是对我们自己的科学家、对为人类做出重大贡献的大师的极大不尊敬。

后来杨振宁先生到美国西岸来，因为我家和杨先生是世交，我就去接杨先生，给他当司机。从头至尾，在每个地方，杨先生和翁帆女士都手牵着手，而且不畏人言，我很感动。我觉得像杨先生这种年纪轻轻就发现了宇称不守恒定律，发现了有关宇宙的最重要的规律之一的人，堪称大师。他已经看透了人生，这些流言蜚语对他来说都无所谓，他根本就不在乎人家说什么和想什么，只是我看了会比较气愤。杨先生在车上还问我对像 *USA Today*（《今日美国》）这种八卦报纸怎么看，我当时就傻了，因为 *USA Today* 对我来说一直就是很严肃的报纸，美国的八卦报纸、杂志多的是，只是杨先生不知道。杨先生以为 *USA Today* 就已经是很八卦的报纸了，可见杨先生阅读的一直都是非常高端、严肃的东西，他也看不见那些八卦言论。

当时杨先生和翁帆女士刚刚过了蜜月，他们在美国参加了清华的募捐晚宴，在晚宴上杨先生用英文进行演讲。当时去参加晚宴的很多人都是在硅谷工作的清华毕业的同学，都是怀着崇敬的心情，来看咱们的清华前辈、老学长。当然也有来看热闹的，就想看看翁帆，进场以后就在那儿叽叽喳喳地说话。杨先生进来的时候昂首挺胸，拉着翁帆的手，丝毫没有那种不自在的感觉，我看了以后非常感动。

杨先生在科研上硕果累累，令人称奇。他曾与澳大利亚科学家米尔斯共同创立了规范场理论，获得了业内人士的高度评价，很多科学家呼吁应该再次给他颁发诺贝尔物理学奖。虽然杨先生后来没有重获诺奖，但在 1993 年他荣获了另一声誉卓著的科学奖——美国的富兰克林奖。可惜此时他的合作者米尔斯已经去世了。

| 俄乌达成黑海舰队协议 |

1994 年的今天，俄乌达成了黑海舰队协议。很多军事迷都特别喜欢苏联时期的新式武器，当时苏联政府花了大量的钱来搞各种先进的武器。当然那也是被西方国家逼出来的，因为当时处于冷战时期，双方都不断地生产各种先进的武器。冷战结束以后，军事迷们就觉得怎么这么多年才出来一个新式武器，整整十年了怎么就只研制了一种坦克？

苏联当时拥有全世界最强大的武力，海军美国最强大，空军当时苏联跟美国实力差不多，陆军苏联是毫无争议地位居第一，包括苏联研发的核武器，都是世界上最强大的。苏联一解体，一下子分成了十多个国家。苏联的地形对海军作战非常不利，于是分成了四个舰队，分别是太平洋舰队、黑海舰队、波罗的海舰队和北海舰队。太平洋舰队驻扎在远东这边的海参崴，波罗的海舰队在列宁格勒（圣彼得堡）、塔林这边，但波罗的海舰队的用处不大，整个波罗的海被西方封锁着出海口，当年一战、二战连德国都难以从波罗的海出海。北海舰队整个对着北冰洋，北冰洋几乎全年结冰，只有摩尔曼斯克军港因受暖流影响为唯一的不冻港，所以苏联的主力海军也不在那儿，潜艇都在那里。苏联最主力的海军就是太平洋舰队和黑海舰队，这两个舰队是当时最庞大的舰队。苏联解体以后，太平洋舰队归俄罗斯是没问题的，而黑海舰队成为俄罗斯和乌克兰争夺的首要目标。

黑海最重要的港口、要塞、造船厂等全都在乌克兰境内，所以乌克兰独立出现了一个大问题，就是俄罗斯在黑海所有的基地、军舰怎么办？俄罗斯在黑海必须有出海口，俄罗斯在黑海的出海口一直可以上溯到彼得大帝时期，从俄国的沙皇开始，一直到苏联都要从黑海出海。黑海的出海口可以说是苏联的命脉，通过它能直达地中海，它背后那块地区乌克兰是苏联最发达的地区，乌克兰是大粮仓、大煤矿，苏联的主要工业都在西部。俄罗斯几百年都在拼命争夺黑海这个地方，但一下子因为乌克兰独立，没有了，那怎么办？俄罗斯坚决不能放弃黑海舰队，乌克兰想来想去，于是把黑海舰队一分为二。

乌克兰本身并不想成为一个军事强国，因为军事强是大累赘，周围的国家、全世界都要盯着你，因此除了俄罗斯以外，苏联解体后的其他国家谁都不希望成为军事强国。当时白俄罗斯把武器、战略轰炸机等全都还给了俄罗斯，说你全都拿走，放在我这里也没用，核武器你也拿走。有一部分核武器俄罗斯实在没钱拆了，美国说我出钱拆，所以有一部分白俄罗斯、哈萨克斯坦的核武器是美国出钱拆的。黑海舰队多数舰只年久失修，乌克兰当时只接收了 18.3% 的舰只，其余主力战舰都给了俄罗斯黑海舰队。但俄罗斯黑海舰队没有基地，于是乌克兰就把塞瓦斯托波尔这个基地租给黑海舰队，到现在俄国飞行员还在那儿训练。当然训练的不光是俄罗斯飞行员，也有中国飞行员，因为中国获得了一艘重要的航母，就是我们刚刚入列的"辽宁"号。

当年苏联解体时，整个苏联最强大的造船厂都在乌克兰，乌克兰的独立对俄罗斯的军事工业是重大打击，因为当时所有航母都是在乌克兰建造的，先后造了八艘，其中第八艘当时还在船台上，完成了大部分，但没有彻底造完。还有一艘大的巡洋舰也是在船台上，差不多完工的状态。苏联解体以后，航母什么的全都归了俄罗斯，这船台上还有两个待完工的，于是大家就展开了激烈的争夺，当时美国恨不得想出钱把它拆了算了，给谁都不放心。

经过激烈的争夺，有一家澳门的娱乐公司说，我想把这艘航母拖到澳门当娱乐城，就卖给我吧。其实这艘航母去做什么，乌克兰、俄罗斯都心知肚明。当时要把这艘航母运出来要经过黑海的出入口，要经过土耳其。土耳其是北约的国家，在海峡出口处写着：战略进攻型武器不能从这儿通过。航空母舰当然属于战略进攻型武器，于是就把发动机拆了，武器也拆了，直接用炸药把里面很多设施爆破了。最后这艘航母就变成了一个大铁壳，由十几条拖船拖着，因为那个航母有六万多吨重。十几条拖船拖了大半年，因为中间过海峡的时候又停留了很久，大家在那里谈判、讨论等。最后终于还是拖回来了，拖回来以后又经过各种博弈、演变，这艘航母最后停在了中国的大连。我们用了大量先进的自主技术，最终将这艘航母改装成了 2012 年入列的光荣的"辽宁"号航空母舰。

我们"辽宁"号航母飞行员的训练最开始也都是在乌克兰进行的。航空母舰的飞行员培训不能在陆地机场进行，陆地机场那么大，航空母舰可没那么大，所以需要在陆地上造一个假航母，这个假航母除了不会像真航母在海水中那样摇晃以外，各种降落的难度、各种起飞的滑跃甲板等，全都和真航母一模一样。训练地点就在乌克兰，乌克兰实际上继承了苏联大量的东西，当然后来又租给了俄罗斯。俄罗斯跟乌克兰之间的关系很微妙，任何时候一旦出现一点儿风吹草动，最敏感的就是黑海舰队基地的问题，直到现在也没有彻底解决。

Today
in History

6月9日

　　《晓松说——历史上的今天》来到了 6 月 9 日。1969 年的今天，贺龙元帅去世；1994 年的今天，美国少年迈克尔·费伊在新加坡受到了鞭刑。今天还是两位好莱坞大明星约翰尼·德普和娜塔莉·波特曼的生日，两位生日快乐！

| 美国少年在新加坡接受鞭刑 |

　　1994 年，一位叫迈克尔·费伊的美国少年在新加坡接受了鞭刑。在当时这算得上是一条国际大新闻，连克林顿总统当时都出面说话。美国是一个言论自由的国家，有人说这种鞭刑是不是有点儿野蛮，也有好多美国人写信给新加坡大使馆说坚决要对这个美国少年实行鞭刑，这个少年在美国都被惯坏了。费伊在新加坡到底犯了些什么罪呢？他就是在人家汽车上涂鸦，然后涉嫌盗窃，这事如果在美国根本就不可能被判刑，正常情况下估计也就是判一周末 Sheriff's Work（治安工作），到治安办公室去领一个类似社区义务劳动的差事。

　　美国有些制度很严，但是对涂鸦这类事管得很松，尤其是对年轻人，总会给人改正的机会。可这事发生在新加坡，费伊因此被判了好几个月的监禁以及六大鞭的鞭刑。新加坡鞭刑是用一个大棍子，上面拴一个大鞭子去打屁股，这可不是拿个拖鞋打打屁股那么简单，一鞭子下去人起码得躺三个月。我看过视频，一鞭子下去人就会皮开肉绽，那个伤痕是永远也消退不了的。新加坡法律规定，执行鞭刑的时候要有医生在现场，打的时候要把人彻底绑起来，要不然人受不了会来回打滚。一鞭子打下去之后，先让医生过来看，医生看完以后说，还能再打一鞭子，那就再来一鞭。如果医生说，不行，今天只能打这一鞭子，那人就得在医院里躺三个月出来再打第二下。费伊被判的是六鞭（后来减为四鞭），一般人一次最多能承受两鞭子，很多人基本上一鞭子就皮开肉绽了，躺三个月以后再接着打，我的天，这哥们儿这辈子再也不敢在汽车上涂鸦了。

新加坡这个国家特别硬气，即使克林顿亲自出面讲情，也绝不低头。美国人怎么了，美国人我就得网开一面？实际上新加坡特别需要美国投资，特别"亲美"，他们的军队都要到美国训练，后来空军也到美国训练，但就这样他们也一样打。

新加坡是一个面积狭小、多民族的国家，四周的邻国都是穆斯林国家，包括马来西亚、印度尼西亚，新加坡是夹在它们中间唯一的不信伊斯兰教的国家。新加坡建国时就选择了一条不同于西方也不同于东方的道路，它选择了一党执政一个领袖的制度。刚刚建国的时候，新加坡可谓内忧外患，资源匮乏，国民大多数是移民，没有当地的土著民族，移民当中又分华人、马来人、印度人，其中华人占百分之七十五，印度人占了百分之九，国民文化素质很低。当时新加坡也是没有更好的办法去解决这些问题，民族分裂，东西文化有差异，国民整体素质差，一旦要举行选举，就会立刻造成种族之间、宗教之间的各种矛盾。就像印度刚独立的时候，穆斯林和印度教教徒就打得一塌糊涂，为选举仇杀，所以当时不能用这种一人一票的方式，因为这种方式会变成多数人暴政。

中国当年最有文化的年轻人都去西洋，有革命思想的去东洋，下南洋的都是最贫苦的闽粤底层人民。所以去新加坡的华人几乎全是文盲，包括后来在东南亚成为橡胶巨鳄的那些人也大都是文盲。当时东南亚橡胶产业作为全世界最大的橡胶产业，居然保持着一个全世界匪夷所思的传统，就是不签合同，因为很多人都不认识字。橡胶其实相当于期货，种的时候，我就跟你说好价钱，大家就这样一言九鼎。当时的新加坡没有资源，没有高素质移民，也没有军队，周边都是具有不同宗教信仰的国家，在这种情况下，新加坡铤而走险，采用一个党一个领袖的制度。

新加坡政府非常强势，在当今世界少数跨入3.0文明的国家里，只有新加坡一个国家没有采取民主制度。当然现在新加坡开始有了反对党，反对党最近两年也开始有了席位，但是在漫长的建国以及奋斗的过程中，新加坡一直都是一个领袖一个党带领全国人民，在这种情况下，必须实行严刑峻法。如果对国家安全有妨碍，它可以不经过任何司法程序，直接逮捕你，而且是无限期地关押。

新加坡刚建国时的华人分为两种，一种是以陈嘉庚为代表的传统华人，认为自己的祖国是中国，对中国有特别深厚的感情。另外一种是以李光耀为代表的海峡华人，就是看《海峡时报》的华人，《海峡时报》是英文报纸，这些人都不太会说中文。李光耀先生的中文是后来学的，他是非常有毅力的人，觉得自己领导的新加坡有那么多华人，于是学了闽南话，再后来中国崛起，又学了北京口音的普通话。新加坡刚建国时，以李光耀为首的海峡华人，把企图闹革命的左派华人大都抓了起来，关押了很多年，以铁腕政府的形象来统治这个国家。新加坡人民比较有福报，这位领袖并没有顾个人私利，也没有贪污腐败，新加坡政府称得上是全世界最清廉的政府，当然这也跟严刑峻法有很大关系，因为它的惩罚极为严厉。新加坡还有很多严格的法律，因为它是多种族多宗教的国家，种族和宗教冲突在新加坡这样没有回旋余地的小国里，是非常可怕的一件事，所以在新加坡只要你敢在网上挑起民族、宗教的仇恨，政府就有权直接根据IP地址冲到你家里把你的电脑没收。在西方国家这简直难以想象。新加坡的媒体也几乎都是国营的，非常和谐，这是很有意思的一个国家。

新加坡采用的并不是那种真正的独裁制，也不是西方的民主制度，实际上就是一个家长加公司的制度，领袖是个大家长。新加坡反正也小，就把这个国家当作一个公司来经营，我是董事长，当然这个公司不是我的，是大家委托我来管理的。公司不大，掉头也快。在西方国家最发达的时候，新加坡的学校不教中文，全都学英文，因为新加坡资源匮乏，大家要吸引外资，所以中文学校被禁止，中文大学被关闭。后来中国崛起了，大家就开始学中文，新加坡总理李光耀甚至把自己的孩子李显龙都送到华文学校学习，这时又把中文的教育提高了，很多中学都是中文和英文并存。

|贺龙元帅去世|

1969 年的今天，贺龙元帅去世。贺龙元帅在"文革"中被冤枉被迫害，最后非常悲惨地死去。一个为缔造我军做出极其重要贡献的统帅，最后竟以这种方式离开了他的军队和人民，希望这样的悲剧不要再发生！

贺龙元帅是一位非常忠诚的共产党员和革命家，缔造我军的南昌起义发生时，他的军阶是最高的。当时参加南昌起义的是一个军、三个师，其中这一个军就是贺龙率领的，三个师是叶挺、周士第和蔡廷锴率领的。贺龙以军长之尊，带领全军起义，也是起义的总指挥。南昌起义失败以后，叶挺将军到了广州，继续发动了广州起义，朱德和陈毅带领剩余的部队上了井冈山。有人叛变离开了，有人革命意志不坚定，远走海外、回家务农，像蔡廷锴就带着第十师回了国民党阵营，这个师后来演变成了淞沪抗日英雄十九路军。而贺龙军长在起义失败以后，回到洪湖重新开始闹革命。

有关贺龙两把菜刀闹革命的佳话，是指他在 1916 年响应孙中山号召反对袁世凯称帝时，手持两把菜刀闯入税局勇夺枪支的传奇往事。十年之后北伐开始时，他已是威名赫赫的军长。他不仅是北伐军的元老，而且在南昌起义时毅然决然听党指挥参加革命，成为我军的创始人之一。在南昌起义失败后回到家乡，他从一名指挥过千军万马的将军，变为一名赤手空拳创建农民武装的共产党员，然后又单枪匹马地自己奋斗出一支红军主力部队。

贺龙缔造的根据地远离红军的两大主力根据地，就是一方面军所在的中央苏区和四方面军所在的鄂豫皖苏区，这两个根据地都是非常强大的。而贺龙带领一帮弟兄独立奋斗出一支红军的主力部队二方面军，一直到长征最后，各路红军都到了陕北的时候，他才跟所有的红军主力再见面，跟当年参加南昌起义的这些战友再见面。但是再见面时，贺龙带来的这支红军的主力部队，也是陕北的三大主力之一，人数比一方面军还多。

在新中国成立后评军衔的时候，贺龙元帅代表了二方面军。在后来漫长的战斗中，我军涌现出了大批名将，像南昌起义时还是连长的林彪、还是班长的粟裕等都迅速成长为杰出的指挥官，贺龙元帅于是慢慢地退出了第一线指挥。新中国成立后贺龙任国务院副总理兼国家体委主任，为新中国的体育事业做出了很大的贡献。贺龙元帅虽然早已没了兵权，没有任何威胁，但在"文革"中还是不幸被迫害，悲惨地死去。

|约翰尼·德普和娜塔莉·波特曼生日|

今天是约翰尼·德普和娜塔莉·波特曼的生日。我去年看到两个动人的MV，就是约翰尼·德普和娜塔莉·波特曼两个人分别各演一版，那是披头士伟大的保罗·麦卡特尼给他新婚的妻子写的一首感人的歌，叫 *My Valentine*（《我的情人》）。MV 就是约翰尼·德普和娜塔莉·波特曼这两位优秀的演员完全用手语把歌词表演出来，演得特别好。尤其是约翰尼·德普，一个四十多岁的男人，抱把吉他，非常有魅力。他还独奏了一段，弹得很专业，他原来就是摇滚乐队的主音吉他。后来他实在是坚持不下去了，美国有太多乐队，约翰尼·德普一直没干出来。后来约翰尼·德普通过前妻认识了哥们儿尼古拉斯·凯奇，凯奇向制片人坚决推荐，说："我有一个哥们儿，戏演得特别好，你一定要用他。"制片人就说那试一下吧，后来约翰尼·德普一演成名。今天正好倒过来了，约翰尼·德普如日中天，而尼古拉斯·凯奇倒是过气了。约翰尼·德普听说尼古拉斯·凯奇有外债的时候，毫不犹豫地开了张支票拿过去，名利场也有兄弟情谊！

娜塔莉·波特曼是哈佛大学毕业，才貌双全，而且不贪慕虚荣，后来嫁给了在《黑天鹅》中教她跳芭蕾舞的老师。好姑娘生日快乐！

6月10日

《晓松说——历史上的今天》来到了 6 月 10 日。公元前 323 年的今天，亚历山大大帝去世。公元 223 年的今天，刘备去世。1940 年的今天，意大利正式向英法宣战。

|亚历山大大帝去世|

公元前 323 年的今天，一代统帅亚历山大大帝去世。亚历山大大帝建立了亚历山大帝国，别看现在马其顿就是一个小国，但马其顿的人民至今依然非常骄傲："我们是亚历山大大帝的后代，当年我们曾经统治过欧亚非大陆。"历史上很多大帝国都是这样，意大利人会经常想起恺撒，说我们是罗马大帝的后代，蒙古人也经常会说我们是成吉思汗的后代，等等。历史就是这样，你方唱罢我登场，尤其是以军事建立起来的这些大帝国，通常很快就会瓦解，因为一个真正的国家需要靠民族、靠宗教、靠信仰、靠政治等各方面的智慧才能建立起来。即使一个公司，如果只靠金钱，靠权力，而不是靠公司的文化和经营理念，最终也会分崩离析。

小时候看亚历山大大帝的故事，最震撼的就是他年少万兜鍪，年纪轻轻就开始指挥千军万马，亚历山大大帝在三十三岁去世时，已经统治了欧亚非大陆。过去打仗不像现在，现在打仗的时间越来越短，当年一战打了四年，二战打了六年，古代一场征战打上几年更是很平常的事情，因为士兵长途征战全靠两条腿步行。亚历山大要率领大军从希腊打到埃及，再远征波斯、印度，几乎征服了当时欧洲人已知的全部世界，那得需要多少年？而直到去世时亚历山大才三十三岁。当年他辗转万里带领马其顿军队，也就是希腊的军队，这两年在这儿打，那三年在那儿打，接着又跑到别处去打五年，可谓少年英雄，雄才大略。

亚历山大堪称军事天才。历史上有好几个军事天才，亚历山大算是其中一个，后来还有拿破仑之类的。但拿破仑连欧洲都没有打遍，而亚历山大已经打到了印度。亚历山大在军事上几乎是战无不胜，而且一直都是以少胜多，打败了当时强大的波斯帝国。亚历山大最后在印度作战时遇到了大象的进攻，当时大家都没见过大象，第一次对阵失败了。亚历山大在第一仗失败的情况下，立即想出战胜对方的办法，他发现大象的弱点就是怕火，在第二仗中亚历山大用火攻击退大象的进攻，征服了印度。亚历山大在政治上也有很多深谋远虑的想法，包括他不把首都建在希腊，而是建在了巴比伦。他不采取东方的这种殖民地的方式，这都可以看出他在政治上是有很多考虑的，是个非常有雄才大略的政治家，可惜英年早逝。

说到战争，除了胜利、失败、土地、人民之外，实际上战争还起到了很多的作用，其中有两个重要的作用是相辅相成的，一个叫文明较量，一个叫传播文明。"实践是检验真理的唯一标准"，但实践是什么？实践也分为很多种，其中战争就是实践的极限。战争体现的是一个国家、一个民族全部的实力，包括这个民族是否尚武、是否善战，包括这个国家的工业能力、农业能力，包括这个国家的政治智慧、战争智慧、外交智慧等。战争可以说是最高极限的实践，是各种文明的较量，是国家总实力的较量。在亚历山大征服世界的战争中，希腊文明大放光彩。战争不但是文明的较量，同时还传播文明，融合文明，并且产生新的文明。

在文明传播的事情上我给大家讲一个例子。原来在印度是没有佛像的，实际上给佛塑像本身就有点违背佛的原意，佛的原意是四大皆空、无色无相，一切无常，而不是说搞一个偶像在那里供大家来顶礼膜拜。所以最开始佛教是传播教义，给大家讲经。亚历山大大帝出兵的时候，他带了很多希腊的能工巧匠、文化人、知识分子等，因为他不光是出来打仗，还要占领土地、推广文明。亚历山大带兵打到印度以后，希腊来的这些工匠就帮印度人一起雕刻出了第一批印度佛教的像。亚历山大帝国的建立是公元前的事情，到公元后的东汉年间，印度的佛教经过中亚细亚开始传入中国内地。之后到了公元8世纪，印度高僧莲花生大师又把佛教带到了中国西藏。这时的佛教都是带着佛像来的。最开始佛像是什么样的呢？如果去敦煌看看，佛长得跟希腊人一样，高鼻梁、大卷发，是希腊来的能工巧匠照着阿波罗的像造的，因为大家谁都没有见过佛祖。后来的佛像又逐渐演变，鼻子越来越扁，发卷越来越小，变成了今天我们看到的这个样子。

战争不但是文明的竞争，还有文明的融合、传播，这种文明的传播也影响了中国。当时虽然亚历山大没有打到中国，但是佛教后来传到了中国，其实也是由于亚历山大使得当时的希腊文明的一部分传到了中国。公元前323年，中国在干什么呢？那时的中国已经历了商鞅变法，商鞅变法一个最大的功绩就是缔造了一支强大无比的秦军。秦军当时是打遍天下无敌手，假设亚历山大大帝当时继续前进，正好遇上了商鞅变法之后那批强大的秦军，也就是亚历山大大帝无敌的军队跟当时中国无敌的秦军相遇，那肯定会有一场好戏，像我这种军事迷就有福气了！当然了，这只是假设，历史是没有假设的。

| 刘备去世 |

公元223年的今天，刘备去世。刘备是草根逆袭的一个重要的成功案例，最辉煌的时候，蜀国已经占领了四川全部，可最终还是地理决定历史。蜀国僻处西南边远地区，户籍人口总共也就九十多万，跟占据了整个中原的魏国对抗（户籍人口多达五百三十七万余），是不可能胜利的，其实即使联合东吴也对抗不了（已占据了荆州的东吴户籍人口为二百四十万）。诸葛亮当时所谓的"天下三分"讲的是，先占荆州，荆州在现在的中南地区即湖南、湖北这一块，再占

益州，也就是四川这一带，所以实际上如果拥有荆州跟益州，夺取天下是有可能的。但即使没有关羽大意失荆州，最终荆州也会失去。荆州一失，湖南、湖北这一块就整个没有了，刘备就只能靠四川跟整个中原以及江南对抗，在长长的中国历史中，这样的对抗还没有一次成功的案例。

| 意大利向英法宣战 |

最后说一说另一位意大利草根墨索里尼。其实当年的希特勒也是个草根，希特勒在一战的时候还是躲在战壕里闻毒气的一名下士，后来逆袭成功。希特勒可以说是"草根里的战斗机"，他逆袭成功了一大半，最后因为疯狂被毁灭。而这个墨索里尼是草根中的草根，他说自己不是草根，就像当年刘备说自己是中山靖王的后代，其实任何考证都没有。墨索里尼也是，他虽然是一个草根，但是他举起了恺撒与罗马帝国的大旗，要恢复罗马帝国的荣光，但最后除了打赢了一个黑手党以外，其他的乏善可陈，连打非洲埃塞俄比亚都先被打得红毛眼绿，打希腊也被打得屁滚尿流，还拖了德国进攻苏联的后腿。

意大利作为德国最重要的盟国，1940 年 6 月 10 日才向英法宣战。墨索里尼一开始是在旁边看几个大哥打架，这是典型的草根表情，最后看这德国大哥太厉害了，就想参与一下，于是大喊"看谁敢惹咱俩"。草根永远不说谁敢惹我，他说谁敢惹咱俩，把德国拉进来，这时墨索里尼才开始向英、法两国宣战。就是在这样的情况下，法国主力被德国歼灭的歼灭、击溃的击溃，在南线已经没什么法军的情况下，意大利居然也没打赢，就这种状态意大利怎么可能恢复罗马时期的荣光呢？

最后法国向德国投降，投降以后，意大利来了，要和德国一起瓜分法国。希特勒大哥说谁跟你分，咱们按本事来，你占了多少地方，这地方就归你，剩下的是我占的就得归我。结果意大利一共也就占了几亩地。法国投降以后，其实法国的南部既没有归德国也没有归意大利，法国南部归了维希伪政府，北部成了德国占领区。二战期间，对德国来说，意大利从头到尾就是一个拖后腿的，就是猪一样的队友。当然了，即使没有猪队友，正义也是注定要战胜邪恶的。

6月11日

　　《晓松说——历史上的今天》来到了6月11日。今天说两件喜事，一个是1982年的今天，科幻电影 *E.T.*（《外星人》）首映。再就是2002年的这一天，第一季《美国偶像》开播。

| *E.T.* 首映 |

　　E.T. 是斯皮尔伯格导演的大作。自从那部电影之后，所有人心目中的外星人形象就是比咱们个子小一点儿的样子。其实，我觉得不一定，外星人没准儿比整个地球还大。*E.T.* 开创了好莱坞一个新的电影流派，到今天已经成为最重要的电影流派之一。

| 《美国偶像》开播 |

　　《美国偶像》其实是另一个"外星人"，一个谁都不认识的人突然在大家眼皮底下横空出世，一开始像草根一样在台上唱歌，然后突然就火了，而且火成那样。

过去一个人走红的过程，基本上是这样：草根先签到唱片公司来，唱片公司给他开会，说：你这个发型太土，得去改改，你这个唱腔应该怎么训练，你唱这个歌试试，唱那个歌试试。在这个过程中，你可能要试试这首歌，试试那首歌，可能试过几十首歌，录过小样，最后确定下来说你唱这个风格。然后唱片公司精细打造、包装等。等走到观众面前的时候已经是一个那样的人了。所以走这条路就只有两个结果，一种是成功了，但谁也没看见他是怎么来的；还有一种就是没成功，唱片公司赔了，没关系，咱们再来。

《美国偶像》这回可不一样，它要把一个人从草根到成名的整个过程用电视直播的形式呈现给大家。当时那报名的场景异常壮观，《美国偶像》报名的时候有一万人，那队伍在整个体育场围着圈转（当然我们中国人还见过比这个更疯狂的超女时代，超女第二季有七万多人报名）。美国人平时穿衣服都特别随便，不像欧洲人那么时尚。当时正值六月，好多人都是穿着大裤衩、拖鞋就来排队了，接着经过唱片公司的测试、挑选，然后排名、晋级。整个流程就在人们的眼皮子底下过了一遍。等冠军出第一首单曲的时候，他已经是千万销量的大明星了。

这种节目形式当时是一种崭新的模式，以前大家都没想到过，也没有人相信这种节目形式。这种类型的节目最开始出现时，受到了知识分子和业内人士的强烈抵制。最开始《美国偶像》这个节目是从英国买来的版权，包括英国在内的欧洲都是非常能创新的，各种节目类型、各种题材的东西，他们都非常了解。我们中国现在也从各个国家买了这类节目的版权，包括从荷兰买来版权的《中国好声音》，《中国梦之声》买的就是《美国偶像》的版权。《美国偶像》最初是从英国买的版权，但是在美国做了改造。

我最开始知道《美国偶像》这个节目是在英国参加一个电影节，大家聊天时在说这个节目怎么回事儿，然后大家都在骂，说这怎么能行呢？这么草根的东西，一个什么也不是的人，没经过严格培训，也没经过严格包装，突然就火了，他根本就不会唱歌。众多艺术家、知识分子都义愤填膺。行内人也说，这种流程还要我们干吗？我们原来就是负责给人把脉，大家都已经形成了一整套流程。专业的企划部门会对艺人进行包装，我们会说你不应该是一个青涩小女生，因为这种类型的已经有好几个，你应该包装成一个都市成熟女性云云。然后那艺人就傻了吧唧地坐在那儿，自己都不知道自己是谁，就被这么包装出来。以前都是以我们为主，我们才是行里的腕儿。但现在白纸一张就开始"呼呼"地火了，最后变成我们追着你："这个你听我的吧，我干了二十年唱片业了，你应该这样。"结果人家马上说一句："我听你的，还是听我这五百万粉丝的？我这五百万粉丝都承认我唱这个好，我为什么不唱这个，而听你的呢？"

《美国偶像》第一季的冠军叫凯莉·克莱森，红遍世界，唱片到现在已经卖了一千多万张，这个数量对于互联网时代来说是非常高的，过去能卖到一千多万张的销量在全世界也不多。在美国能卖几十万张唱片就已经发了，一辈子都够了，能卖一百万张就是大明星了。

全球女歌手中唱片销量排名第一的是席琳·迪翁，唱了二十年，那么多唱片加在一起是两亿两千万张，这个数字主要是由《泰坦尼克》那一张唱片贡献的。排在席琳·迪翁后面过一亿张唱片销量的，也就有两三个歌手，都是二十年的唱片发行积累起来的。凯莉·克莱森年纪轻轻就卖出一千多万张唱片，简直是天文数字。她的单曲第二周就是Billboard（公告牌音乐奖）排行榜的冠军。Billboard排行榜是美国最权威的排行榜，刚入榜的时候一般排名都在一百以外，然后慢慢往前爬，只要爬到前四十名，这歌就已经非常流行了。美国有大量的乐队在酒吧里演出，一般都是唱排行榜前四十名的歌，所以你如果能跻身排行榜的前四十名，歌的作者也就能挣很多钱。因为美国的版税制度非常严格。

李宇春当年得超女冠军的时候也是这个架势，收视率惊人，很多人都在投票，很多人都在谈论这件事，我一开始在山里排练、写东西，还不知道超女这件事，忽然有一天发现周围很多人都在谈论超女，我也就开始看那个节目，当时确实挺来劲的。节目和艺人就是一个良性互动，获得的关注度高，然后节目和艺人都会进入到最佳状态。正是由于这种高度的关注，在短短几周的时间里，一个人爆发出了巨大的能量，成为巨星，这说明这个比赛确实能把艺人的能量迅速地激发出来。如果没有这么强大的关注度，一个人可能不会提升得这么快，不会爆发出自己最好的一个小宇宙。

李宇春比赛结束以后来北京到各唱片公司去考察，各个公司当时都挂上横幅——欢迎春春莅临公司。李宇春在考察了各个唱片公司以后，签约了我们太合麦田。太合麦田那时是中国最好的唱片公司，当时我给李宇春写的那首歌要在圣诞夜首发，25 日零点在网上正式销售，所以一开始叫《圣诞快乐》。我后来想了想说："人家《圣诞快乐》那歌唱得红遍全世界，咱们就叫《冬天快乐》吧。"写这首歌之前，我需要详细地了解李宇春的情况，因为这回是我给她写歌，不是给我自己写歌，我没法以一个老男人的角度去写，我得了解她，她怎么过圣诞，她是怎么想的，她是一个什么人。尤其是这首歌是她第一首单曲，要通过她唱出来，对粉丝们表示感谢。于是我就去采访她，找她聊，当时她入住的酒店被粉丝们团团围住，我在那儿待了两个小时，她一直下不来，粉丝们围得太厉害了，当时还布置了好几辆车来接我们，就像地下工作者似的。我们先上了一辆车，后边粉丝跟着追，然后再上一辆房车，里面有酒吧，有厕所。我们的谈话就是一直在这辆车上进行的，这辆车一直围着二环路转，因为后面有粉丝追。我当时拟好了十七个问题，我问她答，我把和她的对话全部记录了下来，把她的话重新整理成文本，最后创作成歌。

当然后来李宇春以自己多年的出色表现，转型成为创作歌手，今天她依然是站在中国第一线的巨星。李宇春还有周笔畅、张靓颖等，这些选秀出来的艺人凭着自己对音乐的热爱和追求，通过自己的成功消除了当年大家对选秀这类节目的歧视和排斥，彻底扭转了人们的看法。到今天，选秀已经成了中国整个华语音乐行业最重要的选拔人才的形式，已经融入到整个音乐行业中。

从 2000 年之后，尤其是在互联网时代，全世界的选秀节目才开始迅速火爆起来。为什么之前没有特别火，一个重要的原因就是没有互联网的时候选秀是单向的，大家可以看，但不能参与。选秀节目的一个重要的特性就是观众一定要参与，必须是大家投票选出自己的偶像，然后你去支持他。《美国偶像》第一期的时候观众还是靠打热线电话来投票，节目结束之后一两个小时，一通热线电话打进来，开始投票。后来互联网投票、手机投票这些都跟上来了，互联网时代到来以后，各种互动讨论才越来越多，观众的参与程度越来越高。正是因为有了互联网，网络与电视结合，这才产生了一种崭新的娱乐产品——选秀，科技进步会促进娱乐节目的发展，诞生新的样式，诞生新的产品。有了互联网之后，大家不但能参与投票，能参加讨论，还能举行有组织的活动，比如说大家组织起来一起去到哪儿接机，去欢迎他，甚至一起做慈善，到哪里去做他的签售会，大家都能一起讨论。艺人也能听到粉丝的声音，一切都直截了当，所以选秀时代是伴随着互联网时代而来的。

《美国偶像》是美国选秀节目最重要的代表，在美国一直是夏季档黄金时间的收视冠军，这个很重要。美国人夏季主要娱乐是出门看电影，春秋季电视里才会播电视剧，通常大家都会认为夏季是电视剧的淡季，所以美剧一般都是春秋两季播，秋季播长剧，春季播短剧。而夏季档就是靠选秀节目，《美国偶像》一直都是夏季档的收视冠军。

我曾经看过一期《美国偶像》，从南部一个州来的牛仔唱那种标准的、纯粹的乡村音乐，那次我也被感动了。乡村音乐要生存，它也在不断地演化，在向流行音乐、摇滚乐方向慢慢地调整。有一天你突然在电视上看到一个真正的牛仔，戴着那种牛仔帽，那样弹着吉他，操着南部口音，用那种最原始、最乡村的唱腔去演唱，纯净得一塌糊涂，我当时听得眼泪都下来了，评委们也极为感动。最开始大腕儿们都不愿意去当评委，纷纷抵触，所以一开始都是一些专职做评委的人去评，后来选秀节目越来越火，发展到一线大腕儿都去当评委。

但是你不能保证选秀节目永远能培养出像凯莉·克莱森这种大腕儿，因为这样的选秀节目每年都办，但是人才的成长不像鱼的生长，春天放下鱼子，到秋天就能收获了；人才也不像庄稼，可以一年一熟；人才的培养就像树的生长，要长很多年才能成材。一个歌手的成长至少需要三五年的时间，他要在民间成长，要去流浪，让自己的内心丰富起来。靠嗓子叫"唱歌"，靠心灵叫"歌唱"。一个人要达到能"歌唱"需要很多年的积累，所以大家看到优秀的歌手很少有特别年轻的，二十岁的时候很难成才，到了三十岁才慢慢开始对生活有了各种领悟。所以当选秀节目第一年把歌手一网打尽的时候，第二年可能还会有一些优秀的选手，因为原来不屑于来选秀的歌手可能因为节目火了而纷纷赶来。但你不能保证今年被淘汰的人，明年突然就会唱歌了。要持续下去每年都出现优秀的歌手太难了。节目的收视率可能因为评委越来越强，会一直都保持在比较高的水平，但是人才会出现周期性的变化，不是每一年都出现大腕儿。电视节目有自己的规律，得去慢慢做。所以对这种节目大家要有些耐心，不能说因为这个节目今年没再产出新的大腕儿，这个节目就不行了。《美国偶像》到今天依然是美国最重要的选秀节目。

今天几乎全世界所有选秀节目的版权都被我们的各大卫视买来了。当然也有人批评说你们花那么多钱买这个干什么。首先得尊重版权，不能去山寨人家节目，而且买了版权以后才发现甜头在哪儿。比如《中国好声音》这种节目买了版权，就会有那么大的一支队伍来手把手教你怎么拍，告诉你需要什么设备、需要多少台机器。山寨的话最多能山寨到人家的百分之八十，而每一个节目最终能否成功实际上是取决于最后的那百分之二十。这就跟做生意一样，任何一门生意的百分之八十都很容易学习，但是能否成功是由最后那百分之二十甚至百分之五决定的。所以购买版权以后，人家手里有制作宝典，愿意用多年经验来指导，这样才能学到其中的真谛。最重要的是人家还带来了冠名商、赞助商，一买版权发现在全世界每个地方都是这个企业在跟着做赞助，因为这个节目体现的精神就是它的企业、它的产品要表现的精神。这样电视台就尝到了买版权的甜头。所以知识产权保护不是单向地让人多花钱，而是一个全球化的做好生意的过程。

6月12日

《晓松说——历史上的今天》来到了 6 月 12 日。1127 年的今天，赵构称帝建立了南宋。在 1935 年的这一天，红军一、四方面军会师。

|南宋建立|

在唐朝建立几百年后的 1127 年的今天，南宋建立。南宋跟唐朝可谓是天差地别，那么强盛的唐朝，几百年以后变成了那么弱的南宋。南宋不贫，南宋的对外贸易、农业、工商业各方面都很强，南宋时期政府岁入超过六千万贯。后来明朝末年天天打仗，为了应付对外战争跟对内战争，到处搜刮民财。但是就那么竭泽而渔地搜刮，也没有超过千万两的岁入，可见南宋多富有。

|红军一、四方面军会师|

1935 年的这一天，红军一方面军和四方面军在川西的懋功会师，这在我党、我军、我国的历史上都是非常重要的事件。当时红军和中国革命都处在低谷，外有日本侵略，内有内战连绵。这次会师之后，红军胜利到达陕北，已经是水到渠成的事情。

当时的红一方面军（曾称"中央红军"）和红四方面军算是红军最大的主力。中央红军最开始的时候共有八万六千余人，但是经过长征，一路历尽艰辛，人数大减。中央红军的长征比红四方面军要艰苦得多，一个是位置的问题：中央红军在很靠东面的位置，在江西、福建这一带，红四方面军在鄂豫皖一带，往西去路程要近得多。再有就是红四方面军的鄂豫皖苏区虽然多次被围剿，但是中央红军在苏区被围剿，承受了国民党军最多的兵力，后来还进行了万里长征。万里长征其实指的就是中央红军的长征，红四方面军并没有走那么远，红二方面军也没走那么远，只有中央红军走得最远，而且一路且战且走。如果看地图的话，就会知道他们走了一个向西的大拐弯。因为中央红军当时是先朝着那些地方军阀和蒋介石不对付的方向走，以便利用地方军阀，从而起到一些保护作用。如红军在突破粤军陈济棠部防守的第一道封锁线时，粤军为了保存实力对红军只朝天开枪不进行拦截，因此红军得以顺利通过。在突破第四道封锁线时，开始桂军为保广西已经弃守湘江，红军原本可以顺利通过。可惜"左倾"领导人舍不得丢掉辎重，致使行军速度特别缓慢，从而错失良机，后来遭到湘军与桂军的重兵夹击，损失特别惨重，突破湘江之后，红军人数从八万多人锐减到三万余人。当时的中央红军就是利用了国民党中央和地方军阀的关系，不停地在中间来来回回地走。一直走到贵州、云南，再从四川北上，走了一段极长的路。一路上中央红军被围追堵截，历尽艰辛，最后从川西少数民族地区穿过丛林到达懋功的时候，中央红军已经从出发时的八万大军，减少到了只有几千人。但是这些留下来的人可都是最能征善战也对革命最忠诚的，他们没有脱离队伍，没有中途逃跑，是最顽强的骨干。中央红军当时穿越了非常复杂的民族地区，包括藏族、羌族、彝族各个少数民族地区，包括之前发生悲惨地震的阿坝、雅安地区。大家在历史课本里还学过，刘伯承跟当时的彝族酋长小叶丹结拜、歃血为盟等。

红四方面军长征和中央红军长征的策略不太一样，中央红军是一路走一路打，所以一路在减员，他们一直被重兵围追堵截，并没有建立起自己的根据地。

而红四方面军是步步为营，比如说到了川北他们就停下来，然后打土豪、分田地，发动群众参军、筹集军饷等，在这里建立了一个川陕苏区，然后在川陕苏区又开始反围剿，打过很多次胜仗。红四方面军应该算是红军中最能征善战的一支部队，完全不弱于红一方面军。在川陕苏区，红四方面军还曾大破国民党军。离开川陕苏区后，红四方面军继续向川西移动，到了川西又准备在那儿建立根据地。红四方面军始终是以步步为营的方式在长征，所以到了川西会师的时候还有八万人之多，而且齐装满员。红四方面军还曾经有过飞机，这很神奇。

红四方面军总领导人是张国焘，总指挥是徐向前，政委是陈昌浩。陈昌浩是苏联留学回来的，对军事什么的不太熟，主要是写东西，是笔杆子。当时红四方面军全体士气大振，凭我们红四方面军的八万人，打退了国民党这么多次围剿，依然保持了强大战斗力，现在又迎来了三十万中央红军，那是革命即将胜利的感觉。陈昌浩率兵到处贴标语，欢迎三十万中央红军。

徐向前是黄埔军校一期毕业的，能征善战，红四方面军在他的手里成长为一支强大的部队。当时徐向前元帅曾和陈昌浩政委说："政委，我觉得中央红军应该没有三十万人。"陈昌浩说："怎么会，我们四方面军都有八万人，中央红军怎么能没有三十万呢？"徐向前说："我看了国民党的报纸，国民党的报纸上说，中央红军在南边被吴奇伟纵队缠住，吴奇伟纵队只有两个师，一直在追击中央红军。"他又说，"我虽然不懂别的，但是我是一个军人。我懂军事，如果中央红军有三十万，是不会被国民党军两个师追着跑的。"陈昌浩政委说："那也要先写出来振奋一下士气再说。"于是就继续写欢迎三十万中央红军，然后大家全都磨面的磨面，舂米的舂米，等着迎接中央红军。

当时红四方面军派了一位优秀的军政委带了一个师，南下去迎接中央红军，这个军政委就是后来的国家主席李先念。红四方面军那时名将云集，包括许世友、李先念、王树声、陈锡联等。李先念于是带着一个师南下迎接中央红军。当时中央红军由于长期行军作战，一直没有在一个固定的地方停下来，连军装都已经没有了。一路走一路打，能买到什么衣服就穿什么衣服，一直没来得及做自己的服装。后来正好穿过川西的少数民族地区（今日的凉山彝族自治州、甘孜藏族自治州），于是就买了很多当地人的衣服穿。当红四方面军发现中央红军的时候，中央红军穿着彝族、羌族、藏族五颜六色的花衣服、花袍子，很多人的身上还绑着一串银圆。当时中央红军一直在快速的行军和战斗中，没有办法雇挑夫，最开始中央红军就是因为挑夫挑着很多机器、物资，导致湘江一战大败，最后没有办法，就把银圆分给每个战士背着。

共产党的军队当然都是军纪非常严明的，李先念一看到这支队伍，就说："中央红军是土匪！"当时李先念就觉得不对，中央红军怎么可能是这个样子，于是双方还发生了误会。中央红军其实不是抢老百姓的钱，抢老百姓的衣服，而是自己花钱买的，这些也都是打土豪得来的经费，只是因为没有挑夫，也没有服装厂给他们做衣服，所以就造成了误会。

所以红四方面军和红一方面军会师的时候，红一方面军经过艰苦长征，已是衣衫褴褛，而红四方面军八万人齐装满员，盔明甲亮，产生了强烈的对比。这也导致红四方面军的张国焘当时就滋生了野心，他觉得我手里的军队这么强，你们手里的军队就这么点，产生了夺取最高领导权的想法，最后犯了严重的错误。但是红四方面军还是听了党的话，最终并没有跟着张国焘走，绝大部分最后都来到了陕北，与一、二方面军大会师。红四方面军还有一部分部队向西，当时也是执行党的命令，成了后来的西路军。西路军最后非常壮烈地牺牲在河西走廊，那都是红四方面军最忠勇的将士。

6月13日

《晓松说——历史上的今天》来到了6月13日。在1994年的这一天，美国发生了著名的辛普森杀妻案；1981年的今天美国发现世界上首例艾滋病。今天是苏芮的生日，生日快乐！

| 辛普森杀妻案案发 |

1994年的今天发生的辛普森杀妻案是美国历史上最重要的案件之一。这里面有很多原因，首先是因为辛普森本人是橄榄球大明星。美国人不喜欢踢足球，美国男人尤其不喜欢踢足球，在学校里踢足球的只有女孩儿，所以足球在美国被认为是一项女子运动。美国最火的运动是美式橄榄球，受追捧的程度远远超过其他运动，其次是棒球、篮球和冰球，但冰球在南方的很多地方没法打，在北方还是比较火的。美国的橄榄球火到什么程度呢？在美国最富的五十家体育俱乐部中，橄榄球大联盟（NFL）的三十二支队全部在里面，棒球大联盟的十六支队也在里面，而篮球只有两支队在这里面，就是西岸的湖人队和东岸的

凯尔特人队。美国每年最盛大的比赛就是 Super Bowl（超级碗），也就是美式橄榄球的年度总决赛，Super Bowl 在美国跟我们春晚的收视率差不多。我 2013 年去现场看了在新奥尔良举办的 Super Bowl，2014 年又去纽约看了现场，那场面简直是盛大极了。决赛的票一万美金都买不到，电视转播时十五秒钟广告四百万美金一条，比赛中场休息时的演出都是美国最大的腕儿，2013 年是碧昂斯，2014 年是火星哥。而且这种演出都是不能要出场费的。

辛普森就是美国历史上最重要的橄榄球大明星之一，他属于西岸的旧金山淘金者队（49ers 也译作 49 人队）。旧金山淘金者队一直都是美国橄榄球大强队，2013 年 Super Bowl 的决赛是它对巴尔的摩乌鸦队。辛普森是队中的跑锋，跑锋就是在橄榄球比赛里夹着球飞跑，见人撞人，见鬼撞鬼，谁也别拦着我，最后一直跑到底线去得分的那个人。除了四分卫以外，跑锋在整个球队中是最出风头的，辛普森作为球队的跑锋，他是在一个赛季中带球冲刺超过二千码的第一人。在 1994 年犯案的时候，他已经退役了。

辛普森特别爱出风头，当时他代言了各种广告，他的名字叫 O. J. Simpson，O. J. 正好是 Orange Juice（橙汁）的缩写，所以他曾代言过美国最火的橙汁，还曾出演过《白头神探》里面那个长得很强壮的黑人。辛普森跟其他的黑人球星比如乔丹、"魔术师"约翰逊等都不一样。那些人都是跟黑人在一起成长，跟黑人在一起玩，朋友们也主要都是黑人。而辛普森不是，辛普森虽然在黑人贫民窟长大，但是他内心特别虚荣，除了一个发小以外，所有的朋友都是白人。辛普森退役以后去打高尔夫球，他的女朋友也全都是白人，被指控谋杀的这个妻子也是个白人，是他的第二任妻子妮可，十八岁时嫁给他。他那天晚上被指控杀了两个人，一个是他的前妻，另外一个是饭馆的服务员，我们权且说他被怀疑杀了两个人，因为这个案子是世纪大疑案，到今天我们也不能确定说他杀了那两个人。有人说这个饭馆服务员是辛普森前妻妮可的情人，也有人说其实他就是个服务员，因为妮可吃晚饭的时候落了一副墨镜在这个饭馆里，就打了个电话，这哥们儿于是给妮可送来了墨镜。这两个人被杀之后被发现躺在辛普森的家门口，然后警察来了，种种迹象都表明辛普森有重大嫌疑。当时辛普森已经跑到芝加哥去了，警察从芝加哥把他叫回来，讯问了他，他矢口否认，这就是刑侦的全部过程。

当时辛普森被列为重大嫌疑人，警察准备正式逮捕他的那一天，他逃跑了。追捕他的过程被全国电视直播，在洛杉矶的街头，天上的直升机、地上的汽车，全方位动员。他开着一辆白色跑车在前面跑，后面的警察一直在追，追了好长时间，最后把他抓住了。这个追车事件当时轰动了全美国。辛普森杀妻案在美国是一个重大的普法案件，全国人民都通过电视直播看了这个案子，通过它来了解美国的法律。这个案子的庭审展现了英美法体系的一个重要元素：疑案从无，只要这个案子有一点疑点，就要以他没有犯罪来判，而不像有些国家是疑案从有，先认为这个人是罪犯。

当时的庭审简直就是激烈的辩论赛，比电影还精彩。因为辛普森有钱，他花了一千万美金——1994年的一千万美金可比现在值钱得多——雇了美国最好的律师、最好的侦探，甚至雇了科学家，组成了一个强大的律师团。整个法院当时也如临大敌，因为就在这之前洛杉矶发生过警察打死黑人的事件，由于警察没有被判刑，洛杉矶爆发了黑人大暴乱。辛普森是黑人，又是大明星，虽然他自己不喜欢黑人，但是黑人还是很喜欢他。英美法体系判定一个人有罪还是无罪是由陪审团决定的。陪审团的成员不能是法律工作者，必须是没有前科的良民，但当过警察，当过检察官、律师都不行，要的就是不太懂法的普通人。当时法院就怕陪审团白人多，一旦判了辛普森有罪，又会爆发黑人的控诉或者是骚乱，所以专门组织了以黑人为主的陪审团，这样即使判你有罪，也是黑人判你的罪，那黑人就不会发生暴乱。

这次庭审花了很长时间，进行了很多次。其中最重要的两个证据被辛普森的律师驳倒了，一个是关于他袜子上的血迹，这简直就像电影里的情节。有证据说他袜子上两边的血迹是一样的，也就是说血迹的印痕是一样的，律师就说："这什么意思，一般人如果穿着袜子行凶，那肯定袜子两边的血迹是不一样的。"但现在袜子两边的血迹是一样的形状，这意味着这双袜子没有穿在脚上，是有人拿着这双袜子往上滴的血，袜子贴在一起两边的血迹才会一样，律师死死咬住这点说这是有人陷害。再有就是他的手套，警察坚持说发现辛普森的手套的时候，手套上的血迹还是湿的，气象学家等专家于是又拿出各种证据去分析，包括那天晚上的空气湿度等，并进行实验，说这副手套在被发现的时候根本不可能还是湿的。最后律师坚决地认定说："根据各种分析，你说这副手套发现的时候还是湿的，那你是在说谎。"辛普森的律师就逼着警察说他在说谎。最后警察也没办法了，说，依照宪法某某条，我有不说话的权利。辛普森当时在法庭上一句话不说，辛普森的律师告诉他："你有权利一句话不说，你没有义务去反驳，你在法庭上就是要不说话。"最后他的律师团就一直在质问警察，质问到最后，警察援引宪法保护条例说："我有权拒绝回答你。"这样做给了陪审团巨大的心理压力，因为警察如果援引这条，就说明警察有不想说的事，陪审团就认为你的证词、证据有问题。

由于在侦查过程中出现了重大的漏洞，有些证据不能被认定，最后宣判那天，全美国可谓万人空巷。克林顿总统那天本来有事，专门把公务推了，国务卿把接待外宾的事也推了，一共有一亿三千万美国人在家里看了庭审的电视直播，目睹了最后的宣判结果。陪审团最后宣判辛普森无罪。这不是说他肯定没有罪，而是按照美国的法律叫"疑罪从无"，就是因为有疑点，所以不能认定他有罪。

这件案子在美国导致了巨大的争论，当时几乎所有美国人都认定就是他作案，因为他这个人的性格就是爱吃醋，辛普森又强壮，多次殴打妮可，妮可之前也有多次报警经历。妮可最后被用刀割喉的方式杀害，大家认为别人都没有作案动机，只有辛普森有，但是辛普森的律师说，那有可能是黑社会杀的。问题是黑社会没事杀妮可干吗？律师说因为妮可年轻的时候有过吸毒史，后来又再次吸毒，她可能买了很多毒品，但是没钱，所以黑社会就把她杀了。但黑社会是要钱的，不是要命，再加上妮可作为辛普森的前妻，辛普森在美国是最有钱的明星，妮可怎么可能买点毒品都没钱。但律师不管那套，就说是黑社会杀的。

绝大多数的美国人都认定就是辛普森干的，而且他在整个庭审过程中的态度、他的状态就像是个罪犯。可是大多数美国人也认同美国司法的这个程序，因为每个人都想，如果有一天法律牵扯到自己呢，有一天如果我出了事怎么办？美国"疑罪从无"的原则在这个案件中得到了最大的宣传，全国人民都看到了这样一个庭审，在执行过程中证据是最重要的，如果你的证据稍有瑕疵，最后就会导致不同的结果。

辛普森后来还出版了一本书，卖了很多册，这书里是这么写的，说如果是我杀的，那我是这么这么这么杀的……居然还把细节给写出来了。但是你也没办法去抓他，因为他说假设是我杀的，那我会怎么怎么样。但是，还好报应来了，十三年之后的同一天，他终于被抓了，但不是因为这件事，这件事已经没法翻案。他这次被抓是由于他涉嫌抢劫、毁坏东西，当时他带了一帮哥们儿冲进一个体育博物馆，把博物馆给砸了，抢了七百多件东西。其实这七百多件都是他自己用过的东西，因为他是名人堂重要成员，所有他用过的球、穿过的袜子、用过的那些东西都在这个博物馆里展出。他非说这是博物馆偷他的东西，这些东西都是他自己的，于是他就冲进去把这些东西抢了。

最终因为这个抢劫案，辛普森被判了三十三年徒刑。三十三年徒刑对当时已经六十多岁的辛普森来说，就相当于终身监禁。但是全美国人民都觉得没问题。虽然辛普森只是冲进一个体育博物馆抢了一些原来确实是他自己的东西，但是由于陪审团和全国人民都知道就是你杀的那两个人，"人在做，天在看"。他在拉斯韦加斯实施的抢劫，然后就一直被羁押在拉斯韦加斯。

|美国发现世界上首例艾滋病|

1981 年世界首例艾滋病在美国被发现。1981 年距今并不是很久，这个时候人类刚刚发明了治疗以前很多绝症的方法，像肺结核等。以前肺结核比艾滋病还厉害，从林黛玉到林徽因都是因为肺结核死的，肺结核病人当时无药可治，到后来有了特效药，能治好肺结核以及其他许多绝症杂症。但老天决定继续惩罚人类，艾滋病这时候出现了，成为这三十年来人类最大的心病。艾滋病是人类由于自己的问题——自己对自然的态度、自己和地球的关系的问题而出现的一种病毒，现在艾滋病可能已经有特效药或者是有办法治了。但是我觉得人类如果一直用这种态度对待大自然、对待世界、对待自己的话，即使在未来几年艾滋病可以治好，也还会有新的病毒出现。

|苏芮生日|

祝苏芮大姐生日快乐！苏芮大姐实力与运气兼备。她凭借电影《搭错车》

的那张原声唱片红遍台湾地区，那时候她还很年轻。当时台湾地区最有才华的几位年轻音乐家为她写歌，在那张叫《搭错车》的专辑里就包括罗大佑写的《是否》、李寿全写的《一样的月光》、梁弘志写的《请跟我来》、侯德健写的《酒干倘卖无》等经典歌曲。可以说当时台湾地区一代年轻的音乐家为她打造了那张唱片，留下了旷世经典。幸运只是第二位的，第一位的还是苏芮拥有这个实力。

大唱将那英当年刚来北京的时候，中国的音乐市场还很乱，没有什么正版，大家全都是盗别人的歌，也不知道是谁写的歌，作者统统叫佚名。后来台湾地区有很多作者到大陆来，我跟他说，你在大陆很知名，你的名字叫"佚名"，因为当年不知道你是谁。当时那英就翻唱了苏芮的一些歌，但出版公司稍微有一点版权意识，不敢直接署名苏芮，就署名"苏丙"，当然那个"丙"字长得很像"芮"。所以那英的第一个艺名叫苏丙，那英后来靠自己的实力，不用叫苏丙了，终于成了今天的那英。

6月14日

《晓松说——历史上的今天》来到了 6 月 14 日。在 1777 年的这一天，美国正式采用星条旗作为国旗；1952 年的这一天，人类的第一艘核潜艇举行铺设龙骨仪式；1985 年的这一天，欧洲国家签订了《申根协定》。今天还是郎朗的生日，兄弟生日快乐！

| 美国采用星条旗作为国旗 |

1777 年的这一天，美国大陆会议决定采用星条旗作为国旗。美国《独立宣言》是 1776 年的 7 月 4 日通过的，1777 年的 6 月 14 日美国才选定了国旗，也就是说独立战争刚开始的这段时间美国并没有国旗。美国独立之前这些州都是英国的殖民地，每个殖民地都有自己的旗帜，所以打仗的时候用的是不同的旗，后来美国说这样不行，咱们得团结起来，得有一个自己的旗帜来振奋士气。于是第二届大陆会议就决定以星条旗作为美国独立以后的国旗，从此以后，美国人高举着星条旗和英军作战。硝烟中星条旗在战场上空飘扬，于是美国人又写

了一首很振奋人心的歌曲，叫作《星条旗永不落》，后来成为美国的国歌。我觉得世界上最好听的国歌就是这些在战争中诞生的国歌，包括我们中国的国歌《义勇军进行曲》、法国的国歌《马赛曲》和美国的国歌《星条旗永不落》，战争当中诞生的音乐都是非常激荡人心的，因为那是真情实感的流露。

星条旗开始时有十三个条、十三颗星，代表当时一起奋战的十三个殖民地，这十三个殖民地就是美国独立时的十三个州。后来越来越多的州加入进来，国旗上就得有越来越多的东西来体现，因为大家得平等，最后大家就决定更多的州加入进来的时候别再增加条了，因为再加就变成床单了，咱一颗一颗地加星星就行了，所以今天看到的美国国旗一直就是十三条。美国还规定每次修改国旗必须是在国庆日进行，所以美国先后有二十八个国庆日修改过国旗。美国从十三个州开始变成五十个州，实际上增加了三十七个州，但是只在二十八个国庆日修改过国旗，因为有几个州是同时加入美国的。美国在 1803 年用一千五百万美元从法国手中购买了密西西比河以西多达二百六十万平方公里的广阔领土——统称为路易斯安那（比现在仅为十一余万平方公里的路易斯安那州大得多），于是路易斯安那、阿肯色、俄克拉何马、密苏里、堪萨斯、艾奥瓦、内布拉斯加、明尼苏达、南达科他、北达科他、蒙大拿、怀俄明等十几个州由此加入了美国。美国在 1848 年打败了墨西哥，买来了很多州，加利福尼亚州、内华达州、科罗拉多州、新墨西哥州、亚利桑那州等都是在同一时期加入美国。有些州是一个一个单独加入的，像墨西哥的得克萨斯州，还有从西班牙手里买来的佛罗里达州、从法国手里买来的路易斯安那州、后来从俄国手里买来的阿拉斯加州等。夏威夷在 1959 年成为美国的第五十个州，那之后美国国旗再没有变过。我猜在未来很多年内也不会再有改变，因为当今世界已经到了不以民族划分的时代了，不会再有一块领土突然加入到美国，成为美国的一个州。

美国人非常爱国，各种各样的节日都要挂国旗，只要有节日就都会挂满国旗，有重大的活动或者事件发生时，也都用悬挂国旗表达热爱祖国的情感。"9·11"之后美国所有的地方都挂起国旗，就是表明爱国的态度。美国非常重视爱国主义教育，美国的国歌里有句歌词叫作"上帝保佑美国"，也有人提出过抗议，说为什么让不信宗教的人唱"上帝保佑美国"。美国虽然是一个宗教自由、平等的地方，但是没办法，当时国歌就这么写的，今天也不能去推翻它。

所以不管什么宗教，星期一都得升旗、唱歌，美国规定国旗任何时候都不能以四十五度角倾斜下来。曾经有一件特别有意思的事情发生，就是在有一年伦敦奥运会上，当时所有的持旗人都要向英国国王致敬，那个时候的英国还是日不落帝国，大英帝国的爱德华国王出来，所有国家的人向国王致敬的时候都要把旗倾斜过来。当时只有美国的旗手坚决不让国旗倾斜，他说："星条旗永不落，我举的这面星条旗，在这个世界上不向任何国王、贵族低头，绝对不向你致敬。"我在美国真的没有看到过一次国旗掉在地上。美国有《国旗法》，规定国旗的任何一个部分都不能触地，国旗掉在地上对于美国人来说是一件非常严重的事情。也许有掉在地上的时候，你还没看到，就被别人捡起来了。由此联想到我们 2008 年北京奥运会的时候，奥运火炬在全世界传递，海外华侨拼命地保护火炬。在加利福尼亚州的火炬传递我也去了，就是去保护火炬，当时发生了很多冲突。后来西方媒体别有用心，在火炬回到中国传递的时候，专门到中国来拍一些镜头，当时火炬经过的地方满地都是国旗，我在美国看到电视里播放的这些镜头，觉得心里好难过。他们说："你看，中国人在海外为了火炬跟这个闹跟那个闹，可是他们自己在中国传递的时候到处乱扔国旗。"作为中国人我们一定要有这个概念，国旗是一个国家最重要的象征，任何时候连四十五度角都不能斜下来向人致敬，更不要说掉在地上了。

|第一艘核潜艇在美国铺设龙骨|

1954 年，第一艘核潜艇在美国正式下水。人类在科技上突飞猛进的发展速度多么惊人。在这之前，人类还不知道原子弹爆炸会有多大的威力。仅仅过了几年的时间，这种巨大的核爆炸威力居然被人类控制并用来提供动力。我作为一个理工科出身的人都觉得这个特别神奇。就像我以前多次说过的，人类能够推动科学前进，都是先将科技用于战争。核动力也是这样，首先就用在了核潜艇上。为了长期潜在水下，潜艇不能依赖空气。核能量就是不依赖空气的能源，靠核能发热以后就把水变成水蒸气，然后用水蒸气推动蒸汽轮机，从而推动潜艇前进。核动力对其他军舰来说意义还没那么大，因为其他军舰反正是在水面上，用燃气轮机也好，用蒸汽轮机也好，用柴油机也好，反正有的是氧气。而且其他的军舰还真没有长时间潜航的需求，而潜艇需要长时间潜伏在敌国附近，或者敌国港口的外面。如果没有地方去加油，或者加油要去很远的地方，这都是问题，但用核燃料就可以解决这样的问题。核潜艇装一次燃料，至少能绕地球好几圈，现在更加先进了，差不多十年才需要换一次核燃料，所以一艘核潜艇终其一生只要换两到三次核燃料就可以了。

今天，世界各海军大国的潜艇基本上都是以核潜艇为主，中国现在也有了自己的核潜艇。美国的海军是最先进的，美国就没有常规潜艇，全部都是核潜艇。苏联有常规潜艇，但是主要还是核潜艇，当时苏联核潜艇的数量远远超过美国，但是核潜艇的质量跟美国相比还是有差距，始终跟美国差一代。苏联要过七八年，甚至十年的时间才能追上美国的前一代。美国的战略核潜艇是世界上最先进的，所谓战略核潜艇就是核潜艇里面装着洲际导弹，这洲际导弹的发射距离能达到一万公里，我在我的近海，潜在水里向你发射就行，让对方防不胜防。

现在的核设施是"三位一体、立体攻防"，空中有战略轰炸机，地上有战略导弹，海里有战略核潜艇。战略轰炸机得用机场，但机场很容易被人摧毁。战略导弹有两种，一种是用发射架发射的，一种是可以机动发射的。战略发射架大家加固加固再加固，但是再加固人家用更大的核弹头也能把你摧毁；现在美国跟俄罗斯都有机动的发射架，就是发射架可以移动，到一个地方竖起来就可以发射导弹。但即使是机动的发射架，那个发射车也很大，导弹也很大，所以还是容易被发现。而只有核潜艇，在海底下沉着，最开始射程不够时，潜艇需要开到离你比较近的地方，比如离你三千公里才能发射，现在有了一万公里射程的潜射战略导弹，那潜艇可以离你很远，就在港口外面潜伏着，你也发现不了我，因为你根本不知道我在什么地方。所以这个核潜艇发射的战略导弹实际上是各大国之间核威慑的最重要的武器，以至于英国、法国到现在已经没有了陆军的战略导弹，战略轰炸机也都退役了，只剩下了战略核潜艇，但对你有很大的威胁。一般一个洲际导弹可以带很多弹头，有的是三个，有的是五个，或者更多。美国最先进，一个洲际导弹能够带十个弹头；英国是直接使用美国的战略导弹，所以英国只有潜艇是自己的，而导弹用的是美国的；法国是一切都要独立，核潜艇是自己的，导弹也是自己的，法国的洲际导弹可能是三个或五个弹头。苏联解体以后，俄罗斯这么多年军事一直没有什么进步，虽然研制出来很多先进的东西，但没钱生产。俄罗斯的海军装备二十多年都没有什么更新，航母还是那个航母，战斗机还是那个战斗机，潜艇老的、破的也都不管了，曾经的世界上吨位最大的苏联的"台风"战略潜艇，现在都已经生锈到快腐烂了，也不管了。但是俄罗斯的战略核潜艇是坚持不落后的，俄罗斯已经研制出了最新一代的战略核潜艇，新下水的"北风之神"战略核潜艇技术非常先进。所以说，战略核潜艇对于一个国家来说是非常重要的。美国在这方面一直保持着世界领先，这种先进性不光是武器的先进，还包括潜艇的安静性以及其他各方面。美国潜艇的安静性是全世界最好的，美国当时曾经讽刺苏联的核潜艇，说苏联核潜艇刚一出港口，在夏威夷都听得见，意思是说你那潜艇噪声实在太大了。

到今天为止，我国已经发展了两代攻击型核潜艇和战略核潜艇。攻击型核潜艇是用于海战的，里头没有装战略导弹，但是装有战术导弹和制导鱼雷。最新的战略核潜艇大家能在网上看到照片，中央电视台也播出过相关的节目，差不多赶上了冷战时期美苏的战略核潜艇，但是和世界上最先进的核潜艇相比还是有差距的，因为这是一个国家最高精尖的东西。但我相信我们的军工实力，我们已经有了航空母舰，战略核潜艇、攻击型核潜艇也会很快追上来。

6月15日

《晓松说——历史上的今天》来到了 6 月 15 日。1775 年的这一天,华盛顿被任命为大陆军总司令。1944 年的这一天,四十七架 B-29 轰炸机第一次从成都起飞轰炸日本。1955 年的这一天,郑渊洁大哥出生,生日快乐!

| 华盛顿被任命为大陆军总司令 |

1775 年的 6 月 15 日,华盛顿被第二届大陆会议选举为大陆军总司令。美国独立战争的第一枪是在 1775 年 4 月 19 日打响的,史称"列克星敦枪声"。距此时间一年多美国才有了第一个总司令。这是因为美国的独立战争一开始是各州自发进行的,后来各州民兵开始起来跟英军作战,直到 1775 年的这一天,各州的民兵才组成了大陆军,才终于有了自己的总司令。其实这个时候的大陆军都不能称为完整的军队,军装也不统一,武器也是五花八门什么样的都有,甚至还有拿锄头的。但不管怎么样,美国人民是幸福的,他们把赌注压在了华盛顿身上,不光是赌他能够率领大陆军使美国获得独立,后来选他当总统,赌他

能够领导好美国，美国人民两次都赌赢了。华盛顿在军队中本来就有很高的威望，这个军队不是指大陆军，而是指在英军中间，因为过去美国人没有军队。当时有很多殖民地的人都加入了英军，华盛顿就是英军军官，在跟法国和印第安人的战争中他积累了很多经验，在军中有崇高的威望，所以这时美国的大陆军就请华盛顿来当总司令。

华盛顿在军事上并不像亚历山大、拿破仑那样厉害，不像他们那么能打仗，华盛顿打过很多败仗，但是他有坚毅的性格，而且有高风亮节的品质。华盛顿当了好几年美国大陆军总司令，但他一分钱工资也没有拿。当然华盛顿本身是大富豪，他从继承家族的庄园遗产开始，后来自己把庄园经营得红红火火，如果不是最后参军打仗成为美国的缔造者、国父的话，他极有可能成为袁隆平式的科学家。华盛顿不但是种地的能手，而且经常搞各种各样有关农业的研究和发明，他对这些东西非常感兴趣。时势造英雄，华盛顿作为一个非常有钱的庄园主，在大陆军最困难的时候甚至拿出自己的家产来供给军队，所以在军中他有崇高的威望。虽然华盛顿打了很多败仗，但是由于他屡败屡战，再加上整个殖民地的人民渴求独立、自由，经过多年奋战，美军终于打败了英军。

美国首都就是以华盛顿命名的。国会大厦又名国会山，是一个大圆顶建筑，高达八十七米，加上顶上的铜像，高达九十三米。美国曾专门立法，在首都华盛顿整个特区内不能再有任何建筑超过国会山，所以大家去看华盛顿特区，几乎所有的建筑都比国会山低。但只有一个例外，那就是建成于 1884 年的华盛顿纪念塔。它由白色花岗岩砌成，呈方尖碑形状，其高度竟达 169.3 米，成为华盛顿最高的建筑。由此可见美国人对自己国父的崇敬之情。在华盛顿特区大家远远地就能看见国会山的大穹顶。穹顶内部是一幅巨画，画面上就是美国开国总统华盛顿。美国是一个特别反对贵族、反对独裁、反对所有权威的自由、民主国家，但在这幅画上，华盛顿坐在中间，两边是两位坐着的胜利女神，再旁边还有十三位女神，代表当时美国最先独立的十三个州。从这幅画中可以看出，当时华盛顿几乎是大家心目中的神。在国会山的正面还有一幅特别大的油画，画的是当时担任大陆军总司令的华盛顿，在战争胜利时向大陆会议交还权力。这些都显示出华盛顿当时在全美国人民中间有极高的威望。

后来华盛顿连任两届美国总统，选举时所有的选举团、国会以及各个党派没有一个人不投华盛顿的票，华盛顿两次都是全票当选，迄今为止美国还没有其他任何一位总统能够获得这个荣誉。华盛顿也是世界历史上第一个被称为"总统"的国家元首。由于华盛顿的高风亮节，他本可以任终身总统，但华盛顿只担任了两届总统便决意不再继任。他说："美国是一个民主的国家，不能有这种独裁者。"于是在连任两届后他自己就回到庄园种地去了，此后所有的总统都效仿他的高风亮节，一直到二战之后，都是最多连任两届，只有富兰克林·罗斯福例外，他担任了四任总统。

游览国会山的时候导游会给你讲到华盛顿，导游说"他完全可以掌握这个权力，他在那个时候有巨大的权力，但是他把他的权力还给了我们"，注意导游不是说把权力"还给了大陆会议"，他说的是"还给了我们"。当美国人听到这儿的时候，很多都会热泪盈眶。直到今天，华盛顿也是美国人民最热爱的总统。

|美军B-29轰炸机轰炸日本|

1944 年的这一天，美军有四十七架被称为"空中霸王"的 B-29 轰炸机，从中国的成都起飞去轰炸日本的四国岛。四国岛是日本最主要的四个岛之一。这四十七架 B-29 轰炸机从成都起飞，飞越中国大陆，飞越整个东海，去日本轰炸，多么遥远的距离。这是日本有史以来遭到的第一次大规模轰炸，从那之后直到日本投降，日本遭到美军的多次轰炸，几乎被夷为平地。最后美军轰炸日本用的就是 B-29 轰炸机，往日本投放原子弹时用的两架飞机也是 B-29。

B-29 是当时全世界技术最先进、航程最远、载弹量最大的轰炸机。而且当时是第一次在轰炸机上使用了舱内增压的先进技术。过去的飞机舱内是不增压的，机舱和外面的大气是相通的，所以当飞机飞到很高的高度的时候，机内空气就变得非常稀薄。现在的飞机都采用了座舱增压技术，虽然外面的空气很稀薄，但飞机舱内能够保持一个大气压的压力，飞机的座舱就相当于一个高压的罐子。之前在没有舱内增压技术的时候，飞机只要一飞到高空，就会感觉机舱内非常非常冷，而且空气稀薄，让人呼吸困难。二战时期著名的"驼峰航线"

中有大量的运输机失事其实就是这个原因。"驼峰航线"穿越的喜马拉雅山最高的地方海拔有八千米，当飞机飞到万米高空的时候就处于完全缺氧的状态。低空空气稠密，飞机在低空飞的时候，会遇到巨大的空气阻力，而高空空气稀薄，空气的阻力就小，所以飞机只有在空气稀薄的空间飞行才能远航，这就是为什么客机都要在一万米高空飞行。当时美国的工业制造水平是全世界最高的，美国凭借着高超的工业能力制造出了世界上最大的轰炸机 B-29，叫"超级空中堡垒"，采用了空中增压技术。之前的"空中堡垒" B-17 型轰炸机是不能增压的，到 B-29 就实现了空中增压技术。B-29 的载弹量非常大，能够达到九吨，它的航程也是最远的，当时从成都起飞一直飞到日本去轰炸。不久之后美军便于 7 月 7 日占领了塞班岛，再去轰炸日本的大量的 B-29 飞机就不用再从成都起飞了，而是从塞班岛直接起飞。后来硫黄岛于 1945 年 3 月 26 日被美军占领了以后，P-51 野马式战斗机便可从硫黄岛起飞为 B-29 轰炸日本护航了。

当时为了帮助美军的轰炸机从成都飞到日本去轰炸，各方面都付出了极其艰苦的努力。中国没有机场，也没有汽油和炸弹。为了给美军建机场，几十万名中国老百姓挑着土，搅碎石头，修建机场。当时不光是在成都建了机场，为了美军去轰炸日本，中国上百万的军民，从成都到湘西以及湖南的芷江，修了无数个机场。没有机场我们可以动手修，但是没有航空汽油怎么办呢？而且航空炸弹中国自己也制造不了，所以只能从其他国家往中国运。著名的"驼峰航线"就是干这个事儿的，运输机从印度起飞，把汽油和炸弹运输到成都。当时艰苦到什么程度呢？一架运输机要运七次油，才够 B-29 起飞轰炸一次。这四十七架 B-29 起飞轰炸一次，就要有数百架运输机把油运到成都来。而且在运输途中飞机的失事率是很高的，差不多要起飞十三四架运输机，才能供一架 B-29 起飞轰炸一次日本，这个成本是非常高的。所以到最后美军不惜一切代价，在塞班岛、硫黄岛与日军血战，做出巨大的牺牲，无论如何也要占领这些岛屿，这样美军就可以从太平洋方向去轰炸日本，可以大大缩短从成都起飞轰炸日本的航程。占领塞班岛、硫黄岛之后，中国这边的任务就已经结束了。但 1944 年 6 月 15 日的这一次轰炸极大地震慑了日本，非常值得纪念。

|郑渊洁生日|

今天是郑渊洁大哥的生日，生日快乐！郑渊洁大哥是 1955 年出生的，比我大十四岁，但他看起来非常年轻，每次看到他，我就一点儿不担心我会变老了。郑渊洁大哥的微博粉丝非常多，从他的微博上你能感受到他是一个非常年轻的、心中充满着正义感的"Decent Man"（正直的人）。我觉得，正直是一个男人最重要的品质。他对于世界上的不公、不平之事，都是不平则鸣，经常会抨击不公平的社会现实，抨击那些贪官污吏，非常勇敢。

郑渊洁大哥也是非常有意思的一个人，他不让自己的孩子去学校上学，而是自己在家里教孩子。他自己就是一个没读过大学、自学成才的人，非常痛恨我们的应试教育。我本人应该说是应试教育的受益者，但是我和郑渊洁大哥从来不讨论应试教育这个问题，我们在一起经常就是嘻嘻哈哈开些玩笑。

郑渊洁大哥是典型的北京人性格。但是他有一点不像北京人，北京人通常都比较懒，他们见惯了历代朝廷兴亡，就是眼看你起高楼，眼看你宴宾客，眼看你楼塌了，眼看你今天还在皇宫里，第二天就上菜市口。北京人看惯了这些起起落落，所以北京人很懒，不求上进。北京人最著名的一句话叫："我干什么成什么，我就是北京人。"但是郑渊洁大哥可不懒，他是全世界最勤奋的作家，据说他至今已经写了上亿字，说实话，我还没见过世界上有任何一个作家写过一亿字。《四世同堂》这么一个大部头，有一百万字，那得写一百部这么大部头的作品才够一亿字。法国小说家马塞尔·普鲁斯特的名著《追忆似水年华》一共有七大本，也才一百多万字。像王朔、郑渊洁这样的作家一般能做到一天写一万字，那要写出一亿字，每天不停地写，也要写三十年。郑大哥今年（2013 年）五十八岁，那就是说他从二十几岁开始，就要每天写一万字，一直不停地写到今天，到今天写出了一亿字。所以这是非常值得崇敬的，一般人根本做不到。

他的很多作品，像《皮皮鲁和鲁西西》等，陪伴着包括我在内的无数年轻人度过了童年时光。那个时代食品特别匮乏，而郑渊洁大哥写的东西全是关于吃的，每次看到他的作品中写到什么吃了三头牛、两百个鸡蛋什么的，我就非常生气，心想他们怎么可以吃那么多。因为我们那时候是每个人都有定量，一个人一个月才有半斤鸡蛋，经常会半夜饿醒。所以我猜郑渊洁也是因为饿的，他自己也没鸡蛋吃，所以一写童话，就会写谁谁谁吃了好几百个鸡蛋、好几头牛等这样的事情。这些故事陪伴着我们度过了欢乐的童年，谢谢郑渊洁大哥，生日快乐！

6月16日

　　《晓松说——历史上的今天》来到了 6 月 16 日。1977 年的这一天，人类历史上最著名的火箭专家、大师级人物冯·布劳恩去世。1888 年的这一天，著名的《国际歌》诞生。今天还是唐太宗李世民的忌日。

|冯·布劳恩去世|

　　冯·布劳恩应该算是 20 世纪推动人类科技发展最重要的工程科技大师。科技分成了理论科技和工程科技两部分，比如说对于火箭、导弹这种东西，理论科技要计算出火箭、导弹的各种参数，但是光有理论不行，还得靠工程科技把火箭和导弹给造出来。在火箭制造方面，美国有两位最重要的大师级人物，一个叫冯·卡门，一个叫冯·布劳恩。冯这个姓氏其实是普鲁士贵族的一个姓氏，在德军中有很多元帅、大将什么的都姓冯，所以在德国姓冯的一般都是贵族。

　　冯·卡门是火箭理论方面的专家，他是德国物理学家普朗特的第一个博士研究生。普朗特大师是空气动力学的奠基人，整套空气动力学的理论都是他研究出来的。普朗特大师的第一个博士研究生就是冯·卡门，他的最后一个博士研究生是陆士嘉博士，就是我的外婆。冯·卡门也有很多弟子，他有一个著名的博士研究生，就是钱学森先生。钱学森先生在小学的时候和我外婆是同学，但后来论辈分，钱先生应该管我外婆叫师姑。

冯·卡门在美国奠定了火箭空气动力学的理论基础，但是后来把火箭制造出来的是著名的火箭专家冯·布劳恩。冯·布劳恩是德国人，战后被美国人从德国作为战犯抓到了美国。当时世界上最先投入实战的导弹有两种，一种是弹道导弹，叫V2；还有一种是巡航导弹，叫V1。这两种导弹都是由冯·布劳恩在德国主持研制的，当时德国用这两种导弹，在二战中几乎把伦敦、布鲁塞尔、安特卫普夷为平地。后来德国甚至在潜艇后面加了两个大的弹筒，把导弹拖到了纽约外海，准备朝纽约发射V2导弹。幸亏后来盟军登陆，登陆以后把德军的V1、V2的发射场都占领了，再加上盟军的轰炸等，最后才没有造成对纽约的巨大伤害。

德国在二战期间的火箭技术领先世界很多，所以后来苏、美两国打到德国以后对德国的火箭技术的抢夺采取了不同的方法。苏联是派人到处抢火箭的设计图纸，而美国是到处抢设计火箭的人。对于火箭技术来讲人是更重要的，图纸是人设计出来的，人记得这个图纸，把人抢回去不就行了。苏联当时是抢了大量的火箭设计图纸，后来苏联靠这些图纸也制造出了自己的导弹、火箭。整个冷战期间最重要的竞争就是太空竞争，苏联是第一个飞上太空的国家，加加林成为登上太空的第一人。

美国人当时把冯·布劳恩抓回了美国，但是没有把他当战犯审判，而是让他归化成了一个美国人。冯·布劳恩后来主持了美国的整个火箭计划，在苏联率先把宇航员送到太空以后，美国人开始奋起直追。当时美国规模最大的登月计划叫阿波罗计划，火箭计划称为土星计划，整个大计划叫作阿波罗计划。这个火箭计划就是由冯·布劳恩主持的，冯·布劳恩也是美国登月计划的总设计师，最后美国人阿姆斯特朗第一个登上了月球。所以冯·布劳恩虽然在战争期间用科技杀了一些人，但最后还是用科技造福了人类，让人类登上了月球。

1977 年的今天，冯·布劳恩逝世，这是一个非常值得纪念的日子。

|《国际歌》诞生|

1888 年的今天，著名的《国际歌》诞生。《国际歌》实际上是分两次写完的，1871 年巴黎公社起义被镇压了，当时悲愤的诗人写下了这首诗。后来过了十几年，有人给这首诗谱了曲，于是 1888 年著名的《国际歌》诞生了。

《国际歌》全中国人民都非常熟悉，我们从小就唱"英特纳雄耐尔一定要实现……"。其实我小时候并不知道这个"英特纳雄耐尔"是什么意思，长大了才知道其实就是法语的 Internationale（国际），大概就是说"共产国际的理想就一定要实现"。

在战斗中诞生的歌曲通常都很好听，《国际歌》就是一首在战争中诞生的歌曲，也是一首很好听的歌。《国际歌》激励着世界各国的无产阶级为了自由和幸福生活而奋起抗争。

|唐太宗李世民去世|

公元 649 年的今天，中国历史上最重要、最杰出的皇帝之一唐太宗李世民去世。毛泽东曾在诗中写过"唐宗宋祖、秦皇汉武"，唐太宗、宋太祖、秦始皇、汉武帝这四个皇帝差不多是中国最重要的几个皇帝了。唐太宗李世民作为中国历史上最重要的开国皇帝，开创了唐朝这样一个盛大的朝代，所以唐太宗是非常值得纪念的。李世民做人确实有很多问题，篡改历史，杀了兄弟，然后还把兄弟的老婆霸占了。每一个创造了伟大时代的人，他们的个人品质其实都有很多值得探讨的问题。实际上每一个人都有长板和短板，如果一个人的长板特别长，那他的短板一定会特别短。而像李世民这种有个性的人就是长板特别长，他打仗非常厉害，治国也很厉害，但是短板却非常短。

很多开国皇帝一旦掌权以后都怕这个篡权、怕那个夺位，有很多开国皇帝后来把当初一起打下江山的那些功臣都杀了，像明朝开国的时候就有这种情况。而李世民在这点上很开明，他不但没有杀那些帮他打下江山的功臣，而且还绘像凌烟阁，后来李世民在凌烟阁这个地方挂了二十四个开国元勋的像，这二十四个人如果仔细研究一下，就会发现有些人是一直跟着他打天下的他最亲信的人，像秦叔宝、程咬金等，大家看《隋唐演义》对这些人都很熟悉。但是其中有超过一半的人当初并不是他的亲信，甚至是他的敌人，其中就有跟着窦建德、王世充的人，有跟着他哥哥建成、弟弟元吉的人，当时都欲杀李世民而后快。当然这些人后来都为建立唐朝立下了汗马功劳，所以当绘像凌烟阁的时候，唐太宗李世民就展示了非常宽广的胸怀，只要为唐朝的建立做出了贡献的人都能在这里绘像。

还有一点非常遗憾，唐太宗作为一代雄杰，最后竟然是死于乱吃养生药。中国历史上有很多伟大的皇帝都爱乱吃养生药，因为越伟大就越想长生不老。当时秦始皇就想长生不老，派徐福去采仙药，最后弄了一堆方士给他炼丹，把自己吃死了。唐太宗觉得自己这么伟大一个皇帝怎么能死呢，于是也是弄来一些方士炼丹，还从印度搞来一些番僧，来了以后各种装神弄鬼，唐太宗就是吃了印度的仙丹，估计还有春药什么的，公元 649 年的今天，唐太宗李世民去世。

6月17日

《晓松说——历史上的今天》来到了 6 月 17 日。1900 年的这一天，八国联军攻陷大沽口炮台。1950 年的这一天，中央音乐学院成立。1985 年的这一天，美国 Discovery（探索）频道开播。

|八国联军攻陷大沽口炮台|

八国联军侵华战争是被全中国人民世世代代铭记、永远在历史教科书里记载的国耻，它导致了中国历史上数量最大的对外赔款。攻陷大沽口炮台是八国联军登陆后的第一战，这段历史大家在历史课本里都学习了很多，但实际情况并不是像历史书里写的那样，我们有多么落后，落后就要挨打。虽然那个时候人们没见过洋枪、洋炮，但作为一个政府年收入能达到一亿两白银的世界经济大国，中国被惊醒了以后就在武器装备上开始奋起直追。实际上后来在军备上不再呈现"大刀长矛对阵洋枪洋炮"那般落后的状况了。甲午战争的时候，我们的陆、海军单从武器装备来讲并不比日军差，有的还要强一点儿。八国联军

侵华的时候我们正规军队的武器装备也并不落后。当时的八国联军，除了德国，其他国家的武器还不一定有中国军队的好。中国军队当时装备了德国最先进的德式重机枪、毛瑟连发步枪以及最先进的克虏伯大炮，比当时其他的什么奥匈帝国、俄国、日本的军队装备可能都要先进。

八国联军在打仗的时候弹药都不够，他们有一个报告，说平均要用四发子弹才能打死一个中国人，所以在打仗的时候要求士兵们节省弹药，没敢全面进攻。最后八国联军攻陷了大沽口炮台，打开军械库之后全都惊呆了，那里面摆满了崭新的、涂着保护油的最先进的克虏伯大炮，还有大批当时最先进的毛瑟步枪以及数百万发子弹。并不是因为我们落后才会挨打，实际上我们在军备上一点都不落后，而是没有战斗精神。中华民族并不是一个尚武的民族，不尚武的民族在有些时候是善战的，比如说汉武帝时期、唐太宗时期。但是到了清末，整个国家腐朽，军队腐败，士兵完全没有战斗意志，在战场上大家就是冲天乱放几枪，然后扔下枪就逃跑了。

整个大沽口炮台战役，我们一共只打死了不到十个八国联军士兵，这在人类战争史上都是很奇怪的现象。意大利曾经侵略过埃塞俄比亚，埃塞俄比亚人民拿大刀、长矛打死的意大利军人都远远超过拿着最先进武器的清军杀敌的数量。所以写在历史书里的落后完全不是理由，我们的武器丝毫不落后，我们就是整个国家腐朽，民心士气崩溃，士兵不勇敢，不尚武不善战，完全就是摧枯拉朽一般被敌人消灭。后来八国联军攻打天津的时候，抵抗最坚决、打仗最勇敢的将领是清朝直隶提督聂士成。当时聂士成率领的清军装备就比八国联军还要先进，但是在当时那种混乱而绝望的情况下，聂士成最后竟以纵马冲锋这种近乎自杀的方式阵亡。那是因为此时的聂士成已经不想活了，仗打到这个样子，作为一个军人，稍微有一点儿血性的军人，都会觉得这简直是国家之耻、军人之耻。

当时这个国家不团结到什么地步？八国联军直到 8 月 14 日打下北京之时，一共才只有一万八千人（到 9 月中旬才达到十万人这一最高数字）。而中国这么大一个国家，有这么多的军队，竟然让那么点儿人的八国联军轻易攻占了自己的国都。当时国内的大多数省份都不支持打仗，史称东南互保。当时像两广、两湖、苏鲁、闽浙等各省的巡抚、总督公开宣称：中央政府一定要宣战，那各省就保持中立。一个国家那些主要省份都保持中立，这仗还怎么打，最后这些省份也就给清廷运来一两万支洋枪而已。我记得看过一个单子，说仅山东一省就有几万支洋枪，都是最先进的装备。所以我们不缺枪、不缺炮，也不缺人，我们缺的是国家的团结和战斗精神。区区八国联军一共没多少人，最后打到北京，导致中国拿出四亿五千万两白银赔款，这个钱可以把当时全世界最好的装备都买下来。这些钱不用来战斗，最后却用来赔款，可以看出当时的中国已经到了什么地步。

| 中央音乐学院成立 |

1950 年 6 月 17 日，中央音乐学院成立。中央音乐学院是中国最高的音乐学府。中国自古以来就是一个不太重视音乐的国家，各种经书基本上都流传下来了，连《易经》这么艰深、复杂的经书都传下来了，唯独《乐经》，因为没有人去保护它，最后失传了。据说 1936 年 12 月初的时候，在西安曾经出土过一本《乐经》，当时的陕西省政府主席叫邵力子，是一个相当有文化的文人，他知道这件事，非常高兴，准备看一下。可是这个时候张学良突然发动了西安事变，邵力子和蒋介石一起都被抓了起来，等邵力子再出来，已经过去了好长时间，那本《乐经》已经找不到了，所以至今为止也没有人看过《乐经》。

儒家出现以后，乐就成了淫的同义词，"正襟危坐"的"正人君子"怎么能弄那些靡靡之音呢？所以音乐就成了最下层的东西，搞音乐的人从来不叫音乐家，而被称作匠人。那个时候教音乐的地方叫教坊，"教坊犹奏别离歌，垂泪对宫娥"。教坊里就是一些宫女去学学音乐，没有人把它当成一个正式的教育去做，所以当时的音乐基本上就是在青楼里流传。

我们的音乐特别悲惨，我们曾经发明了指南针、造纸术、火药、地震仪等，但这么伟大的民族居然没发明乐谱，就是没有东西可以记载这些音乐，所以中国的那些音乐统统失传。《霓裳羽衣曲》怎么唱的不知道，《高山流水》怎么唱的也不知道。"高渐离击筑，荆轲和而歌"，筑是一个十三弦的大吉他，高渐离怎么击筑不知道，荆轲的"风萧萧兮易水寒"怎么唱也不知道，只知道调，就是 A 调，但是具体怎么唱不知道。

我曾经看过文艺复兴之前佛罗伦萨的文化大展，其中让我最震惊的就是一本一本厚厚的乐谱。那时候还没有五线谱，是用四根线表示的，也不是那个疙瘩的形状，是菱形和方块、三角，各自代表不同的时长。当时打开谱子以后，旁边就有人在那儿站着，我说："你是干吗的？"他说："我能帮你把这个谱子唱出来。"那唱出来的旋律非常好听。其实在文艺复兴之前，中世纪的欧洲完全就是黑暗荒蛮的地方，但是人家把音乐记录下来了，我们拥有这么光辉灿烂的民族文化，却连乐谱都没有。

后来到元朝中国开始有了戏剧，当时有一大批知识分子发展了中国的音乐。在元朝的时候知识分子被打到最底层，很多知识分子只能去勾栏里面给青楼写歌谋生，中国的音乐才开始有了一些起色。因为知识分子去了，搞音乐的就不再只是一群匠人了。所以幸亏中国历史上有个元朝，为中国的音乐发展做出了重要的贡献。虽然在元朝的时候有了曲子，可是这些曲子还是没有能够传下来。当时的戏剧大师关汉卿写了那么多折子戏，可是那些曲牌怎么唱到现在谁也不知道，因为没有谱子。在五线谱传入之前，中国的京剧并没有现代意义上的完整乐谱，一直都是师父教徒弟唱。所以自古以来我们中国的音乐以及音乐教学大概要排全世界最后一位，不论是荒蛮的非洲还是落后的波利尼西亚都有自己传承音乐的方法，我们这么文明的民族却没有传承音乐的方法，也没有人去歌颂和记录音乐家。

中国的历史课本到今天为止，每讲完一个朝代，都要讲到那个朝代的书法家，但从来都没有记录过一个朝代的音乐家。我们学到的历史都认为中国没有音乐家，也没有人为音乐家塑像，像西方到处都是柴可夫斯基、巴赫、肖邦的塑像，我们没有。所以说我们是在音乐上一穷二白的国家，民国的时候我们修了那么多历史，诗词史、文学史、小说史、建筑史都已经修过了，但没有人修音乐史。所以中国是一个在音乐方面非常落后的国家。到新中国成立前，开始有大量音乐教育从西方传过来，像留学回来的萧友梅、冼星海等。那时中国才开始有了音专，在上海叫国立音专。美术当时也是从国外学来的，但是绘画我们有辉煌的传统。而中国的音乐教育从民国时候才开始，到了新中国建立的时候，政府开始大规模地推行音乐教育，后来才有了中央音乐学院、上海音乐学院、成都音乐学院、西安音乐学院等。当时每个地方都有音乐学院，有美术学院，艺术教育非常好地开展起来了，我觉得这个是必须记在功劳簿上的。

中央音乐学院在所有的音乐学院里是迄今为止成就最大、最权威的，它也应该位列全世界最好的音乐学院之一。中央音乐学院培养出了大批西方古典音乐人才，扬威全世界。其实北京还有一个中国音乐学院，中国音乐学院是教民族音乐的。

中央音乐学院的1978级涌现出许多知名的音乐家。各个学校七八级都是人才辈出的一届，因为中国经历了十年"文革"，"文革"期间不能高考，于是积累了那么多届的毕业生在恢复高考以后全部进入了七八级。所以七八级也是最难考的一届，因为十届毕业生考一届，那届同学中有的十八岁，有的二十八岁，有的二十九岁、三十岁。音乐学院的七八级诞生了蜚声国际的大音乐家，包括谭盾、瞿小松、郭文景，还有成为大作家的刘索拉。谭盾因为给《卧虎藏龙》作曲，获得过奥斯卡奖，也得过格莱美奖。所以到目前为止，中央音乐学院依然是中国最高的音乐学府，我很多同事都是那里培养出的人才，包括三宝、汪峰，做流行乐的音乐人其实也有很多是中央音乐学院出身的。祝中央音乐学院生日快乐！

| 美国Discovery（探索）频道开播 |

1985年的今天，美国Discovery（探索）频道正式开播，探索频道是我最热爱的频道之一。这样的频道只有在媒体空前强大的时候才能做出来，因为做这样的节目成本是非常高的。上街拍点儿新闻对于电视台来讲成本不高，做几个综艺节目也是容易的，但是探索频道播放的那些东西，拍出来却非常不容易。以前还是用胶片的时代，探索频道光用来拍动物的那些胶片，都不是像电影一样按尺算的。四百尺一本胶片，用八万尺就能拍一部电影，他们拍摄的胶片都是按英里算的。因为动物是不听导演指挥的，拍人的节目，再怎么着成本也不会太高，而拍动物的不行。动物在那儿待着你就得开始拍，你不能等它动了再开机，那样就来不及了，你要一直开着机瞄着它，它一动，你就要赶快追着走。

探索频道里那些导演、摄影师的素质之高简直令人叫绝。大家用过相机都知道拍摄时的焦点问题，即使你拍人的话，如果不给你准备的时间，让你迅速拍，你都不一定能拍实。拍摄动物时可不能先让动物摆个姿势，咱们拉个皮尺到狮子鼻子前头说："这个焦点好，对好了，别动。"一只鹰突然间从空中急转直下，你就要赶紧跟上，这是要用长焦来拍摄的，长焦景深非常小，稍微一动就虚了。可是那么多探索频道的片子，不但焦点实，而且漂亮极了。所以各位摄像一定要立下志向，哪天有机会能去探索频道当摄像，到非洲去拍摄。

除了动物、自然类的节目，这个频道还有军事节目，军事节目的拍摄成本也非常高。探索频道里后来还有一个子频道，就叫 Research Channel，我在美国的时候，平时如果没有重大新闻，我家电视就固定在 195 台，即 Research Channel。这个频道在讲每场战争的时候，都要把战争的场景重现一遍，不但要用 3D 技术，还要制作各种各样的服饰，而且还需要一堆人穿着当时的军装把当时战争的场景给你演一遍。所以探索频道应该算是美国乃至全世界所有电视频道里成本最高的，但是它依然盈利，依然是被千千万万的喜欢探索、喜欢发现这个世界的人热爱的一个频道。祝它生日快乐！

6月18日

《晓松说——历史上的今天》来到了 6 月 18 日。618 的今天，李渊称帝建立唐朝。1815 年的这一天，震惊世界的滑铁卢战役爆发。公元 986 年的这一天，北宋名将杨业殉国。

| 唐朝建立 |

历史很奇妙，先后隔了几百年时间，但居然在同一天，先是建立了一个强大的唐朝，后来又建立了一个那么弱的南宋。我们先说光荣的历史，强盛的唐朝在公元 618 年的今天建立。

历史永远都是胜利者书写。尤其是像李世民这种，你说他是篡权或者夺位都可以，像他这样通过政变夺位的人，非常希望把历史改写得有利于自己。李世民确实是个有雄才大略的皇帝，这个没有问题，但是在建立唐朝的过程中，他是不是真的像历史记载的那样有那么大的功劳，哥哥和弟弟都是废物，爸爸是一个老实巴交的人，就他一个人雄才大略，这都值探讨。

首先，我觉得其实李渊并没有那么昏庸，一个昏庸的人有这样一个好儿子，这可能吗，李渊实际上是一个有深谋远虑的人，任何事情都是万事俱备之后才付诸实施，这才有了后来的大好局面，不然他儿子在什么舞台上去表演呢？其次，我觉得李建成跟李元吉两位也远不像后来李世民主持编纂的历史书里描写的那样专干坏事。历史之所以写成那样是因为最后在玄武门之变中李世民把哥哥、弟弟都杀了，李世民要这样做当然得有这样做的借口，得说他们无恶不作死有余辜。但其实建成、元吉两位在建立唐朝的过程中也立下了赫赫功劳，而且李渊也非常倚重他们。一个证据就是，李渊准备称帝时，李世民就在李渊身边，但李渊迟迟没有称帝就是因为有其他考虑。当时建成和元吉都不在长安，他们都在洛阳前方，所以李渊一直在等，等到他们回来，才在公元618年的今天正式称帝。如果按照后来唐朝历史里写的，建成和元吉都干坏事，只有李世民雄才大略，那李渊怎么还要等他们呢？一切全靠李世民不就行了？所以历史虽然能够改写，但是没有那么简单。

|滑铁卢战役爆发|

有关滑铁卢战役的细节，我建议大家去看雨果的小说《悲惨世界》。《悲惨世界》改编的音乐剧、电影，都没讲到战役的细节。《悲惨世界》是一部大部头的长篇小说，其中第三本的前半本写的都是滑铁卢战役，雨果是一个浪漫主义作家，浪漫主义作家想到哪儿写到哪儿，所以他把这场战役写得非常漂亮、非常详细。

大家对战争永远有一种遗憾，要是怎么怎么样，要不然就怎么怎么样，在这场战役里确实有个小遗憾。最开始实际上拿破仑的军队是占优势的。他对英荷联军的骑兵和炮兵都有巨大的优势。大家知道拿破仑最擅长的就是炮兵跟骑兵，因为他自己本身就是炮兵学校出身。当时英荷联军这边在等普鲁士的援军，而拿破仑派出了占他主力部队三分之一的部队，交给一个叫格鲁希的非常平庸的元帅去领导。格鲁希这辈子就没打过什么漂亮仗，他能升到元帅的位置，主要是因为那些英勇地在前方打仗的元帅都战死了，要不然就是对拿破仑失望，躲在家里不出来。拿破仑交给他三分之一的部队，说你去追击，或者找到普鲁士军队不让他们到战场来，于是格鲁希就出发了，出发以后找了半天没找到普鲁士军队。这个时候确实是人类群星闪耀的关键时刻，突然大地在颤抖，英法两军的大炮开始轰击，这时格鲁希的三位副将都坚决地要求向开炮的地方前进，说这个时候皇帝已经进攻了，我们就不要找普鲁士军队了，就向开炮的地方前进，去加入战场。可是格鲁希说，皇帝给我的命令是去寻找普鲁士军队，底下人都急了，说虽然皇帝是下了这个命令，但是这个时候战斗已经开始了，我们有三分之一的法军主力，怎么能在这里无所事事呢？结果这个死板的格鲁希就不高兴了，说我是主帅，就得听我的，在皇帝收回成命之前，我们就继续寻找普鲁士军队。这边英法双方打得不可开交，打到下午，实际上法军还稍微占优势的时候，天际线终于出现了大批的军队。英军主帅威灵顿公爵和拿破仑都拿过望远镜使劲看，这边希望是普鲁士，那边希望是格鲁希，结果看了半天，来的是普鲁士军队。普鲁士军队一加入战场，盟军的优势就全面超过了法军，格鲁希率领军队找来找去，到最后也没有找着所谓的普鲁士军队，因为人家其实早已经在战场上了。等最后炮声都沉寂下来了，才发现法军已经输了。但格鲁希这人虽然是一个死板的军人，但还挺勇敢，皇帝已经输了，他还要去战斗，当然最后被打败了，被抓了起来。

军事迷们有时会长叹一声，很多战役如果是这样的话就赢了。文艺作品当然也可以这么写，但是我觉得战争不在于一两场战役的一两个人，并不像很多文艺作品里写的格鲁希那一秒钟决定了法国、欧洲乃至世界的命运，这里面当然还有其他的原因。实际上，在当时的法国，拿破仑虽然还有一定的威望，但是已经不像最开始的时候全国人民都支持他。而且1812年6月拿破仑率领五十七万大军，号称六十万大军进攻俄国。在俄国的严寒中，在俄军统帅库图佐夫的打击下，最后拿破仑兵败撤退。当1812年12月撤出俄国时法军只剩下两万多人了。从那之后法军的实力严重削弱，一直在被动挨打，再也没有主动进攻，当年那种气吞万里如虎的气势已经没了。所以这个时候拿破仑能集中起来的法军，包括滑铁卢战役这七万多人加在一起，总共才有十五万人，当时反法联盟已经动员了七十万大军，在这种情况下，即使滑铁卢战役法军赢了，也不是决定性的胜利，也还是需要东奔西杀，最后还是会失败的，因为两军实力相差太大。

过去拿破仑取得的胜利实际上不光是军事方面的胜利，他还动用了很多外交手段，比如远交近攻，跟这个国家签和平协议，专门打那个，一会儿再把那个国家拉过来，一起打这个，实际上是用各种手段才取得的胜利。但这个时候拿破仑已经没有任何外交手段了，也没法合纵连横，因为没有人愿意和他联合。所以当全欧洲联合起来打他一个的时候，即使滑铁卢战役赢了，他也不可能继续胜利下去。他失败以后，反法联盟说这回可别给他搁在地中海小岛上，直接流放到南大西洋小岛——圣赫勒拿岛，以绝后患。

拿破仑在被流放到圣赫勒拿岛后，有一个英国人来看拿破仑，说中国怎么不堪一击，拿破仑听了这番话以后说："你们千万不要惊醒它，中国是一头睡着的雄狮，一旦把它惊醒，它就会震撼世界。"拿破仑最后归葬法国的时候，法国人给了他崇高的荣誉，献给他一顶当时最贵重的头盔，是用当时比黄金还贵的一种东西——铝制成的。那个时候人们还没有发明电，还不会用电解的方法去制造铝，所以铝在当时是极其贵重的金属，后来发明了电以后，采用电解铝的方法制造铝，使铝的成本降到极低，就跟铁差不多了，铝就变成了--种普通的金属。

|北宋名将杨业殉国|

在公元 986 年的这一天，北宋悍将杨业殉国。我们这一代人，从小都是听着《杨家将》的评书长大的，没人不知道杨继业或者杨老令公。我小的时候看京戏一直看到他们家的烧火丫头杨排风挂帅出征，就是他们家男的打仗都牺牲以后，佘老太君带领一群女将继续打，女将又都战死以后，他们家的丫鬟也出来打，所以那出京剧叫《雏凤凌空》，讲的就是杨家丫鬟。当然这是世世代代人民对忠臣勇将的纪念，把这段历史变成个剧场史，越说越玄乎。为什么在杨家将里面，杨六郎被描写得最多？其实就是因为杨业只有杨延昭这一个儿子，就是评书里说的那个杨六郎。

杨业的一生非常悲壮，他原来不是北宋的嫡系将领，是敌国降将，敌国降将最怕的一件事就是不被信任，最怕别人说你要叛国，说你临阵怯懦，所以最后没办法，他明明知道要中埋伏，明明知道出征必死，但还是出战了，这就是历史上很多降将的下场。当然他是非常忠勇的，最后壮烈殉国，为世世代代的人民所纪念。

在所有杨家将评书、小说、电影里总出现一个大坏蛋，叫潘仁美。这些作品里总说潘仁美怎么射死了杨七郎，怎么陷害杨家将，搞得潘仁美简直十恶不赦。其实历史上这个人不叫潘仁美，叫潘美，潘美是北宋著名的统帅，是忠君爱国、非常能打的一位统帅。潘美并不坏，但是写文艺作品的时候，里面必须有一个坏人，潘美只好不幸地被加了一个"仁"字，变成了潘仁美。我们写坏人的时候，经常会专门要在坏人的名字里弄一个"仁"，其实是代表反面的含义，潘仁美也是，黄世仁也是。所以在这里给潘美平一下反。

6月19日

《晓松说——历史上的今天》来到了 6 月 19 日。1052 年的这一天，范仲淹去世。1885 年的这一天，法国送给美国的自由女神像运抵纽约。

|范仲淹去世|

我记得上中学的时候，在学这篇课文之前，老师说："高晓松，你先站起来把《岳阳楼记》背一遍。"我就站起来背："若夫淫雨霏霏，连月不开，阴风怒号，浊浪排空，日星隐曜，山岳潜形；商旅不行，樯倾楫摧；薄暮冥冥，虎啸猿啼。登斯楼也，则有去国怀乡，忧谗畏讥，满目萧然，感极而悲者矣。"非常流利地背了一遍，那时候我们还没开始学这篇课文，全班同学当时都惊呆了！到现在这篇文章我还能背出来，就是因为我背《岳阳楼记》的时候还不识字，我就是那种最倒霉的人，是在大家最痛恨的那种应试教育的环境里长大的，从小就在家里被掐着脖子背《唐诗三百首》，背《岳阳楼记》，背《滕王阁序》，背的时候都不认字，根本不知道什么意思。但是背诵这个东西，当你不知道它什么意思的时候，反而特别容易背下来，而且能一直都记得，到现在我背的时候也不知道什么意思，得看一遍才知道，就是这么硬背下来的，所以现在脑子有点儿傻，就是因为从小受到这种填鸭式的教育。

等后来长大一些再看这篇文章，才知道这篇文章写得真的是非常好。首先它的人文意义非常大，大家总说我们要"先天下之忧而忧，后天下之乐而乐"，我倒没觉得非得这样，人是活得自由就好，不要对自己要求太高，居庙堂之高，别当贪官就行，处江湖之远，也别一点儿都不关心这个国家，但不是要求每一个人都成为君子。即使把文章中儒家拿来奉为经典的"忠、孝、礼、义、廉"这套东西去掉，我觉得《岳阳楼记》依然是一篇非常漂亮的文章。

范仲淹不但自己是道德楷模，而且他的后人也世世代代都以君子的标准要求自己。范仲淹这一生可以说已经做到了人臣之极致，要再加上文武双全，那中国历史上就没有第二个了。范仲淹在西北戍边，曾经训练出一支铁军，而且屡战屡胜，后来即使被贬去西北，依然能打仗，依然能铁马冰河大散关。再后来他又回到朝里当宰相，还不是个平庸的宰相，推行了许多新政，用今天的话讲叫改革开放。写的文章也是流传千古。所以范仲淹称得上是"位极人臣"。

古代特别重要的人物去世以后，朝廷要给他追认一个谥号，范仲淹的谥号叫文正，所以后人叫他范文正公，其实谥号文正的人很多，几乎每个朝代都有十个八个，文正是最高级别的，下面是文忠。范仲淹大概是最开始谥号文正的，所以他叫范文正公，后来那些谥号文正的也没几个敢叫什么文正公，大概只有曾文正公是可以这么叫的，因为曾国藩也是文武双全，当然曾国藩的道德品质跟范仲淹还是不能比的。所以这么多文正里面，只有范文正公、曾文正公是大家公认的文正公。文正比文忠高一级，我觉得这是中国古代知识分子一个重要的道德观念和理想，就是"忠"虽然重要，但是没有"正"重要。所有大臣临死之前最高兴的一件事儿就是死后能够被谥号文正，因为这个谥号是需要皇帝来追认的，不是你自己家里人想叫就叫的。明朝曾经出现过一次，有个叫李东阳的大学士快死了，在弥留之际，得知自己要被谥号文正，乐得马上活了过来，就到这个地步。

范仲淹是历史上第一个谥号文正的大臣，之前唐朝最高的谥号叫文贞，像魏征就被称为魏文贞公。这个文贞后来为什么改叫文正了呢？首先是因为宋仁宗名字叫赵祯，为了避讳。就跟明朝皇帝因为姓朱，所以明朝所有小说里的英雄不能吃猪肉，只能吃牛羊肉，《水浒传》里的李逵一到饭馆就来三斤牛肉或者羊肉。避讳皇帝的名字是很重要的，宋仁宗叫赵祯，这个谥号就不能叫文贞了，改叫文正。紧接着司马光就提出来，文正应该是最好的谥号，因为"正"是知识分子最重要的品质，于是司马光本人最后也谥号文正，而他的政敌王安石的谥号就不是文正。文正很重要，文忠也可以，有一些知识分子非常可爱，自己给自己起名叫文忠，像钱文忠老师，但是没有人给自己起名叫文正。所以今天跟大家聊聊范仲淹，所有想当忠臣的人，都应该学习一下范仲淹。

|自由女神像运抵纽约|

自由女神像全世界人民都无比熟悉，其实很多人都是从好莱坞电影里看到的，尤其是讲当年欧洲移民的电影，每次人们都是在船上看到自由女神像，就开始欢呼，庆祝终于到了美国，所以自由女神像是美国最重要的象征。但是它其实是法国人做的，法国有艺术传统，特别爱弄这些东西，当然更重要的不是艺术传统，法国送给美国这个东西是为了庆祝美国独立一百周年。1775 年美国独立战争打响，到 1875 年的时候，美国正好独立一百周年，于是法国就做了这个东西送给美国，它于 1886 年在纽约落成。

美国的独立跟法国有很大的关系，在美国独立战争期间，法国还出动海军甚至陆军攻打英军，为美国的独立立下汗马功劳，两国当时关系一直特别好。南北战争期间，法国坚定支持以林肯为首的北方联邦政府，坚决反对南方那些搞独立分裂的叛军。南北战争的时候，南北海军实力都很弱，结果法国出动舰队，封锁了南方最重要的港口新奥尔良港，导致南方没有办法买武器、出口东西，所以可以说南方最后是被窒息而亡的。法国在独立战争期间帮助美国打败了英国，在南北战争中，又保持了美国的完整和统一，而且美国曾经两次大规模地扩张领土，一次是在美墨战争的时候抢来了一大块，就是墨西哥州，另一次就是从法国手里用一千五百万美元买了路易斯安那，在美国的历史课本里，路易斯安那交易就是单独的一章，专门讲这件事。那时候拿破仑在欧洲自顾不暇，就以很便宜的价钱把这一大片法国殖民地卖给了美国。整个路易斯安那是沿着密西西比河中游到下游的一大块美丽的地方。由于这里原来是法国殖民地，那儿的人很会做饭，所以到今天为止，路易斯安那的 Cajun Food（凯郡食物）依然是美国本土最好吃的，小龙虾等各种法国美食也传到了美国。而在一战、二战中美法又是并肩作战的盟友，关系非常好，当年法国送来了自由女神像，美国欣然接受，把它当作美国的象征。

最开始美国是弱的，法国帮他，后来两边平等，一战、二战期间一起并肩作战，再后来美国变成了世界大哥。但法国人是特别高傲的，就像高卢雄鸡，除非被打败，否则法国人绝不会低下高傲的头。所以法国人后来就受不了美国的这种霸权主义，而且他们内心深处特别看不起美国人。其实欧洲人都看不起美国人，觉得美国人没文化。在法国餐厅里，法国人是连用刀子切东西的时候都不能碰盘子的，一点儿声音都没有，如果在法国餐厅里吃饭不小心碰一下盘子，大家都会回过头来看你。而美国人是一通乱切，然后就把刀子一扔，拿叉子开始吃，然后开始开玩笑，一边吃一边哈哈大笑，这样的行为法国人绝对受不了。再加上法国人穿着很讲究，而美国人出门经常就是穿条大裤衩、蹬双大拖鞋，非常随便。法国人从内心深处很抵触美国人，坚决不听美国的。北约里面原来法国是最重要的组成部分，但后来法国退出了北约的军事组织，而且在很多地方还跟美国对着干。在美国刚开始发动伊拉克战争时，因为"9·11"恐怖袭击事件，特别是还听说萨达姆拥有大规模杀伤性武器，所以美国人民是支持政府去打这场战争的。（当然真相大白之后，美国人民开始坚决反对这场战争。）当时法国坚决反对伊拉克战争，所以美国人民特别生气，爆发了一大波反法浪潮，所有那些有法国标志的地方都不能看、不能用，美国薯条大家吃得最多的叫 French fries（法国薯条），当时美国人民痛恨法国，改叫 freedom fries（自由薯条）。

6月20日

　　《晓松说——历史上的今天》来到了 6 月 20 日。1927 年的这一天，在北京投票选出了"四大名旦"。1900 年的这一天，德国公使克林德在北京被杀。在 1954 年的这一天，中央政府下令撤销合并若干省区。今天还是妮可·基德曼的生日，祝生日快乐、永远年轻！

| "四大名旦"选出 |

　　1927 年的这一天，在北京选出了"四大名旦"。当时还叫北京，1928 年北京才改名"北平"。"四大名旦"老一代人都知道，梅兰芳、尚小云、程砚秋、荀慧生，年轻人大概只听说过梅兰芳，其实另外几位当时是跟他齐名的，都是非常杰出的表演艺术家。"四大名旦"中梅兰芳、尚小云的名字听着都像是女性的名字，其实都是男性。京剧这门在世界上独一无二的艺术，就是由男人来唱旦角，而且唱得极为曼妙。如果大家看过"四大名旦"的演出或者听过录音，那真的是非常美，比女性自己来演旦角还要美。

京剧是一门独立于西方戏剧之外的表演艺术,与俄国戏剧家斯坦尼斯拉夫斯基或者德国戏剧家贝托尔特·布莱希特所描述的戏剧不同,应该单独成为一个学科式的表演艺术,这种戏剧表演形式在全世界也是独一无二的。意大利的歌剧曾经有过由男性来唱女性的角色,但是那些男性都是经过阉割之后保持童声来唱女声,而京剧纯粹是靠一种独特的训练方法,唱出女性那种曼妙的歌声。所以京剧是一个国宝级的东西,但是到今天京剧已经没有那个时候那么红火了,也已经很少再出现像"四大名旦"那么美妙、那么极致的歌声了。

| 德国公使克林德在北京被杀 |

1900 年的这一天,德国公使克林德在东单牌楼下被清军击毙。"两国交兵不斩来使",这是中国自古的优秀传统,更不要说 1900 年世界已经进步到有国际公法,已经有了各种外交公约,这些公约我们也都签字加入了,我们也派出过公使到其他国家去。但是在这种情况下,清军杀了德国公使,紧接着又围攻使馆,先后炸掉、烧毁了比利时、奥地利、荷兰、意大利四国的使馆,这是一件违反国际法的事情。

| 中央政府下令撤销合并若干省区 |

1954 年的这一天,中央政府下令调整中国的省市区划,撤销合并若干省区。年轻一代看历史书的时候经常会奇怪这个"晋察冀"是指什么,晋是山西,冀是河北,那么察是指哪里呢?察实际上就是当时的一个省,叫察哈尔。民国时期的北洋政府曾把原有清朝的行政区划做了很多改变,其中在华北方面的一个非常大的调整,就是将原来清朝时候的内蒙古变成了三个省,其中最大的一个省叫"绥远"。绥就是"绥靖",也就是安抚的意思,所以说"绥远"就是说我把这块远方的土地给绥靖了。当时察哈尔是一个单独的省,它的省会是张家口。还有一个热河省,就在北京的北边,省会是承德。当时的民国政府把内蒙古一带分成了绥远、察哈尔、热河几个省。抗战胜利以后，不知道又是基于什么考虑，把原来东北的三个省又给分成了九个小省，原黑龙江省变成了黑龙江、嫩江、兴安三省，原吉林省分成了合江、松江与吉林三省，而原辽宁省则分成了辽宁、安东与辽北三省。1948 年东北解放后，又将原辽宁省调整为辽东、辽西两省，原吉林省调整为松江、吉林两省。

历史上还有传统的两个省，一个是宁夏省，另一个是西康省。西康省就是现在四川省的川西地区，原来四川省并没有现在这么大。川西地区，也就是雅安地震发生的地区，在民国时期就叫西康省，当时是中国一个重要的省，解放战争时期起义的国民党将领刘文辉的老家就在西康省，西康一直是他的地盘，刘文辉还是著名的大地主刘文彩的堂兄。所以当时中国这边有个西康省，那边东北有好几个省，华北这边还分成了三个省。

新中国成立以后政府才开始慢慢调整省市区划，1954 年出台文件的时候，把察哈尔省、热河省撤销了，热河省撤销以后分别并进了河北、内蒙古和辽宁，所以承德后来就不再是省会了。再有就是把东北的那些个小省，像辽西省、辽东省、松江省之类的又全部恢复为清朝时期的三个东北大省，但是疆域和清朝的时候不太一样。清朝时，吉林省是个非常大的省，以黑龙江为界，原来哈尔滨是在吉林省境内的，现在吉林省的面积比原来小了很多，哈尔滨成了黑龙江的省会，在这之前黑龙江省的省会是齐齐哈尔。在 1954 年的这次调整中，西康省并入了四川省，取消了宁夏省，把它并进了甘肃省，所以甘肃省也是一个很大的省。过了几年之后，在广西、新疆成立自治区之后，宁夏也成为一个自治区。

1954 年的这次区划调整主要是省、市的合并，后来还对很多省的省会做了调整。比如说河北省省会一直都是保定，保定是河北行政区划上级别最高的城市，但后来不知出于什么原因，河北省的省会变成了石家庄。可能是石家庄是南北向的京汉线与东西向的石德线与正太线的交会点，是重要的铁路枢纽的缘故。还有河南省的省会一直都是开封，开封是好几朝的古都，但后来河南省的省会变成了郑州。其实郑州从来就不是历史上的古都，但是在有了铁路以后郑州就变成了一个重要的地方，因为它正好是两条重要铁路，就是当时的平汉线（现在叫京广线）与陇海线的交叉点。所以在解放以后，郑州代替开封变成了河南省的省会。还有一个比较难理解的就是南宁代替了桂林，成为广西壮族自治区的首府所在地。长期以来，广西东北部，也就是桂柳地区，一直是最繁荣、最富有的地区，而广西南部是比较贫穷的，桂林一直都是广西的首府，但是新中国成立以后不知道为什么没有把桂林定为首府，而是到南部找了一个比桂林小得多的城市南宁作为自治区首府所在地，可能是为了便于开发广西南部地区吧。

1954 年以后中国各个省市区划的格局，基本上是恢复到了清末时的状况。清朝时直隶的首府一直是保定，1912 年民国成立后改为天津。1928 年直隶改名为河北，其省会变动甚多，1928 年迁驻北平，1930 年底迁回天津，1935 年再迁清苑（即保定），新中国成立后的 1958 年底又迁回天津。1967 年初，天津改为中央直辖市，故 1968 年初省会迁驻万家庄，直至今日。所以通过当时的行政区划大家就可以明白，"察绥抗战"其实说的就是察哈尔、绥远地区；晋察冀边区就是指山西、察哈尔、河北；热察地区当时指的就是热河与察哈尔；西康的省会是康定（旧名为打箭炉）。有一首流传甚广抒唱爱情的民歌叫《康定情歌》，据说最早就流传于西康省康定县这一带，故这首情歌便以此为名。

6月21日

《晓松说——历史上的今天》来到了6月21日。今天要讲的两件事都和二战有关，首先是1940年的这一天，法国向纳粹德国投降；再就是1945年的这一天，二战中太平洋战场上最大的战役——冲绳岛战役基本结束。

| 法国向纳粹德国投降 |

法国向来是一个非常骄傲的国家，被称为"高傲的高卢雄鸡"，但是法国曾三次被德国或者德国的前身普鲁士打败。第一次是拿破仑时期的滑铁卢战役，法军最后被反法联军打败。这场战役中，普鲁士军队起到了重要作用。再就是普法战争的时候，法国大败于普鲁士。法国不但向普鲁士投降，连自己国家的皇帝都被人抓走了，普鲁士的威望也因为这场战争达到最高。最后普鲁士团结了德意志境内各邦，在巴黎成立了德意志帝国。法国跟德国打了这么多年仗，几乎就没打赢过。一战的时候实际上是各国一起上阵，美国和英国也都加入了战局，才最终打败德国。而且德国一战失败更多的原因其实是由于内部革命，

那个时候革命就像传染病一样，先是在俄国爆发，然后到了德国。德国的海军和陆军相继起义，德军自顾不暇，最后于1918年被迫和协约国军队签订停战协定，宣布投降。

到了1940年二战期间，德军只用了一个多月，就占领了一战中牺牲了上百万人、打了四年都没有打下来的巴黎。法国投降的时候受到了极大屈辱。当年一战德国战败向法国投降时，签署停战协定的地点在贡比涅森林的一节火车车厢里，后来法国一直留着那节火车厢，作为胜利的纪念，但是留到最后这节车厢反而变成了法国的耻辱，因为德国战胜后就把这节车厢拖到了贡比涅森林里的同一个地方，让法国到那里投降。最后法国就在那节车厢里签署了丧权辱国的投降协议，协议内容包括将整个法国北部，包括巴黎在内，全部划为德国占领区。因为对于德国来说，最重要的任务是要占领大西洋当中的出海口，地中海地区倒无所谓，因为德国在地中海没有舰队。签订这个协议之后，原来被封闭在北海的德国舰队就可以开到法国的沿海港口，直接面向大西洋，使整个法国北部包括大西洋沿海地区都成为德国占领区。

法国投降之后，在南部成立了以一战英雄（当然那个时候已经成了狗熊）贝当元帅为首的傀儡政府，就相当于汪精卫在南京成立的政府。这个政府管着法国南部一小部分领土以及法国在亚非各地的海外殖民地。傀儡政府由于畏惧德国的压力，做了很多屈辱的事情。1940年，它下令关闭了滇越铁路。那个时候我们的抗战正处在最艰苦的阶段，原来可以让我国急需的海外物资通过滇越铁路运往大后方云南。但法国投降了以后，贝当政府就得听德国的，德国跟日本又是盟国，所以贝当政府就下令把可以从昆明通往越南海防港的这条滇越铁路关闭了，导致我们后来只能依靠滇缅公路来运输物资，所以才有了中国后来的远征军入缅作战等事情。从这里可以看出，历史是一个蝴蝶效应。

这个法国傀儡政府也没有坚持到最后，当盟军在北非登陆开始反攻的时候，德军就撕毁了与法国签订的协议，直接出兵进入到了原来由贝当傀儡政府管理的法国南部地区。当时法国海军舰队主要集中在法国南部的土伦港，还有一部分舰队集中在北非。法国海军的实力其实相当强大，但是在战争中没有发挥任何作用，当然还是稍微保持了一下海军的荣誉，没有被德军缴械，主力舰队最后在土伦港自沉。留在北非的那些舰队更加可笑，不但没有参加反法西斯战争，而且盟军在北非登陆的时候还进行了抵抗。英法之间在海军方面的恩怨比法德之间大得多。早在1940年7月3日，英法之间就在北非阿尔及利亚的奥兰港爆发过一场海战。在法国舰队拒绝投降的情况下，为了避免他们落入德军之手，英国舰队便开炮将停在港内的法国战舰全部击沉。法国海军在二战中就是这样一个下场。

| 冲绳岛战役基本结束 |

冲绳岛战役是二战时太平洋战场上最大的一次战役。日军有组织抵抗于1945年6月21日宣告结束，此后虽有极少数残余日军仍在做零星的无组织的抵抗，但已无关大局，此扫尾行动到7月2日宣告全部结束。

在沿着中太平洋路线准备直接进攻日本本土的越岛作战中，冲绳是美军所遇到的面积最大的一个岛屿，也是最难攻打的一个岛屿。之前提到的塞班岛、硫黄岛都没有冲绳岛大，也没有它这样难打。冲绳战役规模很大，美日双方都有十几万人参战，当然这个参战人数还是不能跟苏德战场相比。苏德战场双方一上来就是百万大军，因为那是大陆上的大战，而冲绳战役则是越岛作战，是在海上作战，人数虽然是十几万，但已经是最多的了（美军有作战部队十七万人、后勤部队十一万五千人），而且它的复杂程度要超过陆战。冲绳战役主要是一场岛屿攻坚战，有大批航空母舰与登陆部队参与。登陆之后的战斗非常激烈，因为冲绳到处都是山，而且在冲绳战役之前，已经发生了塞班岛、硫黄岛等血战，日军已经对如何挖战壕、挖地洞防御美军有了充足经验。所以美军在这场战役中伤亡了近五万人，其中一万二千多人阵亡，总指挥巴克纳中将也在战场上阵亡。

日军伤亡则更加惨重。日军的总指挥牛岛满战败后剖腹自杀，这是日军的传统，哪个岛被攻占了，那个岛的司令官就要剖腹自杀来谢罪。冲绳岛的日军当时一共有十万多，在这场战役中九万五千人被击毙，打到最后还剩下七千多人时投降了。这说明日军奉行的武士道精神非常可怕，不但在陆地上进行自杀式的冲锋，而且最后在空中和海上都进行了自杀式袭击。日本的"神风特攻队"进行的最大规模的自杀式攻击就是在冲绳战役中。冲绳岛距离日本本土很近，所以日军可以起飞大量的飞机到冲绳海域来进行自杀式攻击，美军也因此在这里遭遇了二战中最大规模的损失，包括航空母舰的损失，总共有三十四艘美军舰船被击沉，三百六十八艘被击伤。当时每天都有大批的自杀式飞机冲向美军的大小船舰特别是航空母舰，所有军舰上的高射炮像雨点一样向飞机射击，但是打中了也没用，因为自杀式飞机就是冲着你过来，即使命中，它还是能撞到美军战舰的舰身上。

但是当时日本空军已经丧失了绝大部分的战斗力，因为经验丰富的飞行员大量战死，剩下的很多都是才有十几二十个小时飞行经历的年轻飞行员，根本没有办法参加战斗。而美军不一样，光美国人民中间就有好几万持有飞机驾驶执照的，当大战开始时，民间的这些有生力量可以迅速补充进来，而且美国还拥有强大的工业能力能够制造大量的飞机，所以在空军方面，与日本相比，美国是拥有绝对优势的。

在冲绳战役之前，美军为了大量消耗日本的自杀式飞机和战斗机，还专门发起过一个代号"大蓝毯"的战役。"大蓝毯"就是从美国航空母舰上起飞的飞机，能覆盖日本全境所有的机场，像一条大蓝毯一样把日本盖住。日军飞机只要起飞升空就会在空中被击落，若不起飞停在机场则会被美机炸毁，从而无处可逃。由此可见美国的国力有多么强大，仅仅依靠航空母舰上起飞的飞机就能和一个国家对战。但是因为日本在战斗中出动了几千架自杀式飞机，美国还是损失了数百艘舰艇。这数百艘舰艇里有相当一部分并不是因为受到日军的攻击，而是因为遇到一次大台风而沉没的。日本曾经在蒙古帝国横扫世界的时候幸存下来，就是因为蒙古几次进攻日本，都遭遇了台风，连船带人都葬身海底，所以"神风"在日本民间是一个非常光荣的称号，连他们的特种攻击部队都叫"神风特攻队"，觉得自己可以像神风一样打败敌人。冲绳战役期间还真的来了一场台风，上百艘美军舰艇不是沉没就是受到了重创。日本方面因此非常高兴，说神风终于又来了，就像当时蒙古打到家门口一样，能够保佑日本。但是美国毕竟不是蒙古，蒙古的舰队刮沉了就没了，而美国即使损失了一些军舰，本土的工厂还是在以每天一艘的速度生产驱逐舰，因为美国东西南北的海岸、港口都有大规模生产这些舰艇的工厂，日本在国力上跟美国相差太远，这是他们最终失败的根本原因。

冲绳战役打到最后，发生了一件非常可耻的事情，就是日本军队逼迫当地平民集体自杀，至少有七万五千名平民死于非命。这个事件有很多影像资料可以证实，冲绳的确发生了大规模的自杀事件，日本平民有的跳海，有的引爆手榴弹自杀，等等。但日本给出的说法是这些人是因为忠于大日本帝国，不愿意被美军俘虏才选择自杀的。实际上冲绳本来就是一个国家，就是以前的琉球国，琉球国在1879年的时候被日本灭国并占领，所以冲绳人民其实就是琉球人，对日本真心没有这么大的感情。而且琉球国是一个文人治理的国家，一直都是接受清政府的那一套东西，并没有接受日本宣扬的那种武士道精神。所以事实上是日本军队强迫老百姓集体投海，而且拿手榴弹炸死了很多平民。但是日本并不承认自己的罪行，在军事审判的时候说他们只是把手榴弹提供给了老百姓。

这件事后来在日本一直存在着诉讼和争议，很多有正义感的日本作家都替冲绳人民说话，包括大江健三郎。他曾经写过一个小册子，说当时日本军队逼迫冲绳人民自杀，然后就被告了，还要去诉讼，诉讼之后法院判决说，日本军队确实参与了冲绳人民的集体自杀，但没有用强迫这样的词。这件事每隔几年就在冲绳闹一次，最近的一次是在2007年，冲绳十一万人民又集会抗议日本政府修改教科书，日本政府对教科书的修改不但包括中国历史、朝鲜历史，就连冲绳历史也修改了。这次教科书又说日本没有强迫冲绳人民自杀，是人民自己为了不被美军俘虏而自杀，于是冲绳人民又起来抗争，一直到现在。总而言之，日军在冲绳确实是犯下了滔天罪行。

最后再说一下日本的"大和"号战舰，冲绳战役中日军不仅在空中制造了大规模的自杀式袭击，在海上也有。当时全世界最大的一艘军舰，不是美国或者英国的，而是日本的"大和"号战列舰，它共有九门大炮，口径460毫米，也就是18.1英寸（1英寸约2.54厘米），是有史以来海军舰炮的最大口径，它发射的一颗炮弹就重达一吨半。然而这样强大的一艘军舰，从下水开始就没有击沉过一艘美国军舰。最后在冲绳进行了自杀式攻击，怎么自杀攻击呢？就是军舰出发时只带单程的燃料，因为当时东南亚各国已经全都切断了对日本石油的供给，所以日本当时剩余的油已经不多了，再加上日军也知道自己回不来了，所以"大和"号就只带了单程油料，但是带了一千五百发主炮炮弹。"大和"号从下水开始，主炮第一次开火就是向着天空中的美军飞机，它的射速非常慢，因为炮弹足足有一吨半重，两分钟才能发射一发，但是日军也没有别的办法，因为根本看不见美国军舰，满天都是从航空母舰上起飞的飞机。所以主炮只能向天攻击美国的飞机，最后它的主炮弹药库发生了爆炸，被美国军舰击沉在冲绳外海，结束了非常可耻的一生。

6月22日

《晓松说——历史上的今天》来到了 6 月 22 日。1941 年的这一天，人类历史上最大规模的陆战——苏德战争爆发。今天还是周星驰大哥的生日，生日快乐！

|苏德战争爆发|

1941 年的今天，苏德战争爆发。这段历史从小我妈妈就给我讲过很多次，所以每年到这天，我就会想到这场战争爆发。当时集结在苏联前线的德军，一共有一百九十个师、五百多万大军、三千八百辆坦克、五千架飞机。这在当时是人类有史以来最大规模的一次集结。这个数目与苏德战争后期，还有后来美国参战时相比就不算什么了。美国参战后的三年十个月，一共生产了二十九万七千架飞机，但这时五千架飞机还是人类历史上最大的空军规模。在这场战争中，德国运用蓄谋已久的，而且已经在法国和波兰尝试过的闪电战战术向苏联发起进攻，成果至少要用势如破竹、摧枯拉朽这种词来形容——第一个月就消灭了一百六十万苏军，到年底共俘虏苏军四百三十多万人。一个五百万人的进攻群体，光抓俘虏就抓了四百多万人，这是一个什么样的战绩。

其实当时苏联红军的实力很强大，但是开战的时候为什么打成这样？有这么几个原因：首先是因为苏联事先没有准备，被德国彻底给打蒙了。苏联跟德国是友好国家，之前签订过互不侵犯条约，而且二战爆发的时候就是苏德同时进攻波兰。我们的历史书里也讲过，1939 年 9 月，实际上是德国从西边和苏联从东边共同进攻、瓜分波兰，才有了苏联屠杀波兰众多的知识分子的"卡廷事件"。9 月 17 日苏军出兵波兰后，很快与德军在布格河一带会师，双方军人互相敬礼握手，气氛相当融洽。所以苏德两国的关系一直是很好的，因此苏联一直对德国没有太多防备。当然苏联还是做了一些准备的，比如说它要进攻波兰，就是为了向西扩张，同时趁着德军去西边与英法两国交战的机会，把波罗的海的三个小国立陶宛、拉脱维亚、爱沙尼亚强行纳入自己的领土，然后还向芬兰发起进攻。在这之前，苏联因为知道跟德国早晚有一战，为了把国防线尽量向远推，就向芬兰提出割让领土的要求，芬兰当然不同意，于是两国就爆发了战争，结果没想到强大的苏联红军被那些一边滑着雪一边开枪的芬兰民兵打得一败涂地，整师整师地被歼灭在芬兰，伤亡极为惨重，最后苏军调集了大批军队去才打赢了芬兰。芬兰战败后签了协议，割让了很多地方给苏联。但是苏联打芬兰的这一战，让德国看清了苏军的实力，所以德国对发动侵略苏联的战争充满了信心。咱不说什么蝴蝶效应，历史上讲的因果关系都是如此。当时德国还用各种各样的手段去迷惑苏联，他们在所有的部队里配备英语翻译，给苏联造成德军准备进攻英国的假象。因为当时德军正好在执行海狮计划轰炸英国，为进攻做准备。所以德军就找借口说，我们准备在进攻英国之前到东部来休整一下这些军队，从波兰前线调来大量部队是要用新兵来替换老兵。芬兰也进驻了大量德军，当时芬兰仇恨苏军仇恨得要死，芬兰说我们让德军进驻是为了继续巩固挪威的防务。那个时候德国已经在挪威击败了英军，占领了挪威。所以苏联受到迷惑，一直都没有做临战的准备。当时苏联也确实还有大量部队在东线防备日本，这也是其中一个原因。

还有另一个重要原因就是苏联红军在整个 20 世纪 30 年代遭到了斯大林的大清洗。那种大清洗是极为残酷、恐怖的，苏军当时共有五个元帅，有三个被杀，而且被杀的元帅都是最能打的，只剩下两个年纪大的，后来也上了前线。

所以战争初期屡打败仗，这跟苏联的铁木辛哥这种老帅也上了前线有关。当时最能打的元帅叫图哈切夫斯基，他二十七岁就成为红军统帅，是苏联红军的重要缔造者之一，担任过苏军总参谋长，后来又调到列宁格勒（今圣彼得堡）军区做司令，他被指控犯有"间谍和叛国罪"，在监狱中也被杀了。苏军当时共有四十七个军长，四十六个都被杀害，还杀了百分之七十多的师旅长，团级干部有一半被杀。所以这个大清洗是非常残酷的，有人甚至说苏联大清洗中杀的人，包括老百姓等，甚至比德国军队杀的人还多。这种说法显然有些夸张了，但是苏联军队的清洗确实非常可怕。这次清洗导致大量在前线的军队都没有指挥官，只有政委。政委在做军队的政治思想工作是很管用的，但是真打起仗来，让政委指挥军队可不行。所以当时苏军前线只剩下一些老帅、老将，基层军队都没有军官，全是政委，而且军队刚刚遭到清洗，士气低落。在这种情况下开战，结果自然被打得惨不忍睹。再加上乌克兰这些地方本来对苏联就不满，德国一打进来，乌克兰不仅不抵抗，还组织军队欢迎德军，如果不是后来德军在乌克兰的那些暴行，乌克兰对德军在政策上还是非常宽容的。

最后一个原因就是当时苏联已经把国境线向西推进了，但是新的边疆在波兰波罗的海前线、芬兰前线占领的地区，刚刚一年多，还来不及建立好新的防线，刚刚占领的地区的人民又对苏军非常仇恨，这些因素都导致了当时苏联边境的动荡。所以德国的迷惑、苏联军队内部的大清洗，再加上边境地区的不稳定，导致了苏军在战争初期的大败。

当然到最后，德国还是没能占领莫斯科。首先德国不应该在6月份才进攻苏联，因为苏联有一种大规模杀伤性武器，就是寒冬，过去拿破仑就是因为这个才失败的。希特勒这次也是，本来计划得好好的，准备四五月份进攻苏联，然后9月、10月份金秋时节打到莫斯科去，但是不怕"神一样的对手"，就怕"猪一样的队友"。和德国同一阵营的意大利就是这个猪队友，一看德国军队所向披靡，而且自己跟着德国进攻法国也没捞到什么好处，所以就突发奇想去进攻希腊了。希腊是中立国，没有参战，英军也没有到希腊去，所以本来德军的南线侧翼是没有威胁的，结果意大利一打希腊便坏事了，不但希腊顽强抵抗，而且英军也在希腊登陆，打得意大利屁滚尿流，只能向希特勒求救。这个时候英军出现在南欧，对德军向东进攻苏联侧翼就有了威胁，所以希特勒气坏了，说本来我这侧翼什么事儿也没有，希腊作为中立国，结果你给我招来英军，那只能去打。而且希腊北边是南斯拉夫，如果要去打希腊的话，还要路过南斯拉夫。本来南斯拉夫是愿意加入德国阵营的，结果国内发生了军事政变，一批爱国军人把国王赶下了台，自己要抵抗德国，所以德国只好去打南斯拉夫，遭到了铁托率领的游击队的顽强抵抗，陷入了人民战争的汪洋大海，结果最后德国由于要先保持南线侧翼的稳定，就推迟了进攻苏联的巴巴罗萨计划，并且有数十个师的部队被拖在南斯拉夫和希腊的泥沼里，没能集中最大的兵力去进攻苏联。后来意大利也有一些军团参加了苏德战争，主要负责防御。但是意大利军队的防线很快就被突破了，导致德国被苏军包抄，还要去给意大利救火。

其次一个原因是，在战争初期，德军势如破竹导致了希特勒野心膨胀。他在进攻莫斯科的途中，突然觉得自己作为一个军事家，一定要名垂青史，要打一场人类历史上最大的围歼战，也就是基辅战役。当时所有将领都反对他的提议，说应该首先向战略目标前进，直取莫斯科。其实不光是战争，做生意也要吸取这个教训，不能因为被一个利润特别高的项目吸引，就不去向着战略目标前进，所以这一次希特勒犯了一个重大的错误。在这之前他的威望已经到了顶峰，因为他决定的很多事一开始军队都不同意，但是最后按照他说的去做都成功了，包括签订《慕尼黑协定》、进攻波兰、进攻挪威、进攻法国等。但是任何事情都是如此，月盈则亏，盛极而衰，人到了顶点之后，就会衰落下去。

|周星驰生日|

今天是周星驰大哥的生日，周大哥生日快乐！周大哥在生活中是一个沉默寡言、非常羞涩的人，给人的印象完全不像一个喜剧大师。认识了他之后我经常想：为什么他这种性格的人能做出好的喜剧，而很多生活中看起来非常幽默的人，比如我，生活中特别爱跟人开玩笑、讲故事，反而写不出好的喜剧剧本？后来我明白了，因为喜剧电影的节奏跟生活中人说话的节奏是不一样的，生活中你觉得这人特别逗，实际上是话赶话，就是他接话的能力特别强，你说一句这，他接一句那个，是这种快节奏的。但是电影不是，电影是需要情节铺垫的，还要塑造各种人物形象，所以需要一个很沉稳的人在那儿思考，每一句台词、每一个笑点都要经过千锤百炼。周星驰大哥就是这样一个人，非常认真，每一个剧本他都要磨很多年，这样的人才能做好喜剧。而像我这种生活中非常搞笑的人，一写喜剧剧本就没有结构了，因为总是在意一两句话的细节，注意不到对剧本整体的把握。

在所有电影门类里，喜剧剧本是最难写的。比如说在好莱坞的所有电影编剧中，得过奥斯卡奖的人如果不是喜剧编剧出身，那他的年薪最多也就是七十万美元，但是如果是喜剧的编剧，即使没得过奥斯卡奖，年薪也在一百五十万美元左右，因为喜剧对编剧能力的要求是非常高的。周星驰大哥不仅是非常好的编剧，还是一位非常优秀的导演和演员，集三种才华于一身。如果要评出这个时代最好的一位喜剧大师，他当之无愧。周大哥生日快乐！

Today

in History

6月23日

《晓松说——历史上的今天》来到了 6 月 23 日。1662 年的这一天，郑成功去世；1908 年的这一天，美国国会通过了削减中国庚子赔款的法案；1972 年的这一天，足球大师齐达内出生，生日快乐！

|郑成功去世|

每一个中国人都知道郑成功，他是我们的民族英雄。我认为民族英雄有两层含义，一是他坚持抗清，始终不屈不饶；二是他打败了荷兰，还差一点儿打败了西班牙，这是我们民族多年的屈辱史上少见的打败西方列强的情况。

关于郑成功，大家都知道很多，但我说的这点大家可能不是很清楚，就是郑成功的母亲是日本人，他是在日本出生并长大的，而他的父亲郑芝龙是一个大海盗。明朝重要的将领戚继光打击沿海的倭寇，实际上倭寇当中很多是中国海盗，他们以日本为基地，有时候会雇一些日本浪人来虚张声势，但大多数海盗其实都是中国人。

郑成功的父亲郑芝龙就是一个大海盗，由于做得很大，后来开始到日本做贸易、经商。日本当时还处在幕府时代，分裂成了很多小诸侯国，这些小国对郑芝龙这个大财主非常好，给他加官晋爵，还送他一座宅院，所以他就在日本定居了，娶了郑成功的母亲田川氏，因此郑成功出生在日本。现在日本还有一块石头叫儿诞石，就是纪念郑成功的母亲在海边一块礁石上生下了他。郑成功原名叫郑森，他的名字跟姓都是赐姓，台湾的很多庙里都叫他赐姓爷或者国姓爷，为什么叫国姓呢？因为他原来叫郑森，后来被赐姓明朝的国姓，就是皇帝的姓氏"朱"，"成功"两个字也是皇帝赐的，这在明朝是极为少见的。虽然他非常忠君爱国，但并不想真的叫朱成功，所以一直避讳这个姓。但其他人都这么叫他，尤其后来他在台湾的时候，海外的各种文书上写的都是朱成功。到现在台湾的历史书、纪念馆里，还把他叫作朱成功。

明朝末年的时候，郑成功带领当时最大的一支忠于明朝的军队，先后效忠了三任南明皇帝。南明先后在南京、福建和广东成立过政府，经历了隆武、永历等好几朝。不论谁做皇帝，郑成功始终忠于明朝，最后还被封为延平郡王。因为当时的永历皇帝已经逃亡到了缅甸，离他很远，所以赐给郑成功很大权力，可以封各种官吏，还可以改革官制。但他封官的时候一定会请明朝宗室在旁边见证，以表明自己对明朝的忠心。

郑成功是文人出身，可谓文武双全。最开始他参加科举考试，考到举人之后还到南京国子监去读书，拜在当时的江浙名儒钱谦益门下。后来清军入关，郑成功的父亲郑芝龙在福建拥立了南明隆武帝抗清，但是后来因为收受了清朝的大量贿赂，居然降清了。郑成功的老师钱谦益在南明弘光朝任职，清军兵临城下的时候，钱谦益的妾——著名的大美女柳如是，劝他与自己一起投江殉国，钱谦益却说水太凉，现在不是投江的时候，最终也向清朝投降了。所以郑成功的父亲、叔叔、兄弟还有老师都先后降清，而他背叛了他的父亲，抓了他的叔叔，斩杀他的堂兄，无论如何都要抗清到底。当时郑成功带领的军队是南明最大的一支武装，还曾经包围了南京，打到了广东。但是在陆战的时候始终不敌清军，而且当时福建非常贫瘠，到处是山，养不了大批军队，最后郑成功没办法，只好撤退到了被荷兰人占领的台湾。当时台湾并不像今天这样富庶，是一座很荒蛮的岛屿，只有荷兰在那里建了两个要塞。

郑成功进攻台湾的时候，与荷兰打了一场当时世界上最先进的海战，最后打败了荷兰人，占领了台湾。郑成功做出的一个重要贡献就是后来对台湾的开发。他带领大量大陆不降清的民众退到台湾，还带去了先进的农业、纺织等技术，把台湾从一个荒蛮的小岛建设成一个文明富饶的地区，这是一个非常大的功劳。

郑成功晚年还差一点儿进攻菲律宾，因为当时西班牙殖民者在菲律宾多次屠杀华侨。华侨很像犹太人，犹太人过去多次被欧洲各国排挤甚至屠杀，直到后来有了自己的国家——以色列以后，地位才有所提高，变成了一个英勇抗战的民族。华人也是，很多华侨移民到海外以后，做生意、种田，都很勤劳，但是经常会被当地人欺负。那时东南亚的华侨经常被屠杀，一死就是五六万人。郑成功写信警告当时占领吕宋岛的西班牙政府，不许再欺侮当地的华人，否则就出兵征讨。结果西班牙殖民政府收到这封信以后，十分不以为意，而且立即对当地的华人又进行了一次屠杀。于是郑成功准备出征讨伐西班牙，其实当时他的海军实力远超过吕宋岛的西班牙海军，本来打胜仗完全不在话下，结果正要出征的时候，他手下最能征善战的海军主将施琅擅自杀了他很喜欢的一位将领，于是郑成功要把施琅满门抄斩。施琅后来逃跑了，还投降了清朝，这件事让他非常生气。更可怕的是，郑成功的不孝儿子郑经和乳母通奸，这个消息让他的病情更加严重。由于各种内忧外患的压力，郑成功最终在 1662 年的这一天抱病而亡，直到死都非常忠于明朝，临死前还大喊"我无面目见先帝于地下"，最后抓破脸面而死，年仅三十九岁。郑成功从头到尾保持了士大夫时代的知识分子、文武双全的将领还有出众治国者的情怀跟节操，是非常值得我们纪念的一位忠臣。

| 美国国会通过削减庚子赔款的法案 |

1908 年的这一天，美国国会根据西奥多·罗斯福总统在国情咨文中的要求，批准了美国将庚子赔款的数额降到一千三百多万美元，并将其中的一千零七十八万美元退回中国，专门用于中国学生留学美国时的教育经费，这就是庚款留学的由来。庚子赔款是中国历史上最大的一笔赔款，当时号称是"中国有四亿五千万人民，一人赔一两白银"。四亿五千万两白银的本金，再加上利息，数额巨大，高达九亿八千多万两。当然由于种种原因，庚子赔款实际支付六亿五千二百万两。在其他西方列强都拿庚子赔款去建设自己国家的时候，只有美国在 1908 年决定将上千万美元的庚款专门用于中国的留美教育。故而在 1911 年，美国用庚子赔款为准备留学美国的中国学生建了一所留美预备学堂，也就是我的母校——清华大学的前身。

后来在二战期间，因为同属于反法西斯同盟，美国还对中国进行了巨大的援助，共赠予了八亿二千五百万美元（这并不包括战后的援助）。这个援助的数额十分巨大，大约折合为白银十八亿三千两。我请一个老师算过一笔账，算得非常清楚，这笔援助相当于我们中国在最弱的时期，也就是清朝末期的半殖民地半封建社会时期，对外所有不平等条约赔款总和的一倍半以上。这些钱绝大部分用在了中国的抗战上，也有一小部分用于抗战之后，被国民党反动政府用来打内战。而且美国有三个华人当过部长，还有很多华人做州长、参议员、众议员，这在其他国家几乎是不可能的事。

|足球大师齐达内生日|

今天是足球大师齐达内的生日，生日快乐！齐达内带给了年轻时候的我还有很多人无数快乐，他是全世界有史以来最好的足球运动员之一，看他踢球简直是一种无与伦比的享受。齐达内虽然出生在法国殖民地，但祖籍是阿尔及利亚，这种人在法国叫"黑脚"。所以齐达内也很纠结，他虽然一直为法国队效力，但是同时也热爱着阿尔及利亚队，曾经还差一点儿代表阿尔及利亚队出战，而且后来也帮助了阿尔及利亚队很多，未来还有可能做阿尔及利亚队主教练。希望齐达内像马拉多纳一样，在做主教练的时候带给我们更多的欢乐。

6月24日

《晓松说——历史上的今天》来到了 6 月 24 日。1398 年的这一天，明朝开国皇帝朱元璋去世；1440 年的这一天，英国著名的伊顿公学建立。

|朱元璋去世|

朱元璋是老粗出身，后来做了皇帝，文化程度比刘邦还要低，刘邦虽说是个市井混混，但至少是识字的，而且好歹还是一个亭长，还是有点儿小权力的。而这朱元璋根本连字都不识，出身于一个赤贫的农民家庭，饥荒的时候，他的父母、兄弟姐妹几乎都饿死了，他在走投无路之下，只好剃度出家。结果不久后又遇上战乱年代，人们已经不再相信佛祖能保佑自己了，寺庙里的粮食不够吃，又得不到施舍，住持只好遣散僧众。后来朱元璋接受朋友的邀请，去投奔了郭子兴的起义军。在军中，他完全是从一个小兵开始做起，学会了识字，还学习了各种权谋之道。这段经历对他后来的人生产生了非常深远的影响。金庸先生在《倚天屠龙记》里就曾写过，朱元璋在当时的明教起义队伍中实际上是一个底层的小人物，像常遇春、张无忌这些人的地位都比他要高，但是他运用了各种权谋、伎俩，最终成功地掌握了大权。《倚天屠龙记》对朱元璋的描写其实是入木三分，它虽然是文学作品，但是所依据的历史背景是真实的。

朱元璋是中国历史上最大的草根逆袭成功的范例，可以说是草根中的战斗机。他最后推翻了当时全世界最大的蒙古帝国的核心部分——元朝——的统治（其他四大汗国依然存在），成功地夺取政权，还派出使者到世界各国宣示中华恢复了，最远处竟到达拜占庭（东罗马帝国）。毛主席引用了朱元璋的一句名言叫"深挖洞、广积粮、缓称王"（由他手下的谋士朱升提出，被采用），意思就是说做事不能着急，要慢慢来，该出手时再出手。

朱元璋这个人虽然没读过书，但是他有一整套为人处世之道，这些是他靠行万里路，而不是靠读万卷书得来的。所以他虽然非常精明，但也始终对人抱着怀疑猜忌的态度。这种对人、对世界的判断让他取得了成功，但也导致了他后来屠戮功臣的恶行。因为他始终怀疑身边所有的人，对文人，对政客，甚至对将领都怀疑，所以建国以后他几乎杀掉了所有的功臣，是中国历史上开国皇帝杀戮功臣最多的一个，远远超过刘邦，刘邦只是杀了几个人而已；也超过建立太平天国的洪秀全，洪秀全主要是杀东王杨秀清、北王韦昌辉的时候，杀得血流成河。而朱元璋可不是杀两个王，他几乎是把所有的开国功臣都杀了，从胡惟庸开始往下，除了侥幸病死的，或者是已经去世的，所有的功臣都被杀尽。像著名的开国功臣、北伐统帅徐达，他背上长疮，不能吃鹅，但朱元璋偏偏专门派人送给徐达一只蒸熟的鹅。徐达也知道吃了必死无疑，但是又不能违抗皇帝的旨意，只好一边流泪一边吃。而南征的统帅傅友德，本没有什么罪名，最后也被赐死了。

那时候对官员的屠杀残忍到什么程度呢？仅仅一个案子就能牵连两三万人，只要是受到牵连的人，就全都被杀光。其中最邪乎的是，曾经为了一个案子，六部所有侍郎（六部的尚书相当于现在的部长，侍郎就是副部长，两个副部长分别叫左、右侍郎）以下的官员被杀光，残忍到了这种地步。朱元璋的酷刑是出名的，最轻的也是拖到门口打屁股，这样侮辱士大夫的刑罚在中国历史上从来没有过。宋朝不杀文官，最重的刑罚也就是流放。但到了明朝，犯一点儿小错都要被拖到门口打，官员早晨上朝的时候，完全不知道今天还能不能回来，如果一天下来没挨打，能活着回家，就该谢天谢地了。

朱元璋自己还制定了很多铁律，比方说官吏贪污腐败要予以严厉处罚。明朝时期官员的工资是中国古代所有朝代里最低的，明朝政府的财政收入也是最差的。明朝始终没有建立起一个经济发达的国家。清朝开埠通商以后有了发达的对外贸易，有了丰厚的关税收入，到晚清的时候每年已有上亿两白银的收入。宋朝虽然没有近代化的海关，但是有专门管理对外贸易的机构市舶司，经济贸易也非常繁荣。南宋时期政府岁入超过六千万贯。而明朝始终徘徊在每年几百万两，直到崇祯年间，因外要打清军，对内要镇压农民起义，全国横征暴敛才过一千万两。明朝官员收入非常低，一个县官一年的收入才二十两白银，连基本生计都没办法维持。例如明代著名的清官海瑞，有一次他的家人去市场上买了两斤肉，大家觉得很奇怪。因为按照他的正常收入，只能每顿吃咸菜萝卜干，哪有钱来买肉啊？后来才知道，这天是海瑞老母亲八十岁大寿，他又是著名的孝子，所以才有这样的"大手笔"。大家去贪污腐败，最后落得个被酷刑处死的下场。但是光靠杀人有什么用呢？反腐也不能用这种极端的方式，归根结底还是要建立起完善的制度。所以一个皇帝没有高瞻远瞩的思想，全靠自己个人的判断来统治一个泱泱大国，必定会导致很多问题。

伊顿公学建立

近年来，由于我们国家的一些孩子进入了伊顿公学，这所学校开始被国人所了解。所谓公学，是相对于地方学校而言。在英国，地方学校的招生只限于本地区，而公学可面向各地公开招生。因此决不能望文生义，认为公学是面向大众的公立学校。恰恰相反，他们是地地道道的私立学校。伊顿公学是英国最大的也是最有名望的公学之一，历史十分悠久，是英国国王亨利六世专门为了七十名荣获国王奖学金的高才生于1440年创立的。伊顿除了与其他公学一样特别重视古典文学学科与强调严格的纪律外，还与世界名校剑桥大学有着紧密的关系。每年可选拔七十多名学生进入该校，还享有二十四个奖学金名额。因为学校办得好，声名远扬，英国那些官宦贵族就争先恐后地把自己的孩子送到这里来读书，这种做法不仅在中国有，在世界各国也都是一样的。英国历史上著名的威灵顿公爵以及很多优秀的将领都是伊顿公学毕业的。大家最熟悉的英国诗人、作家雪莱，还有世界名著《1984》的作者乔治·奥威尔，都是伊顿公学毕业的。

如今随着时代的发展，贵族已经不吃香了，唯一的评判标准就是钱，所以现在伊顿公学很少有贵族了，基本都是有钱人家的孩子。它一年的学费大约是两万六千英镑，相当于三四万美金，美国最好的大学收费差不多也就是这个价钱，中学更是没有这么贵的。当然这个价格在中国并不算贵，现在在北京、上海的国际学校，一点儿不比伊顿公学便宜，教学质量肯定没有伊顿好，有些所谓的英国教师说英文还有新西兰口音或者澳大利亚口音。

伊顿公学的学费贵，教师素质也是非常高的，几乎全都是牛津、剑桥这些名牌大学毕业的校友回来教书。它的师资强大到什么程度？每一个学生可以配一个导师，在大部分的大学里也只有博士生才能享受这种待遇。而且它是寄宿学校，有一套非常严格的制度，并且只招收男生。英国过去其实有很多著名的公学都是男校，但是到了现在，为了挣钱，很多学校已经开始男女合招。伊顿公学到今天为止还是坚持男校办学的传统，要培养具有绅士风度、高尚品格的男人。所以它自己还发明了很多运动，这些运动都很 In-Crowd（小圈子），只有上过伊顿公学的人才会玩。而且学生们还有一些专门的切口。比如老师，别的学校叫 teacher，他们叫 beak（原意：鸟嘴）。中国的一些著名大学也都有自己的切口，出去说一说，只有自己的校友听得懂，能给人一种成就感和荣誉感。

伊顿公学的管理制度非常严格，入学前三个月不允许家人探视，着装也必须严格遵守学校的规定，仪表要求也非常高。这种管理方式虽然严格，但确实培养出了许多优秀的人才，从那里产生了二十位英国首相，像卡梅伦等就是伊顿公学毕业的。

现在伊顿公学依然是全英国最好的中学，但是那里的英国人并不多，学生们来自世界各地，后来为了招收一些特别有钱的阿拉伯贵族，在学校里还专门配了一个阿訇（伊斯兰教教职称谓），给这些阿拉伯贵族做宗教服务。

衣服。那次乔治·迈克尔在中国演出，回去以后对西方媒体回忆说："我一生中经历过的最可怕的演出就是在中国的这次，我们在上面拼命地唱，拼命地跳，结果下面鸦雀无声，所有人都那样冷静。我简直不能想象在世界上还有这样的地方，那么多人还能保持这样的冷静。"其实人们并不是真的都很冷静，只是那些激动的人都被认为有资产阶级的行为，立刻被旁边的警察制止了。所以那时威猛乐队在中国经历了人生中最痛苦的一场演出，现在我们比以前开放多了，外国的明星来中国演出完全可以和国际接轨。后来威猛乐队解散，乔治·迈克尔单飞，他单飞以后也有很多金曲，像《信仰》（Faith）之类的歌曲，都非常好听。

乔治·迈克尔不仅歌唱得好，词写得也很好，琴弹得也不错，是当时不可多得的少年天才，但他后来没能像其他人一样坚持唱下去，今天已经不活跃在第一线了。乔治·迈克尔还翻唱过一些歌，给原作者支付了丰厚的版税。我特别羡慕，我写了一首歌叫《同桌的你》，这世界上有好几亿人会唱，但我一共只拿了一百美元的版税，我们之间的差距还是很大的。所以也希望有外国歌手来翻唱一下我的歌，我干这行一辈子了，还没真正拿到过什么版税。

|迈克尔·杰克逊去世|

2009 年的这一天我记得非常清楚，当时我正在长沙的一家酒店，准备去湖南卫视做节目，突然师兄宋柯敲门，一进来就哭着说："迈克尔·杰克逊去世了！"我当时就惊呆了，然后我俩到楼下餐厅去吃饭，走在路上我也忍不住开始哭，当时真的非常难过。

迈克尔·杰克逊去世以后，索尼公司把他最后一次巡回演出前排练的录像做成了一部纪录片，叫作《就是这样》（This Is It）。这部电影在北京公映时影院爆满，很多人都是我这个年纪，都从小听着他的歌长大。迈克尔·杰克逊为我们打开了一个神奇的世界的大门，让大家了解到原来这个世界还可以有这样的音乐、这样的舞蹈、这样的 Music Video（音乐录影带）。迈克尔·杰克逊的唱法、作词、作曲、音乐编配等很多东西都是他独创的，在他之前世界上还没有 MV 这种东西，原来都叫 Music Video，他的整个音乐王国都是自己建立起来的。

迈克尔·杰克逊在全世界拥有无数歌迷，每年的这一天都有很多人去他生前居住的圣芭芭拉市的梦幻庄园参观。当年他的演唱会每场都有无数歌迷，花很多钱买到第一排的座位，有些人一共只看了一分钟就激动地晕过去了。他生前本来准备要开五十场演唱会，每场大概两万个座位，总共是一百万张票，结果在两小时内所有的票都被抢光，最后只好又加了五十场，结果依然被抢光。最后他的演唱会一共卖了两百万张票，这对他的公司来说是一笔巨额收入。在他去世以后，公司本来要给歌迷们退票，但是几乎没有人愿意退，因为大家都觉得杰克逊已经离开我们了，都不在乎这几百美元，就拿这最后一张票作为纪念吧。索尼公司等于是没花一分钱，就有了这么一笔巨大的收入，后来还把排练的影像拿出去在全世界上映，获得了两亿美元的票房。我觉得这些收入都应该捐给迈克尔·杰克逊的基金会，这个基金会目前最大的资产是索尼公司的大量股权。娱乐圈里的"二八定律"是两成的艺人挣的钱远远超过余下八成的艺人。像迈克尔·杰克逊这样的巨星收入简直太高了，续约的时候索尼公司已经续不起了，只能给他大量股权，所以迈克尔·杰克逊到索尼公司就是大股东之一，这些股权最后都移交给了他的基金会做慈善，这也是他自己希望的方向。

迈克尔·杰克逊在我心中就是大神一样的存在，大神是什么概念呢？首先他无师无徒，像孙悟空就是无师无徒，从石头缝里蹦出来的。在迈克尔·杰克逊之前，没有一个人想到这个世界上可以有这样的音乐，歌可以这样唱，在舞台上可以这样表演，他的很多表演都是专利性的，别人要是想这样演，还要先付费，因为专利在他手里。他一个人就相当于一个大产业，所创作的很多东西都是独一无二的。这个世界上几乎没有人翻唱过迈克尔·杰克逊的歌，虽然他的歌家喻户晓，但别人很难唱出他的那种效果来，这也是大神的另一个标志。

再有一个就是大神是很孤单的，他们不能享受人间的所有美好。杰克逊也是这样，小时候完全没有体会过父爱，他的父亲从小就逼着他们兄弟几个出去卖艺，所以他也没读过什么书。人间的亲情、友情、爱情这些寻常温暖，他拥有的非常少。他还被很多人栽赃陷害，冠上了莫须有的罪名。所以虽然他给全人类带来了那么多欢乐，但他自己是一个非常孤单的人。最终他留了一千多万美元的遗产给他最喜欢的大猩猩。我看到这个消息其实心里很难过，不明白他为什么不把这些钱捐给一些贫苦地区的孩子，反而留给一只大猩猩。我们不能因为这就说他不慈善，这是由他自己的情怀导致的。

举行迈克尔·杰克逊葬礼的那天，我在一个实况直播的电视台负责翻译解说，但一开始我就说，我们没有资格去谈迈克尔·杰克逊，他给我们带来的全是欢乐，我们感谢他就足够了。他是这个流行乐史上最大的大神，叫 King of Pop——流行音乐之王。在他之后，不知道还要过多少年才能再出现一个这样的传奇。

| 朝鲜战争爆发 |

1950 年 6 月 25 日，南朝鲜（今韩国）的伪政权悍然侵犯北朝鲜（今朝鲜）——我们小时候的历史课本里是这样写的。但今天的历史课本已经改成了：1950 年的这一天，朝鲜战争爆发。我觉得这是一个好的现象，让大家可以客观地面对历史。因为如果你说成南朝鲜侵略北朝鲜，但两天之后南朝鲜的首都，当时叫汉城，也就是现在的首尔，反而被占领了，这就很奇怪。一个侵略者侵略别人，结果自己的首都还被人占领了，这个无论如何从军事上还是常识上都是说不过去的，所以改成朝鲜战争爆发是一个非常好的做法。因为这场战争是内战，所以实际上谁先发动的战争并不重要，但发动战争的目的是统一祖国，这是毋庸置疑的。事实上是北朝鲜为了统一祖国率先发动了朝鲜战争。而且战争开始的时候北朝鲜势如破竹，直到后来美国来干涉，我国也受到了威胁，所以我们才去抗美援朝。

1945 年，根据战后的协议，以"三八线"为界，美军占领了朝鲜南部，苏军占领了朝鲜北部，日军分别向美苏军队投降。所以实际上从 1945 年开始，整个朝鲜北部就已经进入社会主义。那时候我们国内正在打解放战争，北朝鲜在解放战争中为我们提供了很多帮助，尤其是在东北战场。东北战场分成北满根据地和南满根据地，北满根据地背靠苏联，南满根据地背靠北朝鲜，他们给我们的后勤提供了大量支援，所以才有了后来的三下江南、四保临江战役，三下江南就是北满根据地，四保临江就是南满根据地。在北朝鲜的支持下，我们得以在长白山坚持战斗。所以当北朝鲜出现危机时，新中国当然要义无反顾地去支持它。

6月26日

《晓松说——历史上的今天》来到了 6 月 26 日。1936 年的这一天，世界上第一架可以正常操纵的直升机起飞；1997 年的这一天，著名的《哈利·波特》出版。

|世界上第一架可以正常操纵的直升机起飞|

1936 年的这一天，世界上第一架可以正常操纵的直升机在德国首次试飞成功。所谓正常操纵是指飞机起飞以后是可控的。人类对飞行的研究有着悠久的历史，自古人类就梦想能从二维的平面飞到天空中，为此人类做了很多实验，但问题是飞机起飞以后就会失去控制。直升机和固定翼飞机有一个最大的区别，就是固定翼飞机不需要那么大的动力，当飞机达到一定的飞行速度时，主要依靠机翼的升力飞行，发动机只起推进的作用。而直升机需要大功率的发动机，因为直升机起飞的时候不依靠机翼的升力，在零速度的情况下，完全靠发动机提供的动力升空，这是非常困难的。正常情况下一架 1 吨重的直升机发动机的重量已经达到 0.3~0.4 吨。一直到 20 世纪七八十年代，美国制造出了像 F-15、

F-16 这种自重比超过 1 的最先进的战斗机，也就是说发动机与飞机的重量比大于 1，这样飞机在飞行的时候，就有可能不靠机翼升力让它飞起来。但这种飞机制造出来以后还有一个严重的问题：直升机如果向一个方向转，飞机就会倾斜，因为直升机一般在低空飞行，而低空的气流非常复杂，直升机的稳定操作是最大的问题，所以飞机的尾部还需要有一个平衡装置，其中的计算是非常复杂的。

德国在 1936 年造出了世界上第一架可以正常操纵的直升机。但是大家知道，三年以后二战就爆发了，二战中这种直升机并没有大规模使用，最重要的原因就是一个国家的工业能力是有限的，德国在二战中研制出了大量的先进武器，但由于资源有限，战时生产的时候，要考虑到什么武器在战争中立刻有用、什么武器可以往后排一排，排着排着有些就暂时不生产了。直升机就是这样，当时其他的飞机也都能干这些事，所以直升机的生产就被暂时搁置了。

实际上，德国在二战时研制出了大量的先进武器，比如世界上第一枚空中导弹，二战期间德国已经研制成功了。但是由于当时战争已经变成了大规模空战，由一架飞机装两个导弹，跟成千上万架美军飞机打，实际上还不如多生产几架飞机。因为德国飞行员素质相当高，就靠飞机上的大炮也能跟你空战。生产昂贵而精密的武器其实是得不偿失的。德国当时已经有了直升机，有了空中导弹，有了反舰导弹，有了反坦克导弹，但由于这些武器都需要投入大量的军工实力来生产，没有大量投入使用。当时反坦克导弹在苏德战场这种前线几乎已经没有用了，因为苏德战场上是成千上万辆坦克冲锋，这个时候弄几发导弹在那儿打根本就没有意义。后来德国本土被英美的轰炸机一轮又一轮地每天轰炸，大部分工厂都不能幸免，导致这些先进的武器没有能够批量生产。

直升机后来在朝鲜战争中才开始使用，其实也只是用来救援伤员，但那个时候美国人觉得在大规模战争中用直升机也救不了几个伤员，还不如用卡车拉回去，或者用担架抬回去。只有当一些高级军官去前线的时候才用到直升机，因为朝鲜有很多山地，公路和机场不发达。还有一些重要的伤员也用直升机运出来。而直升机真正大规模使用是在越战的时候，一方面因为越南也到处是丛林跟山地，没有发达到到处是机场，也没有发达的公路体系。所以在这种丛林山地的战斗中，直升机发挥了重大作用，只要用一个燃料空气炸弹或者云爆弹投下去，先是炸开一个能够爆炸的空气云团，云团弥漫到一定程度的时候才起爆，能炸出一大块平地来，这种平地就相当于一个机场，可以降落大量的直升机。直升机在丛林和山地战中还有一个重大的作用，它可以让战线变得模糊，随时绕到敌军的后方去。在越南战场上，直升机挽救了大量的生命，越南战争打了十年，越南伤亡好几百万人，而美军在越南战场上死亡只有五万多人。虽然越南战场美军伤亡人数并不算很多，但是越战给美国的社会以及军人造成了非常严重的心理创伤，美国参加过越战的老兵后来自杀的就有八万人，这个数目甚至超过十年越战在前线战死的军人。由此可见，一场不正义的战争，给军人、给社会、给国家造成的伤害有多么大。

之后直升机的作用大家都有目共睹，紧接着，1979 年，苏联在入侵阿富汗的时候，就大规模地使用了武装直升机，因为阿富汗也是那种多山国家，其他武器都没用，只能依靠大规模的武装直升机作战。在越南战场上大家看到最多的是 UH–1 直升机，士兵都在上面拿着机枪扫射。后来就发展出了专用的武装直升机 AH–1，除了驾驶员不载其他战斗人员，两边有装载着导弹或者火箭的小装置，前面有机盘，可以转动炮架。再后来苏联有了米 –24，还造出了各种令人匪夷所思的大型直升机。我们抗震救灾的时候使用的米 –26，就是现在全世界投入使用的最大的直升机，载重能到二十吨，一般中型运输机才有这么大的载重量。

直升机在战后实际上是发展得最快的一种武器，就像德国用坦克这个技术发明了闪电战这种军事理论一样，后来由于直升机的大量使用，美国发明了"空地一体战"这种战术理论。苏军也有自己的战术理论，每个师都有配有一个营的武装直升机，所以直升机已经成了现代陆战中最重要的武器之一，跟坦克同样重要。直升机也可以叫空中坦克，二战的时候大家认为反坦克最好的武器是坦克，而现在普遍认为反坦克最好的武器就是武装直升机。从珠海航展开始，我们中国终于也拥有了自己的武装直升机——武直 –10。我们现在的武装直升机还是相当于美苏 20 世纪 80 年代后期的那种直升机，尤其是发动机，还没有做到非常好，载重量各方面也没有达到世界先进水平。当然直升机是综合性非常强的一种武器，可以代表一个国家最强的军工能力，现在全世界也没有几个国家能生产。

　　我是先看过《哈利·波特》的小说，因为那时候还没有电影，虽然看的时候我已经是一个大人了，但是看起来还是非常着迷。当时就在想是什么样的作者才能写出这样一本神奇的书来呢？一个什么样的人，脑子里才能有这么一个完整的体系，完全不参考以前的那些童话体系，而是自己创造了一个新的体系，而且写得栩栩如生，非常有趣，对此我一直非常好奇。后来我去了罗琳女士居住的城市爱丁堡，到那儿我就想，应该就是由于这个城市的缘故，因为这个城市是全世界最像童话城市的古城之一。新建城区在城市的另一边，古城保护得非常好，街道都是几百年前用石头铺成的，还有很多古堡和教堂，包括爱丁堡大学。爱丁堡大学是英国最好的大学之一，所有校舍都是那种特别古老的城堡。我去那儿的时候，正好赶上每年 8 月在学校举办的一个 Fringe（爱丁堡边缘艺术节）。当时没有地方住，只好住在爱丁堡大学的一个壁炉里，那壁炉大到能躺下一个人，就像童话里写的那样。而且爱丁堡这个城市就在海边，所以在那样的地方才能写出这么美好的童话。

　　后来我又认真想了一下，很多人都写过童话，为什么唯独《哈利·波特》这么受欢迎呢？不仅小说在全世界非常畅销，而且电影、衍生品也都卖了很多，环球影城里甚至还有哈利·波特主题公园。罗琳用的是童话的包装，但是里面的内容实际上是非常标准的好莱坞编剧模式，不是传统的那种童话。以前的童话，坏人和好人从一开始就分得很清楚了，整个故事讲的都是大家怎么去打败这个坏人。但是她用了好莱坞非常经典的编剧模式：起初不知道谁是坏人，要一关一关地去打，最后才能面对大 Boss（头目）。而且过关过程还非常像后来风靡全世界的电子游戏：扫帚、魔杖等武器可以升级，生命值之类的东西还可以恢复。所以罗琳实际上是做了一个结合型的东西，这就给所有年轻人的创作提供了一些灵感：不一定需要去构思一个崭新的东西，一点儿新意再加上经典模式，就可以做出好的作品。

6月27日

《晓松说——历史上的今天》来到了6月27日。公元前278年的这一天，屈原逝世；1992年的这一天，意大利三大工会组织了十万人大游行，抗议黑手党；2008年的这一天，比尔·盖茨正式退出微软管理层；今天还是梁朝伟大哥的生日，生日快乐！

|屈原逝世|

在我个人心目中，在我国几千年的漫长历史中，以古文之美、韵律之美流传千古，而且在技术、节奏等各方面都无可挑剔的诗人就是屈原。我从小读这些东西的时候，就觉得像李白这样的诗人给人印象更深刻的是他诗中的气势，但是要说文字之美，屈原无人能出其右。而且他也是我国诗词的奠基人，后世的人们都是读着他的诗长大的。至于历史上的他是不是一个我们现代人心目中的爱国者，这个我倒是觉得有待商榷。因为在现代社会，爱国主要是爱她的壮丽山河与广大民众。而在古代宗法社会，爱国主要是爱自己的君主、爱自己的家族，尤其是屈原出生于王族，君主与家族的荣辱就完全等同于国家的兴衰。所以一旦楚怀王不再信任自己并遭到秦王的欺凌时，他便会痛苦得去投汨罗江。毕竟古代人的爱国情怀与我们现代人并不在同一个层次上。不过那个时代人们其实还谈不上有多爱国，孔子虽然是鲁国人，但是他照样可以去周游列国。这个国家的军事家也可以为别的国家效力，卫国的商鞅可以去秦国，楚国的伍子胥也可以到吴国去。那个时代的知识分子以天下为己任，至于到底忠于哪个国家，还没有这么明确的思想。

屈原不仅是一位伟大的诗人，作品中还包含了很多音乐元素。比如他在诗中经常用到的"兮"字，我觉得它就是一个音律上的符点，让诗具有了节奏感。所以那些流传下来的诗句很多在古代其实都是唱的，像"风萧萧兮易水寒，壮士一去兮不复返""大风起兮云飞扬，威加海内兮归故乡"。整个《楚辞》这个体系，其实是一种节奏明确的音乐，"兮"字实际上在里面起到的是个符点作用。《九歌》不仅没有受到历史变迁的影响，口音的差异也不明显，今天我们用普通话念出来依然非常优美。《天问》不但文字优美，实际上质疑了当时所有的神话，而且举的反证都蕴含唯物主义思想。如果他最后不是投江自尽，而是沿着这个角度更深入地探索，或许在那时，中国就会出现像同时代的亚里士多德一样的伟大思想家。

民国期间，据当时的历史学家考证，屈原其实是一个同性恋，因为他写的诗里面有大量的情诗，但是人们并没有找到他写这些诗的对象，也可能就是楚怀王，所以他最后投江自尽也可能是一种殉情的做法。这段历史毕竟已经很久远了，所以这种说法在当时引起了一些争议，今天也还是有人持这个观点。不过我国文学界的主流意见一直认为，将君主比作美人是古代诗人普遍使用的一种比喻方法，根本不存在什么同性恋的问题。这完全是一种哗众取宠曲解事实的说法。不管怎样，我觉得屈原是中国古典文学史上最伟大的诗人，让我们一起在这个日子里纪念伟大的诗人屈原。

| 比尔·盖茨退出微软管理层 |

比尔·盖茨是最近几十年里改变全人类生活的最重要的一个人，所以他成

为世界首富，我觉得是当之无愧的。那些为人类做出巨大贡献的人，才有资格成为首富，而不是靠买地、卖地、投机倒把这些手段，这个是我们国家和西方国家很大的一点不同。在美国几乎就没看到房地产商这类人能排到富豪榜上的前多少名，排在前面的人全是在金融、科技等领域给人们的生活做出过巨大贡献的。再就是一些著名的家族，比如说沃尔玛，这些家族其实很多也对人们的生活起到了重大的影响，因为在很早以前能想到开连锁商店这种营销的策略。中国在未来也会慢慢过渡到这个阶段，现在其实就已经开始有互联网的精英做到中国首富了。

比尔·盖茨对我们的生活改变实在太大。我小的时候还没有 Windows 系统，即使是简单的算术，也要先自己编一个程序，电脑才能算出来。那个时候用电脑简直太不方便了。我在清华读书的时候用过小型机，像现在的一间卧室那么大。Windows 系统出现以后，让所有的人都能使用电脑，让全世界的人能够迅速地进入到同一个时代。比尔·盖茨做出的贡献是巨大的，他有那么多的财富是当之无愧的。但是他在 2008 年的时候，退出了微软管理层，并把他所有的资产，大约五百八十亿美金，全部捐给了以他自己和太太的名字命名的"比尔和米兰达"慈善基金会。当时这条新闻令人震惊，他带头做了这次裸捐以后，紧接着就是巴菲特，然后全美国乃至全世界的富翁掀起了一股裸捐风潮，这是一个充满正能量的事情。

欧美国家一直都有捐赠传统，我们中国的北京协和医院就是当时洛克菲勒基金会到中国来捐建的。捐献传统当然首先是个人品质决定的，但是也和他们国家整个的法律体系有关。西方国家法律规定人们的慈善捐款是抵税的。西方所得税和现在中国一样，都是随着收入的提高而增加的，如果高收入的人去捐款，就不用交那么高的所得税，所以这些人都愿意捐款。还有一点很重要，美国的遗产税是很高的，最高的时候甚至能到百分之五六十这种程度，而且和赠予税是同样的税率，生前把财产赠予他人税率也会这么高，就是为了避免逃遗产税的现象出现。在美国共和党的努力下，现在遗产税已经降到了百分之三十五左右，依然很高，挣这些钱的时候已经交过所得税，死了以后还要交这么高的遗产税。但当时美国就遗产税辩论的时候，比尔·盖茨、巴菲特都支持征收遗产税，其实他们是最有钱的人，按理说应该反对遗产税。但他们都率先支持，而且美国大部分人也都支持遗产税，因为大家都认为这个国家保护了我，这个政府、这个体系给了我一辈子的安全还有很多的服务，我的钱也是从这个社会、这个体系里挣来的，所以当我死的时候，也应该去回馈社会。

回馈社会有两种方式，一种方式是直接交遗产税，这样最后不是以你的名义，而是变成了政府的税收；另一种方式就是捐赠，如果捐了就不用交这遗产税了。但是也有逃的。有一个著名的逃遗产税的案例，如洛杉矶一个很大的园区，叫亨廷顿图书馆，就是钢铁大王亨廷顿捐献的。因为亨廷顿当年没有儿子，只有一个侄子，那个时候遗产税比现在高得多，所以他去世的时候，如果要把遗产传给这个侄子的话，侄子就要交高额的遗产税。但是配偶之间是不用交遗产税的。所以为了避遗产税，亨廷顿竟然让自己的侄子娶了他太太，把财产留给他太太，他太太去世了再留给他侄子，就不用交遗产税了。亨廷顿的侄子去世的时候就没办法再去搞这种事了，也交不起遗产税，最后只好把它捐出来，在洛杉矶建了一个非常美丽的公园，就是亨廷顿图书馆。后来富豪们都觉得，不如把自己的遗产都捐给慈善基金会，这样既能免掉高额的遗产税，还能为自己赢得好名声。洛克菲勒虽然去世这么多年，但是洛克菲勒基金会依然是全世界最重要的慈善基金会之一。

一个社会首先要靠法律体系，其次才能靠人的自觉。在美国，总的来说，这样的法律体系鼓励了人们做慈善、做文化。其实古典音乐在西方也很难做，但是有大量的慈善基金会去支持古典音乐的发展，才能养得起那么多优秀的乐手。在美国，如果你想成立一个文化机构，就写信给慈善基金会，因为各种慈善基金会多如牛毛，你多给这些机构写信，总能获得资金的援助。一个社会不光有挣钱的东西，还有一些不挣钱的东西。但是这些不挣钱的东西，却是人类区别于动物的最重要的东西，因为人类不光是像动物一样需要生存，还需要很多更高层面的东西，而这些东西发展起来，这个社会才会是一个稳定的社会。

| 梁朝伟生日 |

今天是梁朝伟大哥的生日，生日快乐！长得帅的演员很多都很在乎自己的

形象，演戏的时候反而不容易演好。有时候长得不太好看的演员反而很容易得影帝，但长得帅又演得好的人是不太多的，尤其长得像梁朝伟这么帅的。金庸的小说里武功练到一定程度就不用宝剑，随便拿一块木头也可以，飞花当剑也可以。演戏也分为这么几种，有的人演得很夸张，而有的人是像梁朝伟这样，慢慢收敛锋芒，再到后来由内而外地散发光华。一个好的演员不用刻意去演什么，只是非常沉静地坐在那里，用心去感受一个角色，就能给你留下非常深刻的印象。香港没有戏剧学院，也没有电影学院，只有一个无线培训班，梁朝伟上的就是这样一个电影培训班，当时他和刘德华等人并称"无线五虎"。对一个演员来说，实力确实是首要的，但机遇也很重要，梁朝伟最好的机遇就是他追随王家卫这位大师级的导演很多年，王家卫把他从无线一个商业性质的演员慢慢培养成为一个光华内敛的演员。

Today
in History

⑥月②⑧日

《晓松说——历史上的今天》来到了 6 月 28 日。1645 年的这一天，清朝颁布了剃发令；1919 年的这一天，《凡尔赛条约》签订；1997 年的这一天，拳王泰森在比赛中咬人。

| 拳手泰森在比赛中咬人 |

《小兵张嘎》里面有一段剧情，小兵张嘎咬了小胖子一下，小胖子说咬人你算什么八路。老兵泰森在全世界直播的比赛中，众目睽睽之下咬了霍利菲尔德的耳朵。霍利菲尔德年纪比他大很多，是一个老拳手，结果比赛刚进行没多久，泰森就把他咬了。当时看比赛的时候大家特别失望，本来都已经准备好酒啊热狗啊想好好看一场比赛，结果刚打了没一会儿，泰森就咬了人家耳朵一下，比赛就这么结束了，泰森就输了。

不太了解美国这种体育文化或者拳击文化的人可能不太明白，怎么会出现这种情况呢？ 实际上拳击这种体育运动在美国和赌博联系得非常紧密，高赏金的比赛都在拉斯韦加斯举行，如果到拉斯韦加斯的赌场里就可以看到，每个赌场里都有一块地方专门为拳击比赛下注。这样的拳击比赛无论输赢，都要付给拳击选手高昂的出场费。当时霍利菲尔德的出场费大约是一千五百万美金，泰森的更高，要到两千万美金。这三千五百万美金仅仅依靠门票的收益和比赛的电视转播权是远远不够的。所以美国拳击非常依赖赌博，不但要押输赢，还要押第几回合赢等。这其实是一个非常庞大的体系。

在一些万众瞩目的世界级的比赛里，比赛结果很容易被赌博操控，足球也是，有时候在世界杯里突然看到一支世界级的一流强队居然以大比分输给了很弱的队伍，但是如果一看盘口，就明白为什么了。所以我就有了这样一个猜测，就是当时在比赛开始前，赌泰森赢的人多，因为霍利菲尔德当时已经四十一岁了，而泰森正如日中天。赔率再悬殊，泰森赢的可能性也是非常大的。就像中国队去参加世界杯，即使中国的赔率是一万倍，也没人下注中国队能赢世界杯冠军；就算阿根廷的赔率是3，人们也会下阿根廷队的注，因为他们很有可能赢。所以当特别多的钱向一边下的时候，你说泰森他能赢吗？当然不能。如果他赢了，那把他捧起来的这些幕后的大老板就都该破产了。这种情况在其他的体育项目里也是很常见的，尤其是足球明星长期在这个体系里玩，已经很习惯了。每年欧洲联赛都有10%—20%的假球，而且在欧洲踢职业联赛的足球明星素质大都比较高，能把假球玩得比较好，让外行人看起来天衣无缝。等比赛完你再一看盘口，才会恍然大悟。

而泰森不一样，他是一个草莽出身的人，我个人认为，他根本受不了输给霍利菲尔德，但是又不能赢，所以他心里肯定非常生气。他又不是第一次打拳，小孩儿上台打拳打急了，可以咬人耳朵一下，但是他已经是职业拳王了，打了那么多场，怎么会在这么一场比赛中心理崩溃呢？他自己绝对不甘心在全世界的观众面前被霍利菲尔德打倒在地，但是老板们都要求他输，于是他就想出了咬人家耳朵这个办法，最后直接被判输掉比赛，也是一种对那些下注的人变相的惩罚：人们都买好了酒和热狗，结果泰森就不让这些人看个痛快。当然这纯属我个人的猜测，没有任何证据。

不管这个猜测是否准确，事实上美国乃至整个西方的体育竞技，尤其是职业级的比赛，相当程度上是跟赌场有关的，足球比赛中的假球已经被很多案例证实了，拳击也一样。台球比赛也曾经出现过这种情况，有记者暗中潜入比赛的现场，假装要给选手钱，说如果你故意输掉这场比赛，就给你三十万欧元，然后暗地里把整个交易过程都拍下来。所以这些事情在职业比赛里是非常常见的，因为很多运动员就靠这种方式吃饭，不像奥运会这种主要是为国争光的比赛。

这场比赛也成了泰森命运的转折点。从那时候开始他就一直在走下坡路，后来又出现了性侵丑闻，还坐过牢，本来一亿美金的身价出狱之后全没了。而且他自己也没什么文化，所以后来他就委托一些律师、会计师等帮他理财。我还认识泰森的私人医生，当时我俩正好都在美国一个非常好的酒吧里，旁边没什么人，我俩就聊起来了。我当时看他在抽古巴雪茄，就觉得这个人不一般，因为这种东西在美国是被禁止的，开始还以为他是黑社会的人呢。后来他说自己是泰森的私人医生，是一个匈牙利裔的美国人。他说，泰森出狱后境遇大不如前，最惨的时候只能到拉斯韦加斯的饭馆里去表演打拳，从打一场几千万美金，沦落到打一场只有几千块钱。所以真正的大老板，是泰森背后的这些赌场，是整个体育体系，不管是拳王也好，球星也好，都只是台上的木偶，如果好好听话，那还可以一直打下去，直到退役。但如果你还有脾气，不听话胡来，下场就会比较惨。这听起来是一件很残酷的事，但是在这样一个金钱至上的社会里，这种事情是很平常的，泰森只是其中的一个牺牲品而已。

┃清朝颁布剃发令┃

1645 年的这一天，清朝政府颁布了剃发令。当时汉人的传统是"诗书礼仪传家"，礼仪对汉人尤其是知识分子来说，是非常重要的。身体发肤受之父母，自古以来汉人就是这种传统，结果现在突然让剃头，而且剃成满人刚入关时留着的那种铜钱头鼠尾辫，不是我们在电视剧里看的那样，留一根很粗的辫子。

这个剃发令一颁布，很多汉人尤其是知识分子，都觉得这简直是奇耻大辱，于是清廷最后颁布的法令变成了"留发不留头"：如果一定要留头发，就砍你的头。汉人当然是要抵抗的，因为在 1645 年整个南方都还没统一，甚至发生了扬州十日、嘉定三屠等很多血流成河的惨剧，最后迫于压力都剃了那样的头。但是汉人还是有自己的审美观，满族人总的来说还是人数比较少，所以满人慢慢被同化，铜钱头鼠尾辫就变得越来越大。到了清朝后期的时候，我们现在电视剧里演的就没错了，就变成了那样的辫子。

在清朝颁布这个法令七十多年后，当时统治俄国的彼得大帝也下了一道剃须令。在彼得大帝之前，俄国是一个非常落后的国家。彼得大帝是一位年轻有为的皇帝，他曾经到西方各国去考察，甚至还去荷兰的船厂里当工人。在游历的过程中，他感到西欧和自己的国家相比非常先进，但是西欧就没有俄国这么多人留大胡子。所以他回来以后觉得俄国想要强大起来，就要向西欧学习，首先就要革除一些陋习。所以彼得大帝下了这样一道命令，所有人都要剃胡子，不然就交胡子税。同一时期我们中国这里是要么剃头发，要么就杀头。所以理发师可能是当时最挣钱的职业。

6月29日

《晓松说——历史上的今天》来到了 6 月 29 日。今天有两件大事发生，一是 1967 年的这一天，伟大的作品《百年孤独》出版；再有就是 2007 年的这一天，伟大的科技产品 iPhone 手机上市。2007 年的今天，杨德昌导演去世。

| 《百年孤独》出版 |

我前些年翻译了马尔克斯的最后一部小说——*The Memory of My Melancholy Whores*，原来这部小说没有中译本，只有个中文译名，叫《苦妓回忆录》。这个名字译得根本就不对，*The Memory of My Melancholy Whores* 的意思应该是回忆那些忧伤的妓，而不是妓在回忆。不知道为什么原来中文译名统一都叫《苦妓回忆录》，后来我给它起了一个新译名，叫作《昔年种柳》，"昔年种柳"这个词来源于中国的古诗，"昔年"的意思是回忆，"柳"在中国文字里有烟花柳巷的意思，所以说回忆那些忧伤的妓女，就叫《昔年种柳》，我觉得这个翻译还挺有意思。由于我没有获得这本书的翻译授权，我只敢把第一章登在我的新浪博客上，

大家有机会可以去看看，我是用北京话翻译的，很多人都说翻得很有意思。我在译文中没有用很多翻译腔，翻译腔是我们在翻译西方的文艺作品时一个重大的问题，就是不用看这作品是谁写的，就知道这肯定不是中国人写的。

《百年孤独》我看过几个不同的译本。马尔克斯长期以来并没有授权中国翻译中译本，直到几年前，才第一次授权了《百年孤独》。之前我看过的中译本和授权以后的中译本还不太一样，包括人物的名字翻译得都不一样，之前那个主人公叫奥雷良诺，授权之后的译本中翻成了奥雷里亚诺，其实是同一个人。就因为这个人物的名字翻译成"奥雷里亚诺"，比"奥雷良诺"多了一个字，之后那个版本的字数就会比之前那个版本多了将近一万字，因为看过《百年孤独》的读者会知道，光奥雷里亚诺这一条线下来，名字里包含奥雷里亚诺的人就多达十几个，再加上他们的老婆、他们的情人，他们的……数十个人物在里面，有好几代人。

《百年孤独》这部作品小时候我就看过，但那时可以说根本看不懂，小时候自己心里面并没有那种孤独感，所以很难理解作品的内涵。即使你长大了，当你把这个世界的人看作一个个有血有肉的人的时候，有爱情的时候，也没办法理解《百年孤独》所蕴含的深意。《百年孤独》的人物关系是非常复杂的，好多人可以说都看晕了，我记得小时候我看的时候要列大大的一张表，在上面做上各种标记，然后从一个家族开始，两个儿子开始怎么怎么分下去，最后人越来越多……其实即使你做了那个人物关系表，很多时候你也还是看不懂，理解不了作者为什么要这样写。我当时还想《红楼梦》的人物也多，但是至少他们的名字好区分呀，这叫林黛玉，那叫薛宝钗，这叫贾宝玉……《百年孤独》可不是，大家都叫这个名字，奥雷里亚诺二世、奥雷里亚诺三世等。但是如果把这些人的名字分成不同的名字，大师写这个东西的目的其实就丧失了一半，作者就是要用这种方式来描述这是一个多少年来没有变化的小镇，一切仿佛都一成不变，但是在岁月变迁中，大家的生活如何变得支离破碎……

我个人不敢评价马尔克斯，因为他是我最最崇敬的文学大师。魔幻现实主义在内心发酵之后会变成什么样子，在最疯狂的半梦半醒之间又是一个什么样子，作者都会描述到。小说的最后还描写雨连续下了四个月，住在树下的人身上都长了青苔。这种描述让你觉得整个人生、整个生活不但是孤独的，而且是

6月25日

　　《晓松说——历史上的今天》来到了 6 月 25 日。1950 年的这一天，朝鲜战争爆发；2009 年的这一天，流行音乐历史上最伟大的歌手迈克尔·杰克逊去世；1963 年的这一天，乔治·迈克尔出生，生日快乐！

|乔治·迈克尔生日|

　　今天是乔治·迈克尔的生日，生日快乐！在我年轻的时候，最开始听到的西方流行音乐里就有那种偶像派组合。现在这种组合非常多了，但那时候还很少，两个大帅哥组成了一个叫 Wham 的组合，翻译成中文叫威猛乐队。这个乐队确实非常威猛，有很多家喻户晓的金曲，像《叫醒我》（*Wake Me Up*）、《在你走之前》（*Before You Go*）、《去年圣诞节》（*Last Christmas*）等。乔治·迈克尔长得非常帅，他是个希腊裔的英国人，长得像希腊雕塑一样。

　　威猛乐队是最早来到中国演出的外国乐队。早在 1985 年，中国刚刚改革开放的时候，国内大多数人都是骑着自行车，大家还都穿着灰色、蓝色、绿色的远离人群的。到我这个年龄再重看《百年孤独》，尤其是这个新版本，我是被深深地感动了。新译本是一位青年教师翻的，可以看到有骈体文在里面。好的艺术作品有两种，一种是能把你填满，不管是填满爱还是填满恨，另一种艺术作品看完以后把你掏空，《百年孤独》这种作品看完以后，心里不但被填满，原来的也都被解构了，出现特别长时间的空虚。

四十岁我再读《百年孤独》时充满了对大师的崇敬，再加上我自己翻译 *The Memory of My Melancholy Whores* 时，又仔细地把马尔克斯作品的笔法结构、人物关系的对白都仔细研究了一下。马尔克斯现在全部作品都已经授权给中国，中译本会由一家出版公司出版。我之前翻译《昔年种柳》的时候，还专门跟他的经纪人——一位跟他很多年的老太太谈过，那位经纪人住在巴塞罗那，我当时特别实在地告诉她我是从英译本译成中文的。她觉得把原文（西班牙文）先译成英文，再从英文译成中文，会离原来作品想要表达的东西有点儿远。所以我挺遗憾没有得到这个授权，但是我还是非常热爱马尔克斯的作品。马尔克斯已经去世，所以这篇叫《苦妓回忆录》或者叫《昔年种柳》的小说，就成了他的最后一部作品。

| iPhone上市 |

2007 年的这一天，伟大的科技产品 iPhone 手机正式上市。iPhone 可以说是科技上的伟大作品，而《百年孤独》是艺术上的伟大作品。艺术和科学是人类最重要的两条平行线，一直是你追我赶地在向前发展。今天的这个时代是科技远远领先的时代，而艺术经常会在科学遇到阻碍的时候有较快发展，比如在战争等对人类造成重大伤害之后，科技的发展会暂时停下来，而艺术的发展就会追上去。今天科技发展遥遥领先，iPhone 就是最重要的代表作品之一，如果科技仅仅存在于实验室里，仅仅存在于诺贝尔奖中，那还不能叫改变人类的科技，只有将科技应用于人的生活中，那才是改变人类。有了智能手机，人们可以在任何时间、任何地点用手里的这个东西跟全世界所有元素最紧密地连在一起。可以说 iPhone 或者乔布斯革命性地重新定义了手机的功能，这已经不是一个打

电话用的手机，它的用途之广让人惊叹。

之前爆发了中国消费者声讨苹果公司在中国的服务不平等的问题。苹果在其他地方的售后服务确实是非常好的，比如在美国，如果手机摔坏了，到苹果店里稍微加点儿钱就马上能换个新的，而在中国要想换新，那手续可能就非常复杂。iPhone 过于强势，新品发售很晚才能轮到中国。也不知是不是一个公司有这样的智慧就会有这种傲气。后来苹果公司向中国的消费者道了歉，现在也正在改进，希望苹果能平等地对待中国的消费者，起码是受到跟美国的消费者平等待遇，因为中国的市场绝不比美国小，中国是世界上最大的市场。

| 杨德昌导演去世 |

2007 年的这一天，杨德昌导演去世。杨德昌导演是台湾地区他那一代导演中最杰出的代表。今天的台湾地区已经失去了电影工业，当今的电影工业集中在香港和北京，台湾地区只保留了华语最大的唱片工业，像滚石、福茂等大唱片公司现在还在台湾地区。当年台湾地区曾拍出了非常多的优秀电影，当时正值台湾地区的解冻时期，音乐上出现了罗大佑、侯德健、梁弘志，电影上出现了杨德昌、侯孝贤，那是台湾地区最美好的文艺年代。

⑥月㉚日

《晓松说——历史上的今天》来到了 6 月 30 日。1936 年的这一天，美国著名的小说《飘》出版。1993 年的这一天，一代音乐天才黄家驹去世。今天还是"菲鱼"菲尔普斯的生日，生日快乐！

| 《飘》出版 |

《飘》是世界文学史上最重要的作品之一，由《飘》改编的电影，在中国翻译成《乱世佳人》，在世界电影史上也是最重要的电影之一。美国是一个很独特的国家，按照很多国家的想法，《飘》就是一部反动书籍。美国历史课本中南北战争已经是被定了性的：为黑奴而战的北方是正义的，代表奴隶主的南方是非正义的。南北战争的起因也是由于南方要分裂祖国，要独立出去成为一个"邦联制"的国家，所以说是南方分裂了国家。在政府层面关于战争的定性是毫不犹豫的，美国政府和全世界的政府一样，在这种大问题上绝不妥协。美国政府当年褫夺了南军各位将领的公民权长达一百年，直到一九七几年才恢复了南军

那些主要的将领，包括南军统帅罗伯特·李的公民权。这是政府层面的做法，因为政府需要让国家稳定，大是大非面前绝对不能有任何疏忽。

但是美国民间充满创作自由、出版自由，这是宪法赋予人民的权利。所以在民间出版《飘》这种书籍是完全没有问题的，在这本书中北军被彻底地描述成没文化的、丑恶的、残忍的形象。看完《飘》就会觉得北军简直一塌糊涂，而南军是绅士，具有坚韧不拔的性格和为故乡献身的精神。当时《飘》风靡整个美国民间，几年之内就卖出了两百多万本。在美国书是很贵的，这个销量堪称巨大，《飘》在美国形成了巨大的影响力。后来在好莱坞把它搬上银幕的时候，也是当时最盛大的电影盛事之一，它成为好莱坞当时成本最高的电影。

由此可见，美国政府做政府该干的事，而民间有宪法保证出版的自由、表达自己意见的自由。当然在美国有些时候也会因为政治原因导致电影没有机会和大家见面，比如李安导演曾经拍过一部电影，也是倾向于南方的，但是这部电影比《飘》走得更远了一步。电影中讲到南方的军队中有很多黑人，原因是农场主对黑人其实很好，平时也没有像电影里演的天天打黑人，就像《白鹿原》里地主跟长工其实关系也很好。于是主人上前线的时候，黑人就跟着白人上了战场，所以南方军队里就出现了黑人。最后李安的这部电影没能跟大家见面，被哥伦比亚电影公司一直锁在片库里，这也不是因为哥伦比亚电影公司有什么问题，而是因为他们发现很多观众看了这部电影以后接受不了剧中的情节。观众因为长期被历史宣传误导，认为黑人一定在北方，南方都是白人。他们不能接受南军中也有黑人出现，所以观众看不下去了。这部电影因此就搁置了，没有跟大家真正见面。

《飘》当时引起了南方对战争的悲痛回忆，因为整个战争期间南方确实打得非常烂。美国的南北战争是一场内战，它不像一战、二战，这种战争会有前线。美国幅员辽阔，当时已经打得完全没有什么前线，大家都是互相渗透到背后去，罗伯特·李将军率领的南军军团甚至是在华盛顿周围打的；而北军率领的部队也已经打到南方。南军相对来说比较正派，打仗比较正规。而北军可以说是无所不用其极。当时谢尔曼率领的北军一路对南方的平民烧杀、抢劫、奸淫，就是要把南方的战争基础、把南方的士气彻底打掉。按今天的说法应该说他对南方犯下了战争罪行。

北军曾火烧了亚特兰大，亚特兰大是南方重要的城市，几乎被夷为平地。《飘》就是以火烧亚特兰大为背景展开的，《飘》的女主角叫斯嘉丽。斯嘉丽最初被译成郝思嘉，民国时期翻译外国人名时都要译成一个中国式的人名，那个斯嘉丽就叫郝思嘉，大帅哥克拉克·盖博演的叫白瑞德，他们都有一个中国姓，这个姓白，那个姓郝。电影《乱世佳人》中的火烧亚特兰大那场戏也是成本最大的一场戏，场面宏大极了，白瑞德来救郝思嘉，还把他的情敌一起救了出去。这场大戏在小说里也做了很详细的描述，接着讲述了南方人民如何在战败的情况下坚韧不拔地重建家园。到今天为止，美国中南部的白人都比美国东西海岸的白人更正派。美国中南部那些州的白人依然保持着优雅的、正直的、绅士的生活。

不光是《飘》这样为南方正名的书，在美国有这么高的销量让人震惊，在国会大厦我还看到一件让人觉得很惊讶的事情。美国国会大厦有一百个雕塑，这一百个雕塑代表美国的五十个州，每个州选出代表自己这个州的最光荣的两个人，把他们的塑像摆在国会大厦里以示纪念。州和州之间是平等的，每个州都是选出两个代表，稍微有点儿不一样的地方，就是第一个厅里先摆美国刚成立时的那十三个州的二十六个塑像，再往里是摆放后来加入美国的那些州的塑像。从各个州所选出的代表人物也能看出每个州的想法不一样，有的州是把为本州提供最多就业机会的人作为代表，比如福特就是他所在的那个州的代表，因为福特汽车厂是那个州最重要的创收企业。弗吉尼亚州选出的两个代表，一个是乔治·华盛顿总统，美国最重要的缔造者之一，也是美国人民最崇敬的总统，首都都是以他命名的；另一个就是内战时期的南军总司令罗伯特·李将军。

当我看到弗吉尼亚州的这两个塑像的时候非常吃惊，这件事儿正好跟《飘》能联系起来讲。罗伯特·李将军是被美国政府剥夺了公民权一百年的败军之将，说白了就是一个反动派。在这种情况下，弗吉尼亚州人民依然选出罗伯特·李将军作为他们的代表，放到国会大厦里，因为这代表着弗吉尼亚州的光荣。罗伯特·李将军确实是能征善战的将军，但是更重的是罗伯特·李将军后来能高风亮节。北军当时都已经以这种极不道义的方式对平民进行烧杀抢掠了，打到最后，南方政府包括南方将领都建议说，北军既然如此对待我们南方的平民，那我们南军也都脱下军装打游击。但这个建议被罗伯特·李将军坚决制止。

他说战争是职业军人的事情，不能把战争推向人民。当时北军已经对南方人民进行了烧杀抢掠，南方人民怀着对北军的仇恨，这时南军如果脱下军装开始打游击，南北双方的仇恨会越积越深，战争三年也打不完，最后这个国家就彻底不是今天的美国了。所以罗伯特·李将军虽然是一个军人，但是他忠于这个国家的人民，忠于这个州的人民。罗伯特·李将军并不赞成独立，他也不赞成内战，而且他是西点军校校长，他是南方人，为了家乡他才回到弗吉尼亚州。他做南军总司令的时候，南方给他上将军衔他也不佩戴，他觉得美国是一个独立的国家，自己只是为家乡而战，所以仍然佩戴联邦政府的上将军衔。

每一个国家的文化、历史跟民族性格不一样，有些时候会非常不一致。看到《飘》能在美国这样风靡，看到罗伯特·李将军的塑像能代表弗吉尼亚州放到国会大厦，你就会慢慢地理解别的国家有着跟我们不一样的传统和想法。《飘》的出版包括电影的风行正是这样，美国政府也没觉得有什么，让人民倾诉一下自己的哀伤，南方人民重新审视一下自己的历史，南方人民也是美国人民。所以《飘》的出版不但在文学上，而且在整个美国历史上都有重大意义。

|一代音乐天才黄家驹去世|

1993 年的这一天，一代音乐天才黄家驹去世。黄家驹当之无愧地算得上是整个华语音乐世界里的天才之一，也是当年光芒万丈的摇滚乐时期最重要的旗手之一。香港是个非常商业化的地方，所以香港也产生了大量的口水歌，比如香港的四大天王一年恨不得出四张唱片：两张粤语唱片，两张国语唱片。这种商业化的社会特别缺少振聋发聩、呐喊式的精英知识分子阶层。但是就在这样一个社会里，诞生了以黄家驹为首的 Beyond 乐队，唱出了香港人民的心声，唱出了香港人民的脊梁精神，唱出了香港人民内心深处的满腔热血。

我把音乐分成"唱歌"和"歌唱"两种类型，香港大量的人都是在"唱歌"，但 Beyond 是在"歌唱"。摇滚乐经常良莠不齐，乱喊一通你也没记住唱的是什么，就觉得好吵啊！但是 Beyond 的音乐，即使在卡拉 OK 里自己唱，依然会觉得震撼心灵。在黄家驹之前和之后，整个华语音乐圈里都没有像

Beyond 这样的乐队、这样优美的旋律，加上呐喊般的歌唱以及优秀的歌词，更是天下无双。

黄家驹去世的时候我已经进入了音乐圈，当时我正好在录《同桌的你》那张唱片。我也认识黄家驹的经纪人，他经常来北京，后来他到内地创办了当时摇滚乐最好的一个品牌叫"红星"，后来的田震、许巍、郑钧都是红星出品。那天黄家驹突然去世，我们大家当时都蒙了，我觉得就是天妒英才，他是从一个很矮的台上摔下来，老天爷真的是不公平。Beyond 乐队一直坚持到今天，但是乐队缺少了黄家驹，他是创作者兼主唱，兼吉他手，是整个乐队的灵魂。当这个灵魂没有了以后，Beyond 乐队就被定格在那里。

黄家驹虽然去世了，但是他留下的那些音乐却流传下来，每当香港发生重大事件的时候，香港人民聚集起来，唱的不是四大天王的歌，而是 Beyond 的歌，是黄家驹的歌。纪念黄家驹！

|菲尔普斯的生日|

今天是菲尔普斯的生日！"菲鱼"菲尔普斯是奥运会历史上获得金牌最多的大帅哥，我曾经和菲尔普斯有过一次偶遇，是在 2013 年的超级碗总决赛上。我的票是国家橄榄球联盟（NFL）送的一张贵宾票，能够获得贵宾票是一个荣誉，也是让美国人最羡慕的。因为有贵宾票可以走到场地里。当时我刚从看台上走下去正准备到边线去看球，就看到了菲尔普斯。我当时支持加利福尼亚州的"旧金山淘金者队"，而菲尔普斯是巴尔的摩人，他支持的那支队叫"巴尔的摩乌鸦队"，就是那个赛季最后得冠军的队。菲尔普斯永远要跟着巴尔的摩队去比赛，巴尔的摩队的每场比赛他都会站在边线看，所以我从看台上下去正好看见他，还跑上去跟他合了张影。

Today

in History

Today

in History

Today

in History

Today

in History